OLIVIER LOYER

L'ANGLICANISME

DE RICHARD HOOKER

TOME II

THESE PRESENTEE DEVANT L'UNIVERSITE DE PARIS III
— LE 1 JUIN 1977 —

ATELIER
REPRODUCTION DES THESES
UNIVERSITE DE LILLE III
LILLE

DIFFUSION
LIBRAIRIE HONORE CHAMPION
7, QUAI MALAQUAIS
PARIS

1979

L'Atelier de Reproduction des Thèses décline toute responsabilité
touchant la qualité technique des documents qu'il reproduit.

ISBN 2 - 7295 - 0082 - 0
© Olivier LOYER, 1979

LIVRE V

L'EGLISE, SOCIETE DES CHRETIENS

ET

CORPS MYSTIQUE DU CHRIST

C H A P I T R E   I

DEFINITION DE L'EGLISE

Les deux aspects de l'Eglise : Eglise invisible, Eglise visible

Défendre les lois de l'Eglise anglaise, c'est, comme on le sait, le tout premier propos de Hooker; il apparaît bien vite que pour ce faire il convient de s'entendre sur ce qu'est l'Eglise. Hooker nous donne une définition au livre III de l'E.P.[1].

L'Eglise du Christ a deux dimensions ou deux aspects. Corps mystique du Christ, elle est parfaitement une, mais imperceptible à nos sens. Certains membres de ce corps sont au ciel déjà. D'autres sont toujours sur terre, sans qu'on puisse discerner s'ils possèdent réellement ce caractère qui les fait membres du Christ. L'Eglise mystique est l'Eglise des Saints, l'Eglise de ceux qui appartiennent effectivement au troupeau de Jésus-Christ et que lui seul connaît[2]. L'Eglise est aussi une société perceptible aux sens. Sur ce plan, elle est une également, mais d'une unité qu'on peut saisir, cette fois. Les seuls critères qu'on doive utiliser pour déterminer qui en fait partie sont externes : elle réunit tous ceux qui, selon la phrase de saint Paul (Ep. 4,5), reconnaissent un même et seul Seigneur, professent une seule Foi, reçoivent un seul Baptême[3].

On a là une définition minimale de l'Eglise visible. L'unité de cette Eglise se manifeste dans ou par la reconnaissance ouverte des vérités surnaturelles qui constituent l'essence du christianisme et auxquelles tout chrétien doit adhérer[4]. Elle est la société de ceux qui se disent chrétiens, embrassent publiquement la foi du Christ, se font baptiser. Si l'on demande quel est le contenu de cette foi, on répondra : le message évangélique de salut réduit à ses plus simples termes. Certes, il ne suffit pas de simplement reconnaître que le Christ est Seigneur, il faut encore accepter certains articles de foi ; mais ils sont peu nombreux[5].

Nulle question de sonder les coeurs pour déterminer le degré de sincérité de cette profession externe ou pour examiner avec un esprit inquisiteur et minutieux l'orthodoxie de la foi déclarée. Jusqu'où ira cependant cette générosité ? Fort loin, puisqu'on doit garder dans le sein de l'Eglise non seulement les hypocrites, mais les pécheurs notoires, les excommuniés, les hérétiques et même les idolâtres (although they be impious idolaters, wicked heretics, persons excommunicable, yea, and cast out for notorious improbity)[6]. Il est difficile d'imaginer une définition de l'Eglise visible plus contraire à celle des puritains extrêmes, notamment des séparatistes. Pour fonder ces principes, Hooker invoque, comme l'ont toujours fait les tenants d'une large tolérance, la parabole du filet et celle de l'ivraie, surtout l'exemple d'Israël : "Ceux-là [parmi les Juifs] qui ployaient le genou devant Baal appartenaient aussi à l'Eglise de Dieu."[7]

Eglise vraie, Eglise saine, Eglise corrompue

Mais où poser la limite si l'on maintient dans l'Eglise le pécheur notoire, l'hérétique et l'idolâtre ? En somme Eglise et Chrétienté se confondent. Ce principe est développé dans un long passage du livre V où, cherchant à nouveau à saisir l'essence de l'Eglise, Hooker exprime sans ambage qu'elle n'est autre que la vraie religion (true religion) : "Le terme d'Eglise est un terme que l'on a imaginé pour séparer et distinguer la société de ceux qui professent la vraie religion du reste des hommes."[8] Il existe trois religions : la religion païenne, la religion juive et la seule "vraie religion", la religion chrétienne. N'appartiennent pas à l'Eglise, c'est-à-dire à la seule vraie religion, ceux qui n'adhèrent pas à la foi chrétienne ou ceux qui ouvertement la renient. L'unique chose qui sépare un chrétien de l'Eglise dont il a été membre, c'est l'apostasie franche[9].

Bien évidemment, Hooker n'invite pas à fermer les yeux sur les péchés de l'Eglise visible. L'exigence de sainteté effective, manifestée, perceptible, reste impérative. Mais il ne faut pas superposer les distinctions. On distinguera l'Eglise mystique de l'Eglise visible, puis, à l'intérieur de l'Eglise visible, l'Eglise saine (the sound Church) de l'Eglise corrompue (the corrupted Church). Pour ne pas avoir fait la différence, on a commis dans les temps anciens de lourdes erreurs; Hooker fait ici allusion au débat du concile de Carthage concernant la validité des baptêmes administrés par les hérétiques et aux corollaires ecclésiologiques du débat[10]. Or, on répète ces erreurs; c'est une tentation constante que de confondre Eglise visible et Eglise saine et de refuser, donc, la qualité d'Eglise vraie de Dieu à toute Eglise qui révèle quelque imperfection; c'est renouveler le donatisme. Les puritains (les séparatistes évidemment, mais en définitive les presbytériens eux-mêmes) se laissent prendre au piège, puisqu'ils excluent Rome de l'Eglise visible. Hooker, se faisant d'ailleurs l'écho de déclarations multiples de théologiens de son bord, affirme sans ambiguïté l'appartenance de l'Eglise romaine à l'Eglise vraie[11].

Il va de soi qu'à l'intérieur de l'Eglise vraie, ainsi définie par son essence, il se forme de véritables clivages . L'appartenance à l'Eglise n'empêche pas qu'on puisse être exclu pour telle ou telle raison de la communauté des croyants authentiques (separated from the fellowship of sound believers, excluded out of the right believing Church)[12]. Les Apôtres et les Pères ont prononcé des exclusions de ce genre. Mais il ne s'agissait pas d'exclusions totales, pures et simples. L'indigne n'était rejeté que dans la mesure de son erreur et pour cette erreur seulement : "L'hérésie et bien d'autres crimes qui séparent [le pécheur] entièrement de Dieu ne le séparent qu'en partie de

l'Eglise de Dieu."[13] Le Christ lui-même a institué la procédure d'excommunication permettant de prononcer ce rejet partiel.
Elle n'exclut pas le coupable de l'Eglise mystique, c'est bien
évident; mais elle ne l'exclut pas même complètement de l'Eglise
visible. Elle interdit sans plus à l'excommunié de s'associer à
l'Eglise visible dans l'accomplissement de ses devoirs religieux[14].

Définition de l'Eglise et théologie des sacrements

On aura noté que cette définition large de l'Eglise se
fonde sur les conclusions acceptées dans la première chrétienté
à l'occasion de la querelle sur la validité du baptême administré par les hérétiques, puis au donatisme. Nous renvoyons ici
à notre introduction. Cette argumentation met en évidence l'un
des principes fondamentaux de l'anglicanisme, principe reconnu
par les tendances les plus diverses en son sein et que les plus
modérés parmi les presbytériens ont fini par accueillir, à leur
corps défendant il est vrai, et sous la pression qu'excerçaient
sur eux les séparatistes. C'est à savoir que la définition de
l'Eglise s'appuie en définitive sur la théologie du baptême et
des sacrements. Selon l'anglicanisme, là où le baptême est valable, là est l'Eglise, aussi corrompue fût-elle. L'axiome sépa-
ratiste est inverse : là où il y a péché, là n'est pas l'Eglise
et, par suite, il n'y a point là de sacrement valable. La force
de l'argumentation anglicane est de joindre la théologie sacramentelle de saint Augustin, qui fondait fermement le principe
de la validité du baptême hérétique, à celle de saint Cyprien,
qui n'admettait de vrai baptême que dans l'Eglise. Il semble-
rait que ces deux théologies s'opposent, et elles se sont effectivement opposées dans une certaine mesure. Or, l'anglicanisme
les unit, et le résultat de cette synthèse, c'est d'intégrer
l'hérétique lui-même à l'Eglise, ce que ni les catholiques ni
les calvinistes n'acceptent de faire. Hooker, allant droit à
son habitude au coeur du problème, est ici très explicite. Il
cite saint Cyprien longuement et notamment la fameuse phrase :
"Je ne connais qu'un seul baptême, le baptême donné dans

l'Eglise", mais il enchaîne aussitôt : "Tout cela était vrai, mais cela ne suffisait pas à prouver que les hérétiques ne faisaient nullement partie de l'Eglise et par suite que leur baptême n'était pas un baptême."[15] Cette double fidélité à saint Augustin et à saint Cyprien explique à la fois ce qu'il est convenu d'appeler la "compréhensivité" et le "sacramentalisme" de l'Eglise anglicane, deux traits qui, loin de s'opposer comme on le croit souvent, se complètent[16].

Deux aspects distincts, mais articulés l'un à l'autre

Quoique les distinctions que propose Hooker soient assurément claires, elles n'en font pas moins difficulté. L'opposition tranchée qu'il établit entre l'Eglise invisible et l'Eglise visible est luthérienne. N'a-t-elle pas pour conséquence d'abandonner l'ordre ecclésiastique à l'homme, de le dépouiller de toute marque divine ? Luther, anxieusement concentré sur le problème du salut, n'accordait d'attention qu'au rapport individuel qui par la foi unit chacun au Christ, abandonnant au prince dans l'Etat chrétien la gestion de l'Eglise : au magistrat d'administrer la loi, la loi ecclésiastique aussi bien que la loi civile, à Jésus-Christ de régner par la grâce. Dans une large mesure, l'anglicanisme confiant au roi le gouvernement suprême de l'Eglise se situait dans cette ligne, bien qu'à l'origine les motivations d'Henri VIII arrachant à Rome ce gouvernement aient été fort différentes de celles d'un Luther : d'un côté l'Eglise invisible, royaume de grâce dont Jésus seul est la tête, corps mystique dont les liens sont des liens d'amour et non des lois impératives et des organes d'exécution, de l'autre l'Eglise visible, royaume naturel, société régie par les règles de toutes les sociétés publiques, polity comme dit Hooker. L'opposition semble catégorique.

On doit se méfier pourtant. La dialectique de la grâce et de la nature que nous croyons retrouver dans la distinction apparemment radicale qu'introduit Hooker au début de ses réflexions sur l'Eglise contredit l'esprit de sa théologie. Cette théologie est une théologie de la conjonction et non de la rupture, de l'intrinsécisme et non de l'extrinsécisme : la grâce parfait la nature et la pénètre, on l'a dit et redit. L'Eglise visible, _polity_, société politique et, donc, largement naturelle en ses principes, est néanmoins le réceptacle et l'instrument de la grâce. De cette vérité traditionnelle, Hooker n'a pas un instant douté. Il en doute moins encore lorsque la controverse lui fait prendre, en même temps qu'aux autres théologiens de sa tendance, un sens plus grand du caractère divin de l'institution ecclésiale. L'Eglise visible est à la fois société politique et institution sacramentelle. C'est ce double aspect qu'il faut analyser plus en détail.

L'EGLISE SOCIETE POLITIQUE

"Polity": définition. "Discipline" et "Polity"

L'Eglise qui retient l'attention de Hooker, c'est l'Eglise visible. Elle se divise en sociétés distinctes, qui sont autant de "sociétés chrétiennes publiques" (public Christian societies), chacune dénommée Eglise. Comme sociétés publiques, ces sociétés ont nécessairement des caractères bien définis, dont l'un des plus importants est l'existence d'un ordre ecclésiastique, ecclesiastical polity. Polity, mot difficile à traduire, qui dérive évidemment de la πολιτεία d'Aristote, riche du sens qu'il peut avoir dans la pensée du philosophe grec, mais surtout du sens qu'il avait pris sous la plume des théoriciens de l'aristotélisme politique aux derniers siècles du Moyen Age et à la Renaissance. Hooker préfère ce terme à celui de gouvernement, trop restreint. "Polity" désigne tout ce qui se rapporte à l'ordre public de l'Eglise, à son gouvernement certes, mais aussi à ses rites, à ses cérémonies, bref à l'ordonnance de sa vie extérieure (whatsoever belongeth to the ordering of the Church in public)[1]. Il est clair que dans la mesure où l'Eglise est une société visible, donc un corps politique, elle requiert des lois régissant cette ordonnance : laws of polity it cannot want[2].

On ne rencontre guère le terme de polity que sous la plume des anglicans; les puritains, quant à eux, parlent de discipline. Ils estimaient leur discipline impérative; les anglicans ne croyaient pas que leur polity le fût. C'est que ces

deux termes concurrents, si proches par certains côtés, ont
des connotations bien différentes, et sans doute une bonne
part de la querelle repose-t-elle sur les confusions qui naissent d'une équivalence imparfaite.

Si la discipline implique, tout comme la polity, l'ordre extérieur de l'Eglise, son organisation, elle comprend
aussi l'ordre moral qui doit y régner: la polity, elle, ne se
réfère qu'à l'ordre public et n'atteint les conduites que dans
leurs manifestations réglées par la loi. Le terme de polity a
donc une connotation moins spirituelle que le terme discipline.
A la vérité, il n'a pas de connotation spirituelle du tout: il
est profane et grec, il ne désigne qu'une réalité constitution-
nelle, "politique"[3]. Il en va différemment du mot discipline,
dont l'étymologie révèle au contraire la valeur chrétienne: il
dénote le gouvernement pastoral, l'enseignement d'un magistère,
une règle de vie. D'autre part (mais c'est au fond un nouvel
aspect de la même idée), la polity renvoie à l'organisation
de la cité. La discipline nous maintient dans l'orbite ecclésiale, voire paroissiale, ou même dans un cercle plus intime;
nous restons dans les limites de l'autorité d'un pasteur sur
son troupeau. Il reste cependant que les sens arrivent à coïn-
cider parfois. Ainsi, lorsque les presbytériens dans leurs
traités sur la discipline, Travers par exemple dans la Disciplinae [...] Explicatio, décrivent par le menu les rouages de
l'organisation ecclésiale qu'ils souhaitent, que font-ils sinon proposer a platform of polity, un programme constitutionnel
pour l'Eglise entière, qu'ils cherchent à imposer par voie légale? External discipline chez les uns, ecclesiastical polity
chez les autres désignent la même réalité[4]. Mais il y a sans
doute un danger à utiliser le terme de discipline dans ce sens
trop technique, à la fois trop large et trop restreint. On
passe insensiblement de l'acception spirituelle du mot à son
acception institutionnelle, chargeant la seconde de l'autorité
sacrée de la première. Que la discipline, disons: qu'une vie
sainte, réglée selon la loi de Dieu, soit impérative, qui le
nie? Mais de quel droit se prévaloir de cette évidence pour
sanctifier le détail des prescriptions canoniques?

Il va de soi que Hooker n'exclut pas de son vocabulaire le terme de discipline. Ce qu'on vient de dire, ce qu'on
a dit déjà en d'autres lieux, doit suffire à nous en convaincre.
Le ferait-il qu'il rejetterait de sa conception de l'Eglise,
bien plus, de sa conception de la vie chrétienne tout un ordre
de réalités auxquelles il tient fort : tout le plan des manifestations concrètes de la vie spirituelle, ce qui relève de la
sanctification, des oeuvres, et il se ferait l'apologète d'une
dichotomie que son système repousse, dichotomie qui partage le
gouvernement chrétien, the spiritual regiment, en zones étanches , le gouvernement invisible et direct du Christ d'un côté,
le gouvernement institutionnel de l'appareil ecclésial, en dernière analyse celui du prince, de l'autre, et qui néglige le
gouvernement pastoral, rien de moins ! C'est à cette division
que trop souvent les historiens veulent acculer l'anglicanisme
à ses débuts. Injustement, croyons-nous. A coup sûr, la description ne vaut rien pour Hooker. Du terme discipline, il fait
assez généralement un usage spirituel et pastoral ; il la rattache à l'ordre éminemment, au pouvoir qu'a le clerc d'administrer les moyens de grâce[5]. Certes, la discipline, ayant de la
sorte un aspect nécessairement extérieur, devra se couler dans
le moule d'une organisation proprement sociale ou politique,
c'est-à-dire d'un ensemble de règles canoniques, rattachées en
définitive à la machine légale de l'Eglise et, donc, du royaume.
Mais cette évidence ne permet pas un emploi négligé du vocabulaire. Tous ces points s'éclaireront quand nous traiterons du
ministère et notamment de l'ordre, de la juridiction, de la pénitence[6].

Matter of Polity, both indifferent and necessary. Les deux sens
du mot "nécessaire"

Rappelons les grands principes. La "polity", l'ordre
extérieur et public de l'Eglise, relève des questions indéterminées ou secondaires, matter indifferent, matter accessory.
Les lois qui régissent cet ordre, the laws of ecclesiastical
polity, sont par suite humaines. De ce fait, l'Eglise, comme

toute société publique, a pleinement le droit de légiférer en
ces matières. Principes contraires aux principes puritains,
comme on le sait. En réalité l'opposition n'est pas aussi tranchée qu'il y paraît. Car la liberté dont se prévaut l'Eglise
anglicane n'est pas arbitraire ; l'Eglise ne peut rien accepter qui soit incompatible avec l'Ecriture et elle doit suivre
les principes de la raison. De leur côté, les presbytériens,
Thomas Cartwright lui-même, sont bien contraints d'admettre
que la Bible ne donne en ces matières qu'une direction générale. Hooker se plaît à le leur faire remarquer[7]. En somme, la
querelle porte sur la marge de liberté laissée à l'Eglise[8].Les
puritains la veulent étroite, les anglicans la souhaitent aussi
large que possible.

Pourtant, ces derniers l'admettent, il existe un certain nombre de choses qui se rapportent à l'ordre extérieur de
l'Eglise et qui cependant échappent à sa libre détermination.
Ce sont d'abord les sacrements. Cela va de soi ; néanmoins,
Hooker croit devoir l'affirmer clairement pour repousser une
accusation trop facile : "Quant à ces termes de cérémonies et
de discipline extérieure, ils [les puritains] voudraient bien
faire croire qu'ils désignent chez nous infiniment plus qu'ils ne
le font en réalité [...] . Non, ce terme de cérémonies, nous
n'en élargissons pas le sens au point d'y inclure les sacrements."[9] Il y a plus. Accorder à l'Eglise une large liberté en
matière de discipline, ce n'est pas admettre qu'elle puisse, à
son gré, avoir ou ne pas avoir de gouverneurs ou de gouvernement ecclésiastique, conserver ou rejeter la censure. Elle n'est
pas libre de se passer d'un ordre politique ni d'une juridiction répressive. On doit aller encore plus loin. Hooker, contre-
disant apparemment le principe qu'il a posé, finit par admettre
que l'Eglise est liée, dans sa constitution même, par certains
commandements divins, et cela jusqu'à la fin des temps[10]. Le
langage de Hooker, sur ce point important, est difficile à suivre ; on glisse insensiblement de l'argument philosophique à la
justification théologique ou inversement. Un clergé est "nécessaire" dans l'Eglise et, dans le clergé, une hiérarchie ; les
principes d'ordre naturel l'exigent[11], mais aussi l'Ecriture et

la tradition[12]. <u>Necessary</u>, <u>necessarily</u>, <u>of necessity</u>, Hooker
emploie, pour désigner des institutions ecclésiales et surtout
l'épiscopat, ces mots mêmes qu'on croyait réservés au vocabulaire de ses adversaires défendant leur discipline. Illogisme,
incertitude de langage, acrobaties verbales ? Quelques pages
plus haut, résumant le contenu du livre III, ne réaffirmait-il
pas une fois de plus la différence qu'il faut faire absolument
entre l'ordre politique de l'Eglise (<u>Church polity</u>) et les matières nécessaires au salut (<u>matter necessary to salvation</u>)[13]
et voici qu'il proclame aussitôt la nécessité non pas simplement naturelle, mais scripturaire d'une constitution hiérarchique dans l'Eglise.

C'est que le mot nécessaire n'a pas toujours le même
sens là-même où la nécessité invoquée est d'institution divine :
<u>of perpetual necessity</u> ne veut pas dire <u>necessary to salvation</u>.
La distinction est fine, mais capitale. Suivons les textes de
près. Hooker y parle de "parties principales et perpétuelles
dans la constitution de l'Eglise" qui sont "d'usage et de nécessité constante" (<u>these principal and perpetual parts in ecclesiastical polity</u> [...] <u>of constant use and necessity</u>)[14] ; il dit
que l'enseignement de l'Ecriture à ce propos "a une valeur permanente" (<u>for ever permanent</u>) ; il reconnaît avec les puritains
que certains éléments de la constitution ecclésiastique ont été
institués par l'Ecriture pour durer jusqu'à la fin des temps
(<u>set down for perpetuity</u>) ; mais nulle part il n'écrit que ces
parties, cet enseignement, ces éléments sont "nécessaires au
salut". Le principe n'est pas renié qui pose une différence fondamentale entre l'ordre de l'Eglise et le noyau des vérités proprement dogmatiques, théologiquement nécessaires. Cependant,
proclamer cette différence, ce n'est pas soutenir que l'Ecriture
reste muette sur la constitution de l'Eglise. Elle donne les
grandes lignes, sans faire de son enseignement dans ce domaine
un enseignement de salut au sens étroit du terme[15]. L'Ecriture
propose un modèle parfait, que la nature elle-même suggère d'
ailleurs ; elle le sanctionne du sceau divin de sorte qu'il devient doublement impératif. La constitution hiérarchique de
l'Eglise, conforme à l'ordre naturel, est aussi celle "qui

s'accorde le mieux avec l'Ecriture" ; c'est "la meilleure espèce de constitution" ; elle a toujours existé, elle "devra"
toujours exister dans l'Eglise (that which best agreeth with
the sacred Scripture ; that kind of polity or regiment which
is best" ; we hold there have ever been and ever ought to be
[...] two sorts of ecclesiastical persons)[16]. On reconnaît la
distinction classique dans l'Eglise anglicane entre l'esse et
le bene esse de l'Eglise. Si l'ordre ecclésial institué par
Jésus est impératif, précisément parce qu'il est un modèle parfait, il n'entre pas cependant dans la définition de l'essence
de l'Eglise, définition très large, très christocentrique, qu'
on a étudiée au chapitre précédent. Il ne relève pas de la loi
surnaturelle. Bien que le commandement scripturaire en ce domaine soit une loi positive établie par Dieu lui-même, cette
loi reste une loi muable : une Eglise qui, pour une raison légitime, n'accepterait pas cet ordre divin n'en demeurerait pas
moins l'Eglise de Dieu. Nous retrouvons clairement appliquée à
notre problème la distinction faite aux premiers livres de l'E.P.
entre les deux grandes catégories de lois scripturaires, celles
qui sont immuables et surnaturelles, celles qui sont muables,
divines sans être surnaturelles. Les premières sont nécessaires
d'une nécessité salutaire, les deuxièmes le sont d'une nécessité
de perfection. Cette distinction importante, posée de façon générale au début de l'E.P., sert au premier chef à démarquer les
grands principes ecclésiologiques anglicans de ceux des presbytériens ; mais elle permet à Hooker de prendre aussi ses dis-
tances à l'égard de l'ecclésiologie catholique : car les catholiques commettent une erreur de même ordre en confondant précisément essence et perfection de l'Eglise et donc en mettant,
eux aussi, sur un même plan des institutions divines de nature
fort diverse[17].

" Une Eglise qui n'accepterait pas cet ordre divin n'en
demeurerait pas moins l'Eglise de Dieu", avons-nous dit ; ce
principe n'autorise nullement chaque Eglise à en faire à sa tête,
à se gouverner comme elle l'entend au mépris des règles du Seigneur. Ces règles encore une fois sont impératives. Mais des
raisons de circonstances peuvent expliquer qu'on s'en écarte.

Ainsi, les Eglises réformées de France et d'Ecosse, contraintes
par la nécessité, vivent sous un régime égalitaire qui n'est
pas conforme au modèle scripturaire. C'est un défaut, une imperfection chez elles (a defect, an imperfection), cela ne les
retranche pas de la communauté ecclésiale[18].

Droit divin, droit naturel et tradition dans l'Eglise

Les lois de l'Eglise sont des lois humaines ; nous
voyons maintenant que certaines d'entre elles, les principales,
sont aussi divines, sans être pour autant surnaturelles ; elles
sanctifient les exigences de la nature. Il reste donc vrai qu'
on peut appliquer largement les principes de politique naturelle
pour déterminer les règles du corps ecclésial. En fait, d'exigence politique naturelle, il n'y en a guère qu'une seule, l'exigence hiérarchique : point de corps politique inorganisé, sans
gouverneurs et sans gouvernés, sans "degrés". Au-delà de cette
exigence fondamentale, rien d'immuable, rien d'universel : les
espèces politiques sont innombrables. L'Eglise, à l'intérieur
de ce cadre, est vraiment libre de se donner la constitution qu'
elle souhaite. Au fond, si l'Ecriture avait prévu le détail du
gouvernement de l'Eglise, elle eût contredit les principes de
politique naturelle, fait violence en quelque sorte à l'ordre
créé. Puisque le Christ voulait que son Eglise fût une société,
il fallait qu'il lui laissât la liberté qu'a toute société de
déterminer son propre régime, the manner of its polity. Tout ce
qu'on a dit sur le contrat social et le consentement trouve sa
place. La souveraineté de l'Eglise réside dans le corps même de
l'Eglise prise en sa totalité : le principe vaut pour toute société. L'Eglise tout entière est le vrai sujet du pouvoir[19].

Mais nous savons que ce principe, loin de fonder chez
Hooker une démocratie de type moderne, accorde au contraire une
importance primordiale à la coutume, à l'histoire, à la tradition. Or, la coutume, l'histoire ou la tradition sont choses
vivantes, qui peuvent abolir un usage ou le maintenir, changer
la constitution d'un état ou la confirmer. Par ce biais, Hooker

se débarrasse d'un passage de saint Jérôme qu'on lui objecte,
ou mieux il met saint Jérôme en accord avec lui-même. Ce passage semble nier que l'épiscopat soit une institution scripturaire : "Que les évêques, y est-il écrit, sachent bien que c'est
la coutume plus que la vérité d'une ordonnance dominicale qui
les met au-dessus des autres prêtres."[20] Et pourtant, ailleurs,
Jérôme reconnaît l'apostolicité de l'épiscopat. Comment accorder ces deux idées contraires ? C'est, répond Hooker, que"l'E-
glise prise dans sa totalité a le pouvoir de modifier, avec le
consentement de tous et lorsque la nécessité l'impose (with general consent and upon necessary occasions), jusqu'aux lois positives établies par les Apôtres, s'il n'y a point de prescrip-
tion contraire et s'il lui paraît manifeste que les temps nouveaux enlèvent toute raison d'être à l'institution divine d'origine." Et puisqu'elle a le pouvoir de les modifier, elle a de
ce fait celui de les maintenir. Il est donc possible de dire à
la fois qu'une institution est apostolique parce qu'elle a été
fondée par les Apôtres et qu'elle détient pourtant sa force de
la coutume ecclésiastique parce que l'Eglise a choisi de la maintenir. Les prêtres ne peuvent refuser leur obéissance à leurs
évêques sans désobéir à l'ordre de Dieu ; mais inversement les
évêques doivent reconnaître que "l'Eglise a le pouvoir de leur
retirer [leur autorité] par consentement universel et si les
circonstances l'exigent impérieusement (that the Church hath
power by universal consent upon urgent cause to take it away)."[21]

Church and commonwealth : un seul et même corps social

Ainsi donc, l'Eglise, société politique souveraine,
peut déterminer le détail de sa constitution, pourvu qu'elle se
soumette aux principes généraux de la loi naturelle, aux commandements de l'Ecriture et aux leçons de l'histoire et de la
tradition. En fait, il n'existe pas, il ne peut exister, de société politique ecclésiale une aux dimensions universelles : on
ne trouve que des sociétés distinctes, qui toutes sont l'Eglise,
qui l'incarnent ou la manifestent, mais sont enfermées dans les
limites d'un territoire précis et définies par des lois

particulières. Ces lois, ce sont les lois mêmes du royaume. Car l'Eglise en tant que société politique ne se distingue pas de l'Etat chrétien.

Ce principe est un lieu commun des premiers théologiens de l'Eglise d'Angleterre. On le voit clairement formulé dès la rupture avec Rome; il est encore invoqué au siècle suivant. Il faudra attendre la rupture de la guerre civile, puis ses conséquences inscrites dans les faits malgré la Restauration, bref le développement des Eglises dissidentes et leur reconnaissance officielle par l'Acte de Tolérance en 1689, pour le voir abandonné. Non pas abandonné entièrement. L'idéal, et dans une large mesure la réalité, d'une fusion ou d'une connexion très intime entre l'Eglise et l'Etat, entre la nation et la religion, sont un idéal et une réalité très anglais. Les liens ne sont rompus qu'avec les lois de 1828 et de 1829 restituant aux dissidents, puis aux catholiques, leurs pleins droits civils (le sont-ils même tout à fait puisque l'Eglise anglicane reste une Eglise établie, puisque ses grands textes canoniques sont des "statuts", des lois passées sous les Tudor ou les Stuart, puisqu'aujourd'hui encore seul le Parlement est habilité à modifier officiellement le Common Prayer Book?).

C'est certainement à Hooker que l'on doit la formulation la plus rigoureuse du principe. Il l'expose au début du livre VIII consacré à la défense de la suprématie royale dans l'Eglise[22]. Ce principe, en effet, permet une justification facile des privilèges religieux du roi et tout d'abord du titre de Tête ou Chef de l'Eglise, Head of the Church, que les souverains revendiquent depuis Henri VIII[23]. Le raisonnement est simple: le roi est le "chef" de l'Eglise parce qu'il est le "chef" du royaume et qu'Eglise et Royaume, c'est tout un. Certes, Hooker admet bien que l'Eglise et l'Etat, disons la nation civile, the commonwealth[24], sont par nature des réalités distinctes (in nature distinguished from one another); mais elles ne sont pas pour cela des réalités subsistant séparément l'une de l'autre (in subsistence perpetually severed). La thèse anglicane repose sur deux axiomes. Premièrement, il n'y a point de société sans religion (<u>every body politic hath some reli-gion</u>); deuxièmement, une Eglise, ce n'est pas autre chose qu'une société politique reconnaissant la vraie religion, se distinguant des autres sociétés par ce trait de vérité. Avant l'avènement du Christ, Israël, qui seul possédait la vraie religion, était l'unique Eglise de Dieu. Depuis l'avènement du Christ, toute société politique qui adhère à la vérité chrétienne est l'Eglise: "En tant que société politique elle professe une religion, en tant qu'Eglise elle professe la religion que Dieu a révélée par Jésus-Christ." Le deuxième axiome nous est familier; nous l'avons rencontré en étudiant la définition de l'Eglise. On voit maintenant qu'il s'appuie sur le premier, à savoir qu'il n'est pas de société sans religion, et que donc le soin des choses de Dieu dans une société appartient à la société même. Principe de philosophie naturelle, qui exclut comme impensable l'idée d'un état "laïque" comme nous l'entendons de nos jours. L'athéisme, on le sait, est quasiment monstrueux[25]. La thèse anglicane ainsi formulée s'inscrit sans difficulté dans l'aristotélisme politique: la religion est l'affaire de la cité.

Suivons encore Hooker quand il cherche à différencier cette conception à la fois de la conception catholique et de la conception presbytérienne, qu'il assimile l'une à l'autre en les confondant sous l'appellation d'un <u>they</u> très anonyme. L'argumentation semble en fait s'adresser davantage aux catholiques: "Chez nous, dit-il, le nom d'Eglise ne désigne qu'une société d'hommes, société unie tout d'abord par les règles d'une constitution publique et qui se distingue ensuite des autres sociétés par l'exercice de la religion chrétienne. Chez eux, par contre, le nom d'Eglise[...] ne désigne pas seulement une multitude ainsi rassemblée et distinguée des autres, mais une multitude séparée nécessairement et pour toujours du corps de la nation."[26] Pour "eux", Eglise et Nation, <u>Church and Commonwealth</u>, constituent deux corps sociaux, <u>two corporations</u>, qui subsistent indépendamment l'une de l'autre. Au contraire, "personne n'est membre de l'Eglise d'Angleterre qu'il ne soit aussi membre de la nation civile; inversement personne n'est membre de

la nation qu'il ne soit aussi membre de l'Eglise."[27] La formule est devenue célèbre.

     L'erreur des adversaires de l'Eglise anglicane a une
double source. D'une part ils vont chercher un modèle de l'E-
glise dans la situation du peuple juif exilé, soit en Egypte,
soit à Babylone, ou encore dans celle des premiers chrétiens
persécutés. Mais la situation était alors exceptionnelle; elle
était celle d'une Eglise opprimée qu'on ne peut prendre pour
norme. L'autre raison de l'erreur est à chercher dans la distinction du spirituel et du temporel dans la nation chrétienne,
ou plutôt dans une méprise sur cette distinction. Car cette
distinction est parfaitement justifiée; elle est naturelle;
elle était connue des païens, d'Aristote entre autres qui attribuait à la société une double fin, celle de favoriser non
seulement la vie pure et simple, mais la vie bienheureuse.
Mais cette distinction n'exige pas qu'on institue dans la nation deux "états", deux communautés indépendantes (two independent estates, two independent communities); elle exige qu'
on différencie les fonctions à l'intérieur de la même communauté[28].

     Hooker n'était pas le premier à dire ces choses. Les
propagandistes de Henri VIII, dans les années trente, avaient
présenté déjà les lignes essentielles de l'argumentation, ainsi Gardiner dans son "De vera obedientia" de 1535:

> "Je ne vois point de raison que l'on s'offense davantage du
> titre de Chef de l'Eglise (Head of the Church) donné au Roi
> que du titre de Chef du royaume d'Angleterre (Head of the
> realm of England [...] L'Eglise d'Angleterre est faite des
> mêmes sortes de gens que ceux compris sous ce mot de royau-
> me et dont on dit que le Roi est le Chef. Si l'on fait de
> lui le Chef du Royaume d'Angleterre, ne sera-t-il pas le
> Chef des mêmes personnes quand elles constituent l'Eglise
> d'Angleterre? Quelle folie ne serait-ce pas d'admettre qu'
> un même homme qui vit en Angleterre est assujetti à son Roi
> comme à son Chef et d'affirmer qu'il n'est point sujet dès
> qu'on le dit chrétien?"[29]

C'est la même philosophie que l'on retrouve exprimée pour ainsi

dire officiellement dans le préambule de la loi de 1533 inter-
disant les appels à Rome (Act in Restraint of Appeals):

"Attendu qu'en diverses et multiples histoires et chroni-
ques, anciennes et authentiques, il est déclaré et expri-
mé de façon manifeste que ce royaume d'Angleterre est un
empire [...] gouverné par un seul Chef Suprême et Roi [...]
auquel après Dieu doit humble et naturelle obéissance un
corps politique composé de toutes sortes et de tous ordres
de gens, qui se partagent en ce qu'on appelle l'état spirituel et l'état temporel (spriritualty and temporalty) [...];
attendu que le corps spirituel en ce royaume (the body spiritual whereof) détenait un pouvoir de décision de sorte
que s'il se présentait une cause relevant du droit ecclésiastique ou de la doctrine, ladite cause était alors tranchée, interprétée, exposée par cette partie du corps politique dénommée l'état spirituel, qu'on appelle ordinairement
à ce jour l'Eglise d'Angleterre [...] ; attendu que les lois
temporelles, compétentes en matières de terres et de biens
et propres à maintenir le peuple de ce royaume dans l'unité
et la paix [...] ont été et sont toujours administrées, ap-
pliquées et exécutées par divers juges et officiers de l'autre partie du corps politique, dénommée l'état temporel,
que l'autorité ou la juridiction des deux états s'unissent
l'une à l'autre pour la bonne administration de la justice,
l'une soutenant l'autre, etc."[30]

Il y a peut-être entre ce texte fameux et ceux de Hooker ou de
Gardiner quelques différences; notamment l'appellation d'Eglise
est réservée au clergé (the spiritualty), et les deux états,
clercs et laïques, semblent constituer de véritables corps (cf.
the body spiritual): traits qui peuvent autoriser une théorie
de l'Eglise et de l'Etat autre que celle proposée par Hooker et
ses devanciers; nous y reviendrons. Toutefois, l'unité du corps
politique est fortement soulignée et la conséquence déduite: le
roi seul est Chef, Tête, en son royaume. L'originalité de Hooker
est à chercher dans la puissante construction de l'argument,
dans cette manière qui lui est propre d'en mettre à jour le fondement philosophique lointain, de l'habiller d'un langage précis, d'accorder enfin les formules dégagées à l'ensemble de son

système. N'avons-nous pas retrouvé, comme en passant, des thèmes étudiés ailleurs: caractère naturel de la religion, impossibilité de l'irréligion, principes généraux de l'aristotélisme politique, concepts utilisés pour définir l'Eglise, appuyés eux-mêmes sur une théorie du minimum dogmatique, outillage logique élaboré?[31]

Hooker et l'érastianisme. Le prolongement du rêve unitaire

La distinction médiévale des pouvoirs n'est pas niée, distinction qui n'est pas de pure forme, mais bien "réelle", distinction de "nature". Il est normal, nécessaire, que le droit d'un état se divise en deux grands corps de lois, la loi civile ou "séculière", the secular law, d'un côté, la loi religieuse ou "spirituelle", the spiritual law, de l'autre, administrées l'une et l'autre par des officiers différents, étant bien admis cependant que l'une et l'autre loi sont prises par l'ensemble du corps chrétien, corps politico-religieux qui est le sujet ultime du pouvoir[32]. Position délicate de la théorie anglicane, à la fois cléricale et anticléricale. Hooker combat d'une même arme le cléricalisme catholique et puritain, dans la mesure où les adversaires de l'Eglise d'Angleterre font de l'Eglise un Etat dans l'Etat et la restreignent au clergé seul au lieu de l'identifier à tout le peuple chrétien[33]. Inversement, il concentre une grosse partie de son attaque (et les autres défenseurs de l'ordre anglican le faisaient plus encore; on se rappelle les objurgations de Cranmer et de Sandys) sur le "laïcisme" des puritains, nommément sur l'institution des lay-elders, qui retire aux pasteurs la juridiction spirituelle pour la confier aux anciens et qui, ce faisant, dévalue le ministère chrétien. Nous reviendrons sur tout cela.

Parlera-t-on d'érastianisme, comme il est courant de le faire, surtout pour l'Eglise anglicane des origines, celle des souverains Tudor, et surtout pour Hooker? Le Oxford Dictionary of the Christian Church n'écrit-il pas, avec une certaine brutalité d'expression: "Parmi les premiers représentants de la doctrine érastienne figure Hooker, qui défend la suprématie du pouvoir séculier dans son E.P.?"[34] C'est vrai, et pourtant ce n'est qu'à moitié vrai. Le tout est de s'entendre sur ce qu'on appelle érastianisme. Il est vrai que l'Eglise selon Hooker s'intègre au royaume d'Angleterre; comment pourrait-il en être autrement puisqu'elle est ce royaume, puisqu'il n'y a qu'un "sujet" de pouvoir et de droit, qu'une "société"? Mais il est faux d'imaginer ce royaume et plus particulièrement le roi qui en est le Chef comme des réalités purement et simplement "séculières". Hooker était si peu érastien au sens historique et strict du terme qu'il consacrait (comme le suggère une remarque de Cranmer)[35] les pages d'introduction du livre VI à se démarquer d'Eraste, qui, lui, voulait sans tergiverser se défaire de distinctions révolues, détruire pratiquement le droit ecclésiastique, transférer aux cours civiles la compétence des cours spirituelles, bref ravir aux clercs leur juridiction.

Eraste menait à leur terme certains principes contenus en germe dans le protestantisme luthérien, plus explicitement développés chez les disciples de Zwingle: dans le corps chrétien, le clerc n'a qu'une fonction spirituelle, un office de grâce et non de gouvernement, nulle juridiction donc. Pour un Luther, au fond, quoi de plus contradictoire que l'idée d'un pouvoir spirituel: loi et grâce s'opposent en une dialectique heurtée; point de mélange entre le royaume du ciel et celui de la terre et puisqu'en ce monde de péché il faut jusque dans le corps chrétien, si peu chrétien hélas, un gouvernement, un appareil répressif, qu'ils appartiennent au magistrat et non pas au ministre du salut. Antinomie tranchée. Chez les Suisses et dans les villes de la vallée du Rhin s'ajoute à cela un sens très fort de l'unité de la communauté populaire. La réaction de Calvin et de ses disciples intervient donc dans un climat jusque-là favorable à l'effritement des pouvoirs de l'Eglise. Ils emploient toute leur flamme à reconquérir un terrain perdu. La controverse autour de la thèse d'Eraste (1568) n'est qu'un moment de cette lutte acharnée qui se livre un peu partout dans les Eglises protestantes sur le continent, à Genève, dans le Palatinat, en Hollande, sur cette question capitale du rapport

du magistrat et de l'Eglise. Eraste, médecin suisse et profes-
seur à Heidelberg, soutenait sur l'excommunication des propositions retentissantes; il lui niait le caractère d'une peine
ecclésiastique: "Il n'y a dans une république chrétienne qu'un
seul magistrat auquel a été confié par Dieu le gouvernement
extérieur de tout ce qui appartient, soit à la vie civile, soit
à la piété et à la vie chrétienne ... ; dans une telle république, il ne peut y avoir deux juridictions distinctes ... ; un
corps à deux têtes serait un monstre."[36] Il invoquait pour justifier sa thèse l'autorité des théologiens de Zurich, Bullinger
et Gualter, ou celle de Musculus de Berne. Dans ses Loci communes (1586), Musculus avait écrit en effet que "la nature même
du gouvernement ne peut souffrir dans un même peuple deux pouvoirs authentiques ... ; il n'y a pas place pour deux têtes
dans un même corps."[37]

L'Angleterre, une fois encore, est à mi-chemin entre
les deux extrêmes. Il suffit d'examiner les citations qu'on
vient de faire pour saisir ce qui rapproche, mais aussi ce qui
sépare, les théologiens anglicans des théologiens luthériens et
suisses. Certes, l'influence luthérienne, au début de la Réforme et jusque sous Edouard, a été forte en Angleterre comme partout ailleurs; la théorie protestante du godly prince a été
adoptée avec empressement par les novateurs, qui voyaient comment on pouvait la greffer aux conceptions "impériales" d'Henri.
L'influence des théologiens suisses est évidente aussi. On la
décèle sans difficulté dans la querelle qui nous occupe :
Whitgift les cite largement (surtout Musculus) pour confondre
Cartwright[38]. Nous avons montré d'ailleurs, dans notre introduction, que la controverse entre anglicans et presbytériens
prolonge en Angleterre, dans une large mesure, la dispute entre
Genève et Zurich. Tout cela est ajourd'hui prouvé.

Soit. Mais la théorie anglicane de l'Eglise et de l'
Etat ne se réduit pas au schéma qu'elle trouvait dans ces sources immédiates. Elle maintient à la fois l'unité du corps chrétien et la distinction des pouvoirs ou des juridictions dans ce
corps. Elle a d'autre part des antécédents plus anciens. Elle

reprend l'exemple d'Israël et de Byzance, elle continue la tradition médiévale, ou plutôt, de cette tradition, un courant
théologique unitaire très puissant. L'Eglise des premiers siècles et l'Eglise du Moyen Age ont rêvé d'une chrétienté accom-
plie dès ici-bas, dont ils voyaient les prémisses établies déjà
sur une fondation solide depuis la conversion de Constantin. Il
ne restait qu'à poursuivre l'oeuvre commencée. Dans l'unité de
la "République chrétienne" (Respublica christiana), l'imperium
et le sacerdotium étaient deux pouvoirs complémentaires, deux
potestates et non pas deux corps étrangers. Pouvoirs rivaux
dans les faits souvent; mais l'idéal unitaire exigeait en définitive, au tout sommet de l'édifice, une source unique d'autorité. Qui? Le Christ, bien entendu, mais au-dessous du Christ
et sur cette terre, le Pape, l'Empereur ou, dans chaque pays
clos sur lui-même, le roi, "empereur en son royaume"[39].

   C'est dans ce contexte qu'il faut situer les ruptures
luthériennes. Ruptures, c'est évident, par tant de côtés, mais
prolongements par tant d'autres. Luther veut arracher aux
clercs leur pouvoir parce que la grâce n'est pas un pouvoir; il
n'a pas d'injures assez fortes contre le droit canon, parce que
la prédication évangélique n'est pas une affaire de juristes;
mais à qui confier le pouvoir, à qui donner le soin de trancher
les conflits dans le corps chrétien? Car (qu'on lise la Lettre
à la Noblesse chrétienne de la Nation allemande pour s'en convaincre) il n'y a toujours qu'un corps chrétien. Marsile de
Padoue, près de deux siècles auparavant, tout féru d'Aristote,
préoccupé de maintenir l'intégrité du pouvoir politique et peu
soucieux de grâce évangélique, était arrivé à des conclusions
analogues par des voies contraires. Lorsque Henri VIII rompt
les liens qui amarrent la nef anglaise à Rome, Gardiner le
"catholique" semble répéter Marsile[40], Tyndale le protestant
se fait l'écho de Luther. Qu'importe, la conception de la chrétienté reste fondamentalement la même, les mêmes prémisses sont
acceptées de tous; de Thomas More lui-même, à l'instant où, con-
damné par le Parlement, il desserre les lèvres et dévoile le
tréfond de sa pensée: "Et pour prouver ses dires, nous raconte
Harpsfield son premier biographe, il déclare que ce royaume qui

n'était qu'un membre et qu'une petite partie de l'Eglise ne
pouvait faire de loi particulière qui fût contraire à la loi
générale de l'Eglise catholique, universelle, du Christ, pas
plus que la Cité de Londres, qui n'était qu'un simple membre
au regard du royaume entier, ne pouvait faire de loi contraire
à un Acte du Parlement et applicable à tout le royaume."[41] Ainsi, pour un Thomas More encore, le royaume chrétien d'Angleterre
est à l'Eglise comme la Cité de Londres est à ce royaume: comparaison qui n'aurait plus de place dans notre logique. Elle n'a-
vait plus de place à la fin du siècle dans la logique d'un bon
nombre de théologiens romains, des jésuites notamment, qui,
constatant la vanité d'un rêve de chrétienté fondé sur ces anciennes prémisses en un monde où le principe de la souveraineté
territoriale l'avait emporté, où les rois absolus n'acceptaient
nul partage, où l'unité religieuse de l'occident était détruite
et la suprématie papale battue en brèche, où enfin l'esprit
séculier se répandait partout, appliquaient à l'Eglise elle-même,
distincte du corps civil, et à l'Etat, distinct de l'Eglise, la
théorie de la societas perfecta[42]. Les "politiques", soucieux
de l'unité des états au-delà des dissensions religieuses, s'ac-
cordaient à ces vues. Hooker analyse à merveille la différence
des théories. L'aristotélisme politique dont il se prévaut est
un aristotélisme christianisé, bien sûr, mais toujours unitaire,
où la cité prend les dimensions du peuple de Dieu, où le spirituel reçoit la charge de promouvoir en ce corps unique la vie
bienheureuse. L'aristotélisme des théologiens romains, lui, fait
accueil au dualisme: il s'applique respectivement à ces deux
cités parfaites que sont, et le corps civil, et le corps chrétien. Plus réaliste, il accepte sans remords une théorie de
l'état séculier. Dans cette perspective, on peut enfin sans
anachronisme parler d'Eglise et d'Etat; non pas vraiment dans
la théorie anglicane telle que la présente Hooker, où il n'est
question que de l'Eglise et de la nation, ou plutôt de la République chrétienne, the Christian commonwealth, et, dans cette
république, de fonctions, de pouvoirs ou de juridictions diverses; théorie désuète déjà, impraticable désormais, elle prolonge le rêve unitaire ancien dans un monde brisé, au profit
non plus d'une seule et unique chrétienté, mais d'une multitude

de petites chrétientés qui, avec l'avènement des nationalismes, vont se clore sur elles-mêmes. Poursuivre ce rêve dans les conditions politiques nouvelles, n'était-ce pas au fond et paradoxalement le trahir, c'est-à-dire trahir l'idéal d'une Eglise visible, réellement universelle? N'était-ce pas inévitablement la diviser en une poussière de petits royaumes? C'est un problème que nous reprendrons ailleurs.

C H A P I T R E   I I I

L'EGLISE INSTITUTION DIVINE ET INSTRUMENT DE SALUT

La question essentielle est posée: identifier l'Eglise
et la Nation, faire du corps ecclésial le sujet du pouvoir,
ranger ses lois au nombre des lois humaines, n'est-ce pas dé-
précier sa réalité transcendante et lui retirer sa fonction salutaire? L'Eglise est-elle oui ou non une institution divine?
Ne nous laissons pas abuser par l'appareil philosophique. Les
presbytériens ne s'embarrassaient pas de considérations abstraites; ils s'en méfiaient plutôt comme du diable; ils voulaient accrocher bien fermement leur doctrine aux textes sacrés.
N'étaient-ils pas animés, en définitive, d'un sens de l'Eglise
plus théologique, à coup sûr plus scripturaire, que ces anglicans trop rationnels ou trop politiques?

Trois façons pour l'Eglise d'être de Dieu

L'Eglise est de Dieu, Hooker ne le nie pas. Mais encore? Ce langage est ambigu. En un sens, le droit naturel est
"de Dieu"; donc assimiler les lois de l'Eglise aux lois humaines, ce n'est pas leur refuser tout caractère divin: "S'il est
quoi que ce soit dans l'Eglise de Dieu qui ne soit point de
Dieu, nous en avons horreur. Tout y doit être de Dieu, comme
l'étaient ces vérités que Dieu a révélées de façon surnaturelle
[...] ou comme le sont celles que les hommes découvrent grâce à
cette lumière [la loi naturelle] que Dieu leur a donnée dans ce
but."[1] Ailleurs, Hooker écrit encore: "Nous l'admettons: tout
dans l'Eglise doit être de Dieu; mais dans la mesure où il peut y

avoir deux façons pour une chose d'être de Dieu, l'une qui est
d'être instituée par Dieu lui-même et non par nous, l'autre qui
est de l'être par nous mais avec l'approbation de Dieu, rien
n'empêche qu'en ce deuxième sens on puisse dire à bon droit et
en toute vérité que ce qui est de l'homme est aussi de Dieu, ce
qui vient de la terre vient aussi du ciel."[2] En réalité, ces
deux passages ne rendent pas entièrement compte des distinctions
que fait Hooker. L'analyse qu'on a donnée du mot "nécessaire"
permet d'ajouter une troisième catégorie à celles qu'ils propo-
sent. Une institution peut être divine parce que naturelle. Elle
peut l'être parce que révélée. Mais une institution révélée,
fondée par le Christ lui-même ou par ses Apôtres, ne revêt pas
de ce fait un caractère surnaturel. On doit, à l'intérieur de
cette classe des vérités révélées, mettre à part celles qui sont
nécessaires au salut. Elles sont divines de manière tout à fait
éminente.

Le pouvoir spirituel de l'Eglise: un pouvoir surnaturel qui lui vient du Christ, mais ne détruit pas sa liberté de corps social

La question est alors de savoir où ranger, dans ces
catégories, les divers éléments qui font l'Eglise. La réponse
n'est pas toujours facile à faire. La doctrine évangélique et
les sacrements à coup sûr, mais aussi ce que Hooker appelle la
substance de la prière liturgique[3], et par suite le ministère,
bref tout ce qui dans l'Eglise est canal de grâce appartient à
la troisième catégorie. C'est toujours l'étendue de la seconde
qui reste imprécise: nous y avons mis la constitution hiérarchique de l'Eglise au chapitre précédent. Mais, avouons-le, les
liens qui relient cette classe à la suivante, le bene esse à
l'esse de l'Eglise sont étroits. Les distinctions logiques,
faites au plan de l'essence ou de la nature des choses, ne peuvent enfermer les réalités spirituelles dans un carcan, tracer
des frontières, interdire les passages et distribuer les énergies comme on distribue des lots. Un texte important illustrera
ce propos: "Le pouvoir spirituel de l'Eglise étant tel qu'il ne
peut découler d'un droit de nature ni non plus procéder d'une

institution humaine, parce que les énergies et les effets en
sont surnaturels et divins, nous ne pouvons mettre en doute ou
contester que de Celui qui est la Tête, il est descendu jusqu'à
nous qui sommes le corps et qui en sommes investis désormais.
Le Christ l'a donné pour le bien des âmes, comme un moyen pour
les maintenir dans la voie qui les mène au bonheur éternel."[4]
Texte d'autant plus intéressant que le pouvoir spirituel ici
analysé, c'est le seul pouvoir de juridiction et non celui de
l'ordre, le pouvoir donc qui, dans le ministère, s'apparente le
plus à l'autorité du juge, celui qui le mieux se plie aux catégories du droit; or, il est décrit comme une puissance et non
comme une autorité (au sens un peu maigre que nous donnons à
ce mot aujourd'hui), comme un moyen de grâce, une force issue
de la source de toute vie, le Christ tête du corps mystique.
Le mot "surnaturel" (et pas seulement le mot "divin", toujours
un peu équivoque) est là pour nous avertir: point d'hésitation,
nous sommes dans l'ordre du salut.

    Mais continuons de lire:
"Or, bien qu'il n'existe aucune espèce de pouvoir spirituel
pour lequel Notre Seigneur Jésus-Christ n'ait point à la
fois donné mandat qu'on l'exerce et précisé comment le faire, bien que ses lois sur ce point rapportées par les
saints Evangélistes soient l'unique fondement, la seule
base sur lesquels l'Eglise doive asseoir sa conduite, néanmoins, comme toutes les multitudes, dès qu'elles ont pris
la forme de société, sont de ce fait naturellement autori-
sées à imposer à leurs sujets ces décisions particulières
que la sagesse publique juge opportunes pour le bien commun, il serait absurde d'imaginer que l'Eglise elle-même,
la plus glorieuse des sociétés, fût privée de cette liberté."
Voilà toujours ce mouvement de balancier. Deux majestueuses pé-
riodes: la première rattache l'ordre ecclésial de façon mystique
au Christ lui-même et non pas seulement de manière historique à
l'institution divine, la deuxième nous rejette dans les réalités
politiques; là on parle de puissance spirituelle, d'énergies et
d'effets surnaturels, d'éternité bienheureuse, ici de mandat,
de lois, de fondement, de multitudes, de sociétés, de sujets, de

bien commun; là le langage d'un spirituel; ici le langage d'un
juriste.

Sortira-t-on de ces contradictions? Comment unir ces
deux idées antinomiques d'une Eglise instrument de grâce d'un
côté, sujet collectif de pouvoir et de droit de l'autre, divine et humaine, surnaturelle et naturelle? Expliquer cet assem-
blage, comme on le fait parfois, par l'hypothèse d'une évolution dans la pensée ecclésiologique de Hooker n'est guère satis-
faisant, pour des raisons que nous développerons lorsque nous
traiterons de l'épiscopat. Est-il d'ailleurs besoin d'autres
preuves que le passage même qu'on vient de citer et qui, de façon si franche, joint les deux thèmes?

Le chapitre vi du livre VIII offre une solution peut-
être[5]. C'est là qu'on trouve l'application la plus nette du
principe corporatif à l'Eglise. Hooker y pose les prémisses que
l'on connaît bien: le vrai sujet naturel du pouvoir en toute
société réside dans cette société même, ainsi en est-il de l'E-
glise; et aussitôt il se réclame des théologiens conciliaristes,
brisant ainsi toute alliance possible avec la tradition des
théologiens de Rome (Turrecremata, Cajetan, Soto), pour qui la
juridiction n'a pas été transmise au corps entier de l'Eglise,
mais à la hiérarchie. Leur erreur, selon Hooker, est de ne pas
distinguer l'institution d'un pouvoir de son attribution (to
ordain a power, to bestow the same being ordained; the act of
instituting a power, the act of conferring or bestowing it)[6].
Dans l'ordre civil, une société détient par droit naturel le
pouvoir de légiférer; par consentement général, elle institue
telle ou telle forme de magistrature ou de pouvoir. Reste à conférer le pouvoir ainsi institué. Or, les modes d'attribution du
pouvoir peuvent évidemment varier. Dans le cas de l'Eglise, Dieu
intervient parfois directement, comme ce fut le cas souvent
pour Israël, comme ce fut encore le cas pour l'Eglise du Christ
à ses débuts, puisque Jésus lui-même a désigné ses Apôtres.
Mais ces désignations doivent être considérées comme exceptionnelles. Les successeurs des Apôtres ne reçoivent pas leur pouvoir de la même façon, par une désignation immédiate et

personnelle du Christ: "Le pouvoir que le Christ a institué
dans l'Eglise, ils le reçoivent de l'Eglise."[7] Le principe de
la souveraineté du corps social est donc sauf. Bien que l'institution des pouvoirs ne soit pas, dans cette société toute spéciale qu'est l'Eglise, issue du consentement général, mais d'une
démarche unique du Seigneur, le simple fait que l'attribution
des pouvoirs soit aux mains de l'Eglise même démontre à l'évidence qu'elle reste le sujet du pouvoir selon le principe naturel. Ingénieuse solution. Hélas, il n'est pas sûr que Hooker,
pourtant si catégorique ici, la maintienne toujours. Il l'aban-
donne, nous semble-t-il, dans son commentaire de Jérôme, où l'on
voit par le jeu de la réception, l'institution dominicale elle-
même perdre son caractère unique et se dissoudre dans l'exercice
collectif du pouvoir ecclésial[8].

L'Eglise entière sujet de pouvoirs surnaturels

La discussion a porté jusqu'ici sur le seul pouvoir de
juridiction. Ce faisant, elle n'a pas rendu toute justice à la
pensée de Hooker. L'expression "sujet de pouvoir", sous sa plume, n'a pas qu'un sens juridique. Paradoxalement peut-être; mais
il faut s'habituer à cette façon constante chez lui d'habiller
les réalités mystiques du jargon des jurisconsultes. L'Eglise
est le sujet du pouvoir d'ordre aussi bien que du pouvoir de
juridiction. Répondant, au livre VII[9], à l'objection des puritains qui reprochaient à l'Eglise anglaise de ne laisser aucune
place au peuple chrétien dans le choix des ministres, il observe
qu'en fait et contrairement aux apparences, le peuple détient
dans l'Eglise anglicane un pouvoir plus grand que chez les presbytériens; car il faut distinguer le pouvoir en soi-même, que
donne l'ordination, de la cure pastorale assignée. Le pouvoir
d'ordre est reçu des mains de l'Eglise universelle; il n'appartient pas à une communauté restreinte de donner un pouvoir qui
ne se laisse pas enfermer dans des frontières aussi étroites.
Voilà pourquoi d'ailleurs une ordination sans évêque est possible en des circonstances exceptionnelles. L'Eglise visible tout
entière, sujet originel de tout pouvoir (the whole Church being

the original subject of all power), n'autorise ordinairement
que les seuls évêques à ordonner; ils le font alors au nom de
l'Eglise entière (in the name of the whole Church); mais en
certaines occasions, il peut être opportun de se départir de
l'usage reçu.

Une conclusion se dégage de ces textes. Le double pouvoir surnaturel d'ordre et de juridiction a été donné à l'Eglise par Jésus-Christ lui-même, mais l'institution divine ne concerne que les fondements (the ground and foundation)[10]. Ces
fondements, que sont-ils? Les fonctions confiées au ministère
de prêcher, de baptiser, de gouverner: enseigner la doctrine,
administrer les sacrements, guider le peuple de Dieu. La manière d'exercer ces pouvoirs immuables en eux-mêmes (the manner of
exercising that power which doth itself continue always one and
the same)[11] peut varier selon le lieu et le temps. Le Christ,
qui a voulu que son Eglise fût une vraie société, humaine autant que divine, "la plus glorieuse des sociétés", ne l'a pas
dépouillée de ses privilèges naturels en la gratifiant d'un pouvoir divin. Il l'a laissée libre d'aménager les dons qu'il lui
faisait, selon les lois qui président au fonctionnement des
corps politiques. Bref, le caractère surnaturel de la mission
apostolique ne donne pas à l'organisation de cette mission,
sauf en ses règles essentielles, de qualité proprement surnaturelle.

Principe corporatif et principe institutionnel

Qu'il existe en tout cela une tension entre des principes opposés, que la synthèse soit difficile, c'est certain.
On ne s'en étonnera pas si l'on se rappelle que la même antinomie se retrouve au niveau de l'analyse purement politique: la
notion de corps politique est susceptible d'une double interprétation hiérarchique et collectiviste: un corps organique est un
corps hiérarchique, c'est un corps cependant, une "université".
La difficulté est ici redoublée du fait que l'institution du
pouvoir dans le corps est d'origine surnaturelle parce que le
pouvoir est lui-même surnaturel: la grâce est issue du Christ

et descend dans les membres du corps par le canal du ministère. L'institution hiérarchique[12] n'est pas seulement un fait de nature; elle relève de la grâce.

On peut trouver ces grands principes imprécis. Mais cette discrétion reflète moins chez Hooker une hésitation personnelle à prendre parti, une sorte de laxisme théologique, que la conscience vive d'un problème réel qu'il est léger de résoudre vite. Les diverses Eglises ne l'ont pas encore résolu; elles en discutent entre elles; bien plus, en chacune d'elles les théologiens se partagent. Nous n'en voulons pour preuve que ces lignes du Père Congar:

> "Certes, l'Eglise tient ses principes constitutifs du Seigneur lui-même: les pouvoirs et les réalités, tels que les sacrements, qui sont ses principes. Mais on peut se demander si ces pouvoirs et ces réalités ne lui ont pas été donnés d'une manière plutôt globale, enveloppée: comme tant de choses. Il semble que, dans le cas de plusieurs sacrements et du pouvoir d'ordre qui leur correspond, le Seigneur, ayant donné à l'Eglise la réalité de ces choses, lui ait laissé le soin de les organiser. Organisation relevant de ce pouvoir canonique de l'Eglise, qui n'est autre que le pouvoir de régler la vie que le Seigneur lui a donnée."[13]

Hooker ne dit pas autre chose. Nous reparlerons de ce difficile problème à propos du ministère.

L'Eglise visible, sacrement d'une réalité de grâce

Ainsi, qu'on fasse aux pouvoirs canoniques de l'Eglise la part aussi belle qu'on voudra, elle n'en demeure pas moins l'instrument nécessaire et efficace du salut, institué par le Seigneur. Instrumentalité qui se manifeste par des actes visibles: par la prédication de la Parole, par l'administration des sacrements, par l'exercice du pouvoir juridictionnel: preach, baptize, rule. Ces trois fonctions inséparables sont autant de moyens efficaces confiés à l'Eglise par le Christ lui-même. A l'Eglise visible: l'Eglise de la terre, organisée, coextensive à

la cité, n'est pas une autre Eglise que l'Eglise du salut. Il
n'y a pas deux Eglises, l'une qui serait humaine et naturelle,
l'autre divine et surnaturelle; il n'y en a qu'une. La nature
est ici l'instrument que Dieu s'est choisi pour étendre son
royaume et distribuer sa grâce.

On comprend qu'il n'est pas possible de s'en tenir à
la dichotomie abrupte posée aux premiers chapitres du livre III
et que nous avons commentée. Certes, la distinction reste vraie.
L'insistance sur l'opposition est même l'un des traits marquants
de la théologie anglicane et la différencie de la théologie puritaine[14]. C'est presque un lieu commun: le calvinisme extrême,
comme le donatisme, nourrit une forte tendance à identifier,
dans les faits, le royaume de Dieu au royaume des saints dès ce
monde, c'est-à-dire à chercher dans la sainteté perceptible à
tous le seul signe de la présence du Seigneur[15]. Il n'y a d'E-
glise vraie que l'Eglise réellement sainte. Un tel axiome, s'il
n'assimile pas de façon formelle l'Eglise visible à l'Eglise
des prédestinés, conduit pratiquement à les confondre. Paradoxe
du protestantisme: dans un premier temps, il sépare violemment
nature et grâce, terre et ciel, Eglise de Dieu et Eglise de
l'homme, et délaisse ou méprise la seconde pour centrer sa méditation sur le rapport solitaire qui unit au Christ chacun des
chrétiens; mais l'exigence qui le porte l'amène à tendre toutes
ses énergies vers l'instauration dès ici-bas du royaume de Dieu.
Alors l'insistance sur la discipline comme marque de l'Eglise
rétablit à nouveau la confusion. A l'extrême, au plan théologique, on aura le séparatisme; au plan moral, cette glorification
dangereuse des signes extérieurs de l'élection. Calvin ne voulait pas cela; mais ses disciples radicaux y ont abouti.

Que donc la distinction franche entre ce qui est visible dans l'Eglise et ce qui ne l'est pas, ou si l'on préfère
entre la face visible et la face invisible de l'unique Eglise,
soit un principe essentiel à l'anglicanisme, essentiel à coup
sûr à la théologie de Hooker, cela ne fait aucun doute. Mais le
principe n'est recevable que s'il est équilibré du principe inverse de la pénétration réciproque du visible et de l'invisible

et du caractère instrumental que possède l'un par rapport à l'autre. On doit saisir comment ces deux principes, apparemment antithétiques, sont en fait complémentaires. C'est parce que dans l'Eglise le visible ne s'identifie pas à l'invisible qu'il est l'instrument par quoi mystiquement[16], c'est-à-dire secrètement, mais réellement la grâce est infusée au coeur des fidèles et les sanctifie. Une sanctification sacramentelle se veut extérieure dans ses moyens, mais elle reste secrète en son action. L'importance donnée au sacrement s'accompagne nécessairement d'une théologie de l'Eglise où le mystère est essentiel, c'est-à-dire où Dieu consent à lier son action invisible à l'action visible de ses clercs.

Ainsi l'Eglise, dans sa dimension charnelle, est sacrement, signe efficace d'une réalité de grâce. L'action de l'Eglise est surnaturelle, si le détail de cette action ne l'est pas. L'Eglise édifie le corps du Christ par la commémoration de l'Eucharistie. Société naturelle, elle est aussi et en même temps société surnaturelle, moins parce qu'elle est la communion des saints que parce qu'elle la fait, parce que, sanctifiant les hommes, elle les unit entre eux et les joint à la société du ciel.

Par conséquent, hors de l'Eglise point de salut. On renverra le lecteur ici à ce que dit Hooker sur la nécessité d'une appartenance "actuelle", effective, à l'Eglise de ce monde pour être introduit dans l'Eglise invisible. L'Eglise mystique n'est pas purement et simplement l'Eglise des prédestinés, existant pour ainsi dire dans le vouloir abstrait de Dieu, hors de toute réalisation dans la condition charnelle, planant dans une éternité séparée. La décision de Dieu doit s'incarner, les élus doivent être baptisés et sanctifiés par l'Eglise. Laissons parler Hooker:

> "Nous sommes en Dieu par le Fils éternellement suivant ce dessein par lequel il nous a choisis pour lui appartenir avant que le monde fût; nous sommes en Dieu par la connaissance qu'il a de nous et l'amour qu'il nous porte de toute éternité. Mais nous ne sommes en Dieu réellement qu'à partir de notre adoption effective dans le corps de sa véritable

Eglise, dans la communion de ses enfants. Car il connaît
son Eglise et l'aime et par suite être dans son Eglise,
c'est être en lui. Le fait que nous sommes dans le Christ
par la prescience éternelle ne nous sauve pas sans notre
adoption effective et réelle dans la communion des saints
dès ce monde. Car nous ne sommes effectivement en lui que
par notre incorporation effective à cette société dont il
est la Tête et qui ne fait avec lui qu'un seul Corps [...]
C'est pourquoi, en vertu de cette conjonction mystique,
nous sommes de lui et en lui comme si notre chair et nos os
s'unissaient à sa chair et à ses os."

Pour ceux qui refuseraient de voir dans cette "incorporation
effective" une incorporation sacramentelle et charnelle, voici
ce que dit Hooker un peu plus loin:

"L'Eglise est dans le Christ comme Eve était dans Adam[...]
Dieu fit Eve de la côte d'Adam; il façonne son Eglise de sa
propre chair, du côté percé et sanglant du Fils de l'homme.
Son corps crucifié et son sang versé pour le monde sont
réellement les éléments constitutifs de cet être céleste
qui nous identifie à celui-là même dont nous sommes issus.
C'est pourquoi ce qu'Adam dit d'Eve peut être attribué au
Christ et appliqué à l'Eglise: chair de ma chair, os de mes
os, tirés vraiment de mon propre corps."[17]

   C'est là, bien sûr, le langage à la fois réaliste et
mystique des Pères. Ce long texte aura servi à mettre en lumière la conception eucharistique que se fait Hooker, à l'exemple des Pères, du mystère de l'Eglise[18]. On aura reconnu en même
temps comment il exprime l'un et l'autre mystère, le mystère eucharistique et le mystère ecclésial, dans le langage à la fois
théologique et philosophique de la participation que nous avons
exploré en d'autres chapitres[19]. Nous sommes une fois de plus
au coeur d'une constellation de concepts reliés que nous avons
abordés par des voies diverses: théologie de la grâce et de la
sanctification, théologie des sacrements, théologie de l'Incarnation, théologie de l'Eglise communiquent l'une avec l'autre.
En un sens, il n'est donc pas aberrant de parler de l'Eglise du
Christ comme d'un "corps mystique visible."[20] Hooker n'emploie

l'expression qu'une seule fois, il est vrai; il joint ensemble
deux adjectifs présentés le plus souvent de manière antinomique.
C'est qu'il n'y a pas vraiment d'antinomie. Les rapports qu'entretiennent les réalités visibles et les réalités invisibles
dans l'Eglise ne sont pas dialectiques chez Hooker comme ils le
sont chez Luther et même chez Calvin; ce sont des rapports d'in-
clusion[21].

CHAPITRE IV

L'EGLISE ET LES EGLISES

L'Eglise visible est une. Une dans le temps: elle existe depuis l'origine du monde, elle existera jusqu'à sa fin. Elle
s'est divisée, il est vrai, au cours de l'histoire en deux moi-
tiés, l'Eglise d'avant le Christ, l'Eglise d'après le Christ;
mais celle-ci continue celle-là. Une dans l'espace: tous les
chrétiens ne forment qu'un seul corps visible, dont l'unité réside en l'uniformité de la confession: un seul Seigneur, une
seule foi, un seul baptême[1].

Unité du corps visible et cependant multiplicité d'Eglises indé-
pendantes

Unité du corps visible. Pourtant, ce que saisit l'oeil,
c'est une multiplicité d'Eglises indépendantes et, si le système
anglais à l'époque de Hooker avait été généralisé par toute la
terre, ç'aurait été une multitude d'Eglises-royaumes rassemblées
sous l'autorité presque absolue du magistrat. Comment parler d'u-
nité visible de l'Eglise universelle dans un système où l'Eglise
s'identifie à la nation et où le corps politique revendique la
pleine souveraineté en toutes matières? Le rêve médiéval est
mort: la chrétienté s'est morcelée en principautés qui n'entendent plus se soumettre à une autorité suprême, temporelle ou
spirituelle, Empereur ou Pape. Les monarchies absolues, puis le
protestantisme, ont déchiré le tissu de l'unité chrétienne. Si
encore Hooker se contentait, pour désigner cette unique Eglise,
de mots au sens relâché: "multitude", "assemblée"! Mais non, il

s'agit bien d'un corps, one body, d'une société, a company, a society of men. Il rejette explicitement, comme insuffisante et dangereuse, l'assimilation "congrégationnaliste" de l'Eglise à une simple assemblée, prenant parti non seulement dans un débat contemporain, mais dans une querelle plus large, dont l'origine en Angleterre remonte aux disputes de Thomas More et de Tyndale sur la traduction du mot ecclesia: church ou congregation? "L'Eglise est toujours une société visible d'hommes; non pas une assemblée, mais une société. Car bien qu'on donne le nom d'Eglises aux assemblées chrétiennes, bien qu'on puisse appeler Eglise un rassemblement quelconque de chrétiens (any multitude of Christian men congregated), une assemblée, toutefois, c'est plutôt quelque chose qui appartient à l'Eglise. On se rassemble pour certaines actions publiques; après quoi, l'assemblée se dissout et n'existe plus, tandis que l'Eglise continue d'exister, elle, après s'être rassemblée comme avant."[2] Mais où trouver cette société visible? Où est son gouvernement? Où est son prince? On ne voit dans la chrétienté qu'une pluralité de sociétés chrétiennes concrètes. N'est-ce pas un axiome répété par tous les théologiens protestants, y compris par les théologiens anglicans, qu'il ne saurait y avoir de gouvernement visible unique de l'Eglise universelle? Voyez Jewel dans son Apology:"Nous croyons qu'il existe une seule Eglise de Dieu [...] qu'elle est catholique et universelle [...] Et cependant nous déclarons qu'il n'y a point, qu'il ne peut y avoir d'homme qui détienne le pouvoir suprême dans cet état universel [...] qu'il ne peut y avoir de créature mortelle capable d'embrasser, de comprendre en son esprit l'Eglise universelle, c'est-à-dire le monde entier dans toutes ses parties, encore moins capable de les ordonner et de les gouverner comme il se doit."[3] Corps social et politique sans magistrat visible, voilà donc cet "état universel". Est-ce vraiment une société complète?

L'image de la mer. Toute société politique chrétienne est l'Eglise

Hooker, pour répondre à l'objection, a recours à une

image: "Pour la préservation de la chrétienté, il est nécessaire au plus haut point que tous les membres de l'Eglise visible soient unis entre eux par des liens de société (have mutual fellowship with one another); c'est pourquoi, de même que
la mer forme un tout qui prend cependant des noms divers selon
le lieu, ainsi l'Eglise catholique se divise en un certain nombre de sociétés distinctes, dont chacune, considérée en elle-
même, s'appelle une Eglise."[4] L'image est ingénieuse; mais rend-
elle justice à la réalité sociale ou politique que suggèrent les
définitions de Hooker? Ces multiples mers de l'unique océan, ce
ne sont que des noms donnés, ici ou là, à une seule et même chose. Dira-t-on que les diverses Eglises ne sont, elles aussi, que
des noms donnés au même corps social? Dira-t-on que le royaume
chrétien d'Angleterre n'est qu'un nom? Les Eglises distinctes
sont des "corps parfaits", souverains, indépendants, juridiquement clos sur eux-mêmes. "Les sociétés qui embrassent la vraie
religion sont toutes appelées l'Eglise (such societies as do embrace the true religion have the name of the Church given unto
every of them)"[5]; ou, plus fortement, en inversant les termes:
"L'Eglise de Jésus-Christ, c'est toute société politique qui
confesse en matière de religion la vérité du christianisme (the
Church of Jesus Christ is every such politic society as doth in
religion hold that truth which is proper to Christianity)."[6]
Phrase habile, difficile à traduire, difficile à saisir. Elle
pose le principe de l'unité et de l'universalité de l'Eglise
(the Church) qu'elle définit comme une société (a society of
men), mais aussitôt elle laisse se fragmenter cette unité sociale
en une marqueterie de corps distincts (the Church is every such
politic society). Même obscurité dans un autre passage qui fait
du Christ non pas seulement la tête du corps mystique, mais la
tête de chaque société politique chrétienne: le Christ est la
tête de plusieurs corps puisqu'il existe une multitude d'Eglises
et que "chacune d'elles est un corps parfait par elle-même (every of them a body perfect by itself)."[7]

Une approche platonicienne pourrait sans doute éclairer
de tels textes: l'Eglise serait une réalité sociale visible dont
l'unité (le Christ) resterait cachée; l'Eglise visible ne serait

que la manifestation ou le symbole de l'Eglise invisible, le
rapport de l'une à l'autre analogue au rapport de l'un au mul-
tiple, de la réalité pleine à la réalité réfractée, de l'Idée
à ses ombres. Certains textes semblent justifier pareille interprétation[8]. Hélas, l'aristotélisme politique a ses exigences.
Or, c'est bien le langage d'Aristote plus que celui de Platon
qu'utilise Hooker quand il traite de sociétés. Il est vrai, comme on l'a montré ailleurs, qu'une "société", c'est chez lui plus
qu'une "cité"; c'est une communion autant qu'une réalité juridique, a fellowhip. Cependant, la communion se réalise ou se
manifeste par une organisation, un lien interne, une constitution, une loi: an order, a bond, a polity, a law[9]. Bref, il n'y
a pas de corps (et l'Eglise visible est bien un corps) sans un
tel ordre. Faudra-t-il ajouter: sans une suprématie ?

Un ordre visible, une loi organique, mais pas de souverain

        Sans un ordre: Hooker l'accorde. Sans une suprématie:
avec tous les anglicans, il le nie. En somme, il maintient la
possibilité d'une unité vraiment sociale de l'Eglise sans unité
de souveraineté. L'unité sociale est assurée par l'unité de la
loi, par la constitution essentielle de l'Eglise. On trouvera
cette solution dans la réponse faite au catholique Stapleton,
qui précisément objectait que le principe de la Suprématie
royale divisait nécessairement l'Eglise en une pluralité de sociétés sans liens. Le moyen d'éviter semblable division, rétor-
que Hooker, "ce n'est pas d'abandonner le pouvoir suprême sur
toutes les Eglises aux mains d'un seul pasteur, c'est de soumettre leur gouvernement, pour les questions importantes surtout, aux règles d'une seule et unique loi, loi qui doit jouir
d'une autorité aussi grande que la loi des nations (the law of
nations, c'est-à-dire le droit des gens), qui elle-même doit
être adoptée dans tous les royaumes, que tous les princes souverains doivent jurer de respecter, comme certains jurent de
maintenir les libertés, lois et coutumes établies de leur propre royaume."[10]

C'est là, appliqué à l'Eglise, le principe général de philosophie politique que l'on connaît bien: lex facit regem. Les pouvoirs du souverain sont limités par les lois du royaume. Une société se constitue et se définit d'abord par une loi, the Law of a Commonweal[11]. La société qu'est l'Eglise n'échappe pas à cette règle. Le roi, donc, chef de l'Eglise, ne peut agir que dans le cadre d'une constitution qu'il ne peut modifier. Ainsi, Hooker peut-il reprendre à son compte la fameuse phrase de saint Ambroise: "Imperator bonus intra ecclesiam, non supra ecclesiam, est; les rois ont la suprématie en matière ecclésiastique, mais ils l'exercent selon les lois de l'Eglise."[12] On notera également l'intéressante comparaison de la loi universelle de l'Eglise avec la "loi des nations". Là encore, Hooker se conforme à ses principes généraux: le droit des gens est un droit positif, infiniment proche cependant du droit naturel, antérieur et supérieur aux lois positives de chaque nation; et c'est en outre une loi sans souverain[13].

On voit donc comment cette notion de corps social sans tête (sans tête politique s'entend, car, bien entendu, le Christ est la tête mystique de chaque Eglise), si difficile soit-elle à concevoir, n'est pas sans trouver quelque appui dans les principes généraux de Hooker puisque le principe constitutif d'une société, c'est en définitive sa loi, non pas son souverain. Reconnaissons pourtant l'opposition entre l'usage que fait Hooker de ce "constitutionnalisme" pour l'Eglise et celui qu'il en fait pour le royaume: le traitement n'est pas égal. En politique pure, l'importance qu'il accordait à la loi ne nuisait pas à la monarchie. Tant s'en faut!

Le principe admis, la question se pose immédiatement: quelle est cette loi fondamentale de l'Eglise universelle? On devine la réponse. Ce sont tout d'abord les règles instituées par le Christ lui-même, la doctrine évangélique, les sacrements, le gouvernement épiscopal. Ce sont encore les règles traditionnelles reçues depuis les temps les plus anciens, et qui expriment, comme le font toutes les coutumes, la réalité sociale unitaire de l'Eglise (that which of old hath been reverently

thought of throughout the world)[14]. Ainsi, les libertés de
l'Eglise (the received laws and liberties of the Church)[15]
sont-elles sauves. Concrètement, pour l'Angleterre, elles
peuvent se manifester par certains usages, tout un ordre juridique accepté auquel le roi devra se soumettre; la nature
des cours (the nature of courts), la procédure (the form of
proceedings), la structure hiérarchique de l'Eglise (the kind
of governors)[16]. Mais, à la vérité, on quitte alors le niveau
de l'Eglise universelle pour revenir à celui des lois nationa-
les particulières.

Toutes ces protections sont-elles suffisantes?
Stapleton et les catholiques ne nourrissaient-ils pas de justes craintes? Car, finalement, le système intègre l'ensemble
du droit de l'Eglise au droit du royaume; or, ce droit peut
évoluer; c'est un fait, toute une législation a modifié profondément le statut religieux de l'Angleterre, qu'il s'agisse
des formulations de la foi, de la liturgie ou du code canonique. Est-il vraiment possible d'avoir une unité sociale sans
une unité juridictionnelle et une unité juridictionnelle sans
unité de gouvernement? On bute toujours sur la même difficulté:
dans une chrétienté brisée, divisée en corps chrétiens indépendants et souverains, peut-on conserver l'unité sociale et
politique de l'Eglise visible universelle, si l'on refuse de
la considérer elle-même comme un corps autonome et parfait?

CHAPITRE V

L'AUTORITE DE L'EGLISE

Il n'est pas nécessaire ici de trop s'attarder. En délimitant les rapports qu'entretiennent autorité, Ecriture et raison, dans notre premier livre, en contrastant, dans les chapitres précédents, les deux aspects de l'Eglise, société politique d'un côté, mais instrument de salut de l'autre, nous avons donné les principes qui doivent guider l'enquête et permettre de cerner la nature et le champ de l'autorité ecclésiale. Rappelons ces principes et précisons quelques points.

L'Eglise ne régente pas les coeurs, mais réglemente l'expression publique de la foi.

L'Eglise n'a nulle autorité dans les matières nécessaires tant au plan de la raison qu'au plan de la foi. Il revient à la raison seule de dégager les axiomes premiers de toute connaissance, puis d'en déduire les conséquences. Parallèlement, les vérités premières du salut sont immédiatement perçues dans l'Ecriture et, de ces vérités, la raison théologique seule extrait les conclusions nécessaires. L'Eglise n'intervient que dans la zone, très vaste il est vrai, des matières indéterminées ou simplement probables. Et il importe (*it is fit, it is convenient*) qu'elle intervienne; car l'incertitude relative, non pas des premiers principes, mais de leur application, fait naître inévitablement des controverses nuisibles à la paix de tous et à l'assurance de chacun. Il va de soi que la liberté de l'Eglise n'est pas entière. Outre qu'elle ne peut évidemment

rien prononcer qui aille contre les vérités nécessaires de
l'Ecriture et de la raison, à l'intérieur même du champ ainsi
tracé, elle est encore limitée par la probabilité ou la convenance.

Le schéma est bien clair. Mais alors de quel droit
une Eglise quelconque impose-t-elle à ses fidèles une profession de foi? N'est-ce pas s'arroger un véritable magistère dogmatique? Hooker reconnaît la difficulté: "On ne voit pas si
clairement pourquoi des lois humaines détermineraient ce que
les hommes doivent croire."[1] De fait, l'Eglise anglaise n'a pas
manqué, comme les autres Eglises, de codifier sa doctrine dans
une profession de foi ou d'autres documents auxquels elle a
exigé l'adhésion formelle de ses clercs. Nous avons décrit, dans
notre introduction, les protestations, la désobéissance provo-
quée par cette exigence. Comment nier que non seulement les
Trente-neuf Articles, mais le Book of Common Prayer et d'autres
textes encore touchent à la doctrine et comment s'étonner qu'en
conscience les puritains refusent d'y souscrire? Prétendra-t-on
que les tribunaux du roi, qui veillent à l'application des
textes votés en parlement, ne sont pas appelés à trancher en
matière de foi? Les divers Actes de Suprématie ne donnent-ils
pas au roi tout pouvoir de chasser l'erreur et l'hérésie de son
royaume? L'Acte de 1559 (que cite et commente Hooker)[2] précise
même les conditions dans lesquelles les juges ecclésiastiques
pourront déclarer hérétique telle ou telle proposition: ils
appuieront leur jugement sur l'Ecriture, les grands conciles
oecuméniques des premiers siècles, les lois parlementaires.
Voilà, par cet Acte, les juges commissaires du roi, et non pas
seulement les juges ordinaires des tribunaux d'Eglise, héri-
tiers des cours inquisitoriales. La poursuite de l'hérésie devient affaire royale; elle n'est pas abolie.

La réponse de Hooker, pleinement conforme à la doctrine
commune de l'Eglise d'Angleterre, se rattache en outre aisément
aux principes généraux de son propre système. Les lois de l'E-
glise et les jugements de ses cours en matière de foi n'ont qu'
une valeur déclarative. Elle ne fixe pas de dogmes; elle en règle

et contrôle l'expression. Pour une raison simple: les opinions résultent d'une adhésion de l'entendement et d'un assentiment du coeur, deux opérations que la loi ne peut commander. "Corde creditur, ore fit confessio. Selon qu'il est opportun ou nuisible d'afficher publiquement une opinion, la loi humaine se doit de réglementer cette opinion. Pour maintenir l'unité de la nation, la loi peut exiger l'assentiment explicite à certains articles ou défendre qu'on les contredise, au cas où surgirait sur ces points une controverse qui risquerait de se prolonger au grave détriment d'un bon nombre d'âmes si la loi n'y portait remède et n'établissait une règle certaine et incontestable."[3] Le rapport de foi est toujours un rapport personnel à Dieu; l'opération de la foi se déroule dans le secret de l'âme. L'Eglise exige une conformité des comportements, l'uniformité des opinions exprimées; mais elle ne prétend pas régenter les coeurs.

Autorité légale et gouvernement spirituel

S'en tenir là, ce serait réduire l'Eglise à sa dimension juridique ou légale sans accorder à son action pastorale aucun effet réel. Ce serait n'envisager qu'une seule de ses deux faces. Le gouvernement juridique, qui n'atteint de façon formelle que l'extérieur des conduites, est l'un des moyens nécessaires du gouvernement pastoral, gouvernement perceptible dans son administration, secret dans ses effets. Rien de plus contraire à l'esprit de Hooker que de faire basculer toute l'autorité ecclésiale dans le domaine profane et de la réduire au monde du droit. L'autorité de l'Eglise, c'est plus qu'un pouvoir d'édicter des canons et de prononcer des sentences, c'est la puissance efficace dont Dieu l'a revêtue pour mener à bien sa mission pastorale. Mais on ne saurait assimiler l'une à l'autre ces deux dimensions pourtant indissociables. Certes, l'Eglise est une institution divine et, à ce titre, un instrument de salut mais cela n'autorise pas à placer ses décisions légales au niveau de la Parole divine. L'Eglise est animée de l'Esprit, pourtant elle n'est pas infaillible. C'est comme si, dès qu'elle monnayait son autorité pastorale et l'exprimait par des lois ou

des jugements, sa face divine et surnaturelle passait en retrait pour ne plus laisser voir qu'un appareil tout humain. Une
loi d'Eglise, une loi enfermée dans la gangue d'un langage for-
mel, ce n'est finalement qu'une chose humaine : "Les hommes,
que dis-je, les conciles peuvent se tromper."[4]

L'erreur puritaine, c'est de croire que ces évidences
diminuent la majesté de la juridiction ecclésiastique. Cette
juridiction est souveraine en son ordre, comme l'est toute juridiction légitimement constituée dans un corps politique. La
loi ecclésiastique possède l'autorité d'une loi publique; elle
ne détient pas sa force obligatoire de son contenu même. Il est
donc vain d'invoquer l'erreur possible des décisions de l'Eglise pour se soustraire à son verdict: "Dieu n'ignorait pas que
les prêtres et les juges dont il ordonnait que la sentence s'im-
posât pouvaient se tromper, qu'ils se tromperaient même souvent.
Toutefois, il valait mieux à ses yeux que prévalût parfois une
décision sans appel jusqu'à ce que la même autorité, percevant
son erreur, la corrigeât ou renversât cette décision par la suite, plutôt que les querelles ne prissent de l'ampleur et qu'il
n'y fût pas mis fin rapidement."[5]

Une large tolérance dogmatique, mais aucune tolérance civile

N'est-ce pas là, en définitive, sous des dehors apparemment conciliants, une doctrine qui justifie l'intolérance
religieuse? Puisque tout citoyen est membre de l'Eglise, il lui
doit obéissance, qu'il s'accorde ou non avec son enseignement.
L'Eglise d'Angleterre ne passe-t-elle pas cependant pour un
exemple de tolérance en ce siècle traversé de guerres religieuses? L'anglicanisme n'est-il pas de tous les systèmes théologiques le plus apte à supporter les différences internes?

Disons tout d'abord qu'il est anachronique de parler
de "tolérance" au temps d'Elisabeth; il faut attendre le siècle
suivant (la fin du siècle suivant pour l'Angleterre) pour que
la notion se dégage, que les moeurs s'y conforment, que la loi,

enfin, consacre ces progrès. C.S. Lewis écrit très justement:
"Personne ne revendiquait le droit de croire ce qu'il voulait ni ne reconnaissait ce droit à autrui. Tous les partis
avaient hérité du Moyen Age ce postulat: le chrétien ne pouvait vivre que dans un régime théocratique qui avait le
droit et le devoir d'imposer la véritable religion par la
persécution. Ceux qui résistaient à son autorité ne le faisaient pas parce qu'ils pensaient qu'elle n'avait aucun
droit d'imposer de doctrines, mais parce qu'ils estimaient
qu'elle en imposait de fausses. Ceux qu'on brûlait pour hérésie auraient été prêts souvent (et logiquement, vu leurs
prémisses) à en faire brûler d'autres au même titre."[6]
Si le terme "théocratique" qu'utilise C.S. Lewis est un peu
fort, l'idée qu'il recouvre est bien exacte. Le principe est
admis généralement qu'il n'est pas d'unité possible, pas de
corps politique viable, sans unité religieuse. Outre qu'en soi
déjà le concept d'une pluralité de religions est un scandale
pour l'esprit, une telle pluralité provoque, estime-t-on, la
désagrégation sociale.

Cette conviction prolonge un idéal médiéval compromis
dans les faits. L'unité religieuse de l'Europe n'existe plus et
l'effort d'autant plus violent que déploient les souverains
pour maintenir cette unité coûte que coûte à l'intérieur de
leur royaume se révèle vite assez vain. La division religieuse
s'installe au coeur des nations. Ici ou là, en Allemagne, aux
Pays-Bas, en France, ce sont des guerres cruelles, des massa-
cres sanglants, des persécutions. Partout se constituent des
minorités religieuses, poursuivies ou difficilement tolérées
malgré leurs protestations de loyalisme. Le problème de la tolérance se pose donc en des termes pratiques avant de trouver une
formulation doctrinale; il est immédiatement concret: quelle
conduite tenir à l'égard de ces minorités si l'on veut préser-
ver l'unité du royaume?

En ces nouvelles circonstances, il n'est guère que
deux solutions: on peut, soit abandonner le principe de l'uniformité religieuse de l'état, soit maintenir ce principe tout

en élargissant les bases de l'unité. Pour employer un langage
moderne mais précis, on aura dans le premier cas tolérance ou
liberté civile, dans le deuxième tolérance ou liberté dogmatique[7]. Selon la première conception, un même homme peut être bon
citoyen même s'il est mauvais chrétien; un huguenot peut être
un bon sujet du roi de France, un catholique un bon sujet de la
reine d'Angleterre. Un royaume peut contenir des hérétiques ou
des schismatiques (ne parlons pas encore d'incroyants). Cette
orientation se dessine sur le continent, dans les pays où les
guerres de religion sont les plus violentes et où le partage
est le plus égal, en France surtout. Par une série d'édits qui
aboutissent à l'ultime Edit de Nantes, la France accorde au
calvinisme une place limitée, mais officielle dans le royaume.
Ces mesures d'apaisement défendues par le clan des "politiques",
d'esprit pratique et conciliant, s'accompagnent d'un progrès
théorique aussi bien. On voit peu à peu s'élaborer les diverses
théories naturelles de l'état dont nous avons touché un mot déjà.
Et notamment, à la distinction traditionnelle du spirituel et
du temporel se substitue enfin la distinction moderne de l'Eglise et de l'Etat. Selon la deuxième conception, un même homme
n'est bon citoyen que s'il est bon sujet de l'Eglise. Mais alors
on se contentera d'une conformité minimale et tout extérieure.
On ne prône pas l'indifférence, on ne donne pas à chacun le
droit de choisir sa théologie; mais on réduit à l'extrême le
nombre des vérités dogmatiques auxquelles on réclame l'adhésion,
ou le nombre d'actes religieux dont on exige l'accomplissement.
Il est clair que cette tendance libérale est issue de l'humanisme, qui cherchait à retrouver la simplicité évangélique par-
delà les boursouflures dogmatiques, les subtilités théologiques,
les complications du rituel. Milieu fait d'esprits savants et
pieux, mais souples, épris de paix, partagés inévitablement devant la crise de la Réforme et favorisant les rapprochements.
Lorsque s'ouvre la deuxième partie du siècle, l'échec de leurs
efforts est certain; l'ère des colloques est passée; le Concile
de Trente, chez les catholiques, et la montée du calvinisme,
chez les protestants, inaugurent une nouvelle période d'intolérance. Les théologies concurrentes se durcissent. L'évangélisme
irénique d'Erasme est bien mort. Non pas tout à fait cependant;

il persiste dans la patrie même d'Erasme, en Hollande, où il va resurgir, à l'intérieur du protestantisme vainqueur, dans l'arminianisme; il persiste en Angleterre également.

Il est évident qu'en Angleterre, il n'y a pas de tolérance civile. Le principe de l'équivalence entre l'Eglise et la Nation en est la négation pure et simple. Dans les faits, nous l'avons vu, la High Commission exerce, dès la fin du règne, une surveillance théologique active et rigoureuse sur l'ensemble du pays, appliquant sous l'impulsion de Whitgift, puis de Bancroft, des méthodes qui ressemblent à celles des tribunaux de l'Inquisition. C'est ce qui permet au Père J. Lecler, jésuite, d'écrire, avec ce qui semble être un reste de hargne pour une souveraine qui a su se montrer plus habile que son ordre et vaincre les disciples d'Ignace de Loyola sur le terrain de la ruse politique, mais non sans quelque vérité:

"Par son rigoureux conformisme, par ses persécutions sanglantes contre les catholiques et les dissidents de la Réforme, le royaume d'Elisabeth est l'un des plus intolérants d'Europe. Le principe de l'Eglise d'Etat y est poussé beaucoup plus loin qu'en Allemagne ou dans les Provinces-Unies. La pluralité des cultes dont la France et la Pologne faisaient l'expérience demeure rigoureusement proscrite. S'il est vrai de dire que le gouvernement d'Elisabeth ne se préoccupait guère des croyances et des opinions individuelles, il n'en poursuivait que plus résolument, sur le plan extérieur et légal, le principe de l'uniformité [...] On entrevoit cependant, dès cette époque, dans quel sens pourront s'orienter les discussions futures: Browne esquisse d'une part le type de l'Eglise secte; Hooker de l'autre, le type de l'Eglise compréhensive."[8]

En effet, si la tolérance civile est nulle en Angleterre, la tolérance dogmatique est assez large; et, de tous les théologiens anglicans, Hooker est précisément le plus irénique. Nul besoin de développer un point qui découle de tout ce qu'on a dit et redit sur l'adiaphorisme de Hooker, sur sa définition si lâche de l'Eglise qu'il y inclut l'hérétique et l'idolâtre,

sur le refus de fouiller le secret des coeurs, etc. Les théologiens anglicans, Hooker le tout premier parmi eux, reprochent
à leurs adversaires, puritains ou catholiques, de diviniser
trop de choses; trop de choses dans la Bible pour les uns, trop
de choses dans l'Eglise pour les autres.

Autorité et conscience

Le problème de la tolérance évoque celui de la conscience. Autorité et conscience: deux concepts liés. Les puritains objectaient qu'ils ne pouvaient en conscience obéir aux
injonctions de l'Eglise. Hooker, dans sa préface, relève cette
objection: "Vous répondrez peut-être ⌈...⌉ qu'à moins d'être convaincus de la vérité du jugement prononcé ⌈...⌉ vous y conformer
sans l'approuver serait pécher contre votre conscience."[9] Vieux
problème. Tous les dissidents se prévalent de leur conscience.
L'argument n'est pas seulement protestant, ainsi qu'on le croi-
rait à lire certains livres, comme si une théologie catholique
de l'autorité ne devait s'accompagner d'une théologie de l'obéissance et, donc, de la conscience. Thomas More est là pour le
rappeler. Saint Paul a posé sans ambiguïté les bases de cette
théologie: obéir à sa conscience est un devoir, y désobéir un
péché; on ne doit pas cependant, pour plier sa conduite à cette
règle, être un objet de scandale et l'occasion d'une chute pour
les faibles. Sur ces bases, la scolastique (Abélard le premier)
a construit un savant édifice, dégagé une problématique précise,
qui s'est inscrite dans le trésor commun de la théologie morale.
Problématique à laquelle se référait Thomas More, l'opposant,
et qu'invoque ici Hooker, l'apologiste du régime. Hooker reconnaît le principe; il n'exige pas un instant que les puritains
agissent contre leur sentiment intime: "Nous ne voulons pas
contraindre quiconque à faire ce qu'en son âme il ne croit pas
devoir faire."[10] Et un peu plus loin: "Ce n'est pas que j'estime admissible de se conformer à des lois qu'en son âme on
croit fermement contraires à la loi divine."[11] Pour finir, voici, pris dans un autre texte, une belle formule, par quoi Hooker
résume l'enseignement de saint Paul: "La conscience est le

véritable tribunal de Dieu; la faute est ici le péché; le châtiment, la mort éternelle."[12]

Que faire donc lorsque la voix de la conscience n'ap-
prouve pas l'ordre de l'autorité? La solution que propose Hooker
aux puritains est toute classique. Leur devoir est de "suspen-
dre"[13] leur conscience pour le moment, parce que leurs raisons
ne sont pas démonstratives ou nécessaires. Seule une telle raison libère la conscience (anyone such dischargeth, I grant, the
conscience)[14]. Certes, les décisions de l'autorité ecclésiale
sont simplement probables, elles aussi[15]. C'est un principe
constant chez Hooker et que nous avons suffisamment mis en lumière: une autorité humaine (donc l'autorité ecclésiastique
dans son activité strictement légale ou canonique) ne se déploie
que dans cette zone. Mais, nous le savons aussi, ce caractère
ne dépouille pas ses décisions de leur force contraignante et,
donc, il ne dispense pas le sujet du devoir d'obéissance. Seule
en dispense une raison nécessaire. A celui qui ne peut objecter
de telle raison à l'ordre donné s'impose le devoir d'obéir,
devoir certain: "Ce n'est que justice d'exiger de vous et c'est
perversité de votre part de refuser une obéissance de plein gré
(willing obedience)."[16]

Car le devoir d'obéissance oblige en conscience. Hooker
condamne ailleurs, dans les fragments de son sermon sur l'obéissance, ceux pour qui les lois humaines "ne peuvent en rien con-
cerner la conscience."[17] Que ces lois ne contraignent qu'à des
comportements publics, c'est certain. Mais cela n'enlève rien à
l'exigence morale d'y obéir. Obéissance à des règles de conduite
extérieure, soit; mais obéissance du coeur et non feinte. C'est
saint Paul qui l'ordonne. Ici, d'ailleurs, Hooker ne s'en prend
pas à ses adversaires habituels, les presbytériens, qui, en bons
disciples de Calvin, ne peuvent nier le principe; mais à des
sectes antinomiennes probablement.

Quoi qu'il en soit, par ce jeu d'arguments, et finalement par la force convaincante de tout son traité, Hooker cherche
à apaiser les consciences : "Tout mon propos, c'est de résoudre

le problème de conscience (resolve the conscience) et de montrer aussi précisément que je le puis ce que dans cette querelle on doit croire en son âme si l'on consent à suivre la
lumière d'un jugement sain et droit, sans se laisser aveugler
par les nuages du préjugé ou les brumes de la passion."[18] Cette
déclaration, venant après le rappel des données classiques du
problème de la conscience, donne l'exacte mesure de l'irénisme
de Hooker; irénisme généreux, réel, mais respectueux des exigences liées de la raison et de l'autorité. "Résoudre le problème de conscience", c'est donner les raisons d'obéir. Il faut
donc patiemment se lancer dans de longues preuves, départager
le probable du nécessaire et, ce difficile partage fait, exiger
alors l'obéissance et contraindre. Le coeur passe par la raison
et n'exclut pas l'autorité.

LE MINISTERE . 1. NATURE ET POUVOIR

Hooker traite du ministère dans sa généralité au
livre V. Aux livres VI et VII, il concentre l'analyse plus
particulièrement sur le gouvernement des anciens, puis sur
celui des évêques. Ce plan n'est pas sans importance: la théologie du ministère est ébauchée à grands traits dans le livre
traitant de la liturgie. La fonction propre du prêtre est d'administrer la Parole et les sacrements dans le cadre de la prière
commune: it serveth for the performance of divine duties[1]. Fonction culturelle au premier chef, fonction relevant éminemment
des pouvoirs d'ordre. D'emblée l'analyse est orientée.

La grandeur du ministère et son double fondement

Il est curieux de voir Hooker ouvrir le premier chapitre du livre V: "De la nature du ministère"[2], par un long
préambule sur le bonheur. La suite du titre en donne la raison:
"De la nature du ministère; comment le bonheur en dépend, non
seulement le bonheur éternel, mais encore le bonheur temporel".
Le ministère est l'instrument du salut. Mais le salut, ce n'est
pas une chose étroitement chrétienne, si l'on peut dire, et comme séparée du reste de la vie. Ce n'est que le plein épanouis-
sement des virtualités de nature. Quel piètre commentaire ce serait de chercher dans ces pages un pragmatisme assez bas, qui
viserait à réduire le ministère à quelque office platement politique, à immerger le prêtre dans la cité au point d'en faire un
simple fonctionnaire du bien-être. Il faut rapprocher ce texte

du chapitre d'introduction du même livre, qui traite du rôle de la religion dans la vie de l'homme et dans la nation[3], du premier chapitre du livre VII, qui analyse les rapports du spirituel et du temporel dans une république chrétienne[4], surtout des derniers chapitres du livre I, qui articulent nature et surnaturel[5]. C'est toujours la même idée qui traverse ces chapitres: la béatitude est l'accomplissement de la nature. Il n'y a pas deux bonheurs, mais un seul. Dans cette réalité à la fois politique et religieuse, temporelle et spirituelle, qu'est la cité chrétienne, première ébauche ici-bas de la cité céleste, le ministre occupe une place unique: il est le canal de la grâce, l'instrument qui transmue la nature de chacun et fait du corps social une Eglise. Il aide à sauver le tout de l'homme.

Le ministère a donc un double fondement, naturel et théologique, rationnel et scripturaire. Toute la nature est hiérarchie; hiérarchie, qui, loin de compartimenter les parties qu'elle subordonne, les "soude" l'une à l'autre par le lien de l'assistance réciproque. Par degrés, l'être situé au plus bas de l'échelle reçoit l'influx bénéfique du plus élevé. Vision dionysienne que nous connaissons bien: hiérarchie et communication d'amour s'impliquent. Ainsi en est-il de l'Eglise, la plus parfaite des oeuvres divines; elle ne pouvait contredire à l'ordre de la création[6]. Le fondement scripturaire et théologique du ministère est non moins évident. Sous l'ancienne Alliance, Dieu s'était choisi pour célébrer ses mystères une tribu parmi les douze tribus d'Israël[7]. Jésus a institué lui-même le ministère de la nouvelle Alliance. La hiérarchie ministérielle se distingue d'une hiérarchie simplement civile ou naturelle par cette origine directement divine: "Le ministère des choses divines est une fonction que Dieu lui-même a instituée de sorte qu'aucun homme ne peut s'en charger qu'il n'ait reçu légitimement l'autorité ou le pouvoir de le faire [...] Les ministres sont donc ministres de Dieu non pas seulement par voie de subordination comme le sont les princes ou les magistrats, dont la divine Providence soutient de son bras la justice en donnant force à leurs jugements, mais ministres de Dieu, pour autant qu'ils détiennent leur autorité de Dieu même et non des hommes."[8]

Unité et diversité du pouvoir ministériel; approches multiples

Le pouvoir et l'autorité qu'ils reçoivent ainsi font des ministres des instruments nécessaires et efficaces de salut. Pouvoir immense qu'il ne convient pas d'analyser dans un langage abstrait, limitatif, qui, saisissant successivement tel ou tel trait, les isolerait et détruirait l'unité du mystère. Images scripturaires, paroles de Jésus lui-même, prières rituelles, formules théologiques, vocabulaire du droit canon, Hooker utilise toutes les ressources que lui fournit la tradition pour offrir à son tour quelque chose qui est plus un éloge émerveillé qu'une analyse. Qu'on ne cherche pas dans ses propos une déduction ordonnée, où d'un principe circonscrit se dégageraient des corollaires tout aussi clairement délimités. Tantôt le pouvoir ministériel est abordé sous un angle et tantôt sous un autre. La méditation parfois se fixe sur un point pour y ramener les autres, mais voici bientôt qu'elle se porte ailleurs. Pourtant, de ce qui peut sembler confusion ou même ruse dans une question si brûlante et si débattue, il se dégage une image forte et cohérente du ministère chrétien. Bornons-nous à quelques textes.

Avant même d'entreprendre, au livre V, l'étude des sacrements, lorsqu'il ne parle encore que de prière, Hooker propose déjà une première description du rôle du ministère. Le ministre est l'intermédiaire entre Dieu et l'assemblée priante. Il se tient debout devant Dieu; il parle en sa présence au nom de l'assemblée. Par son ordination, il a reçu la charge d'intercéder pour les fidèles auprès de Dieu, mais aussi de leur transmettre la bénédiction divine. L'invocation liturgique du prêtre revêt donc un caractère quasi-sacramentel. Dieu, dit Hooker, qui s'est choisi cet instrument "effectue" (effects) à travers lui ce pour quoi il l'a ordonné: il accepte réellement les prières de son peuple; il le bénit véritablement par le canal de son ministre[9].

Combien plus fortement est affirmée cette efficacité surnaturelle de l'action ministérielle dès qu'on s'engage dans la théologie proprement sacramentelle et qu'on se concentre sur

le mystère de l'ordination. Les grands textes à méditer sont
ceux du chapitre lxxvii, au livre V (Of power given to men to
execute that heavenly office; of the gift of the Holy Ghost
etc.)[10]. Le pouvoir du ministère divin tire les hommes des té-
nèbres pour les mener à la gloire; il les élève jusqu'au ciel;
il fait descendre Dieu lui-même du ciel; en bénissant les éléments visibles, il les transforme en une invisible grâce."[11] Et
cherchant alors à préciser l'essence de ce pouvoir, Hooker le
définit, dans une ligne qui nous semble fidèle à la théologie
thomiste du sacerdoce, par le double pouvoir sur le corps du
Christ, pouvoir sur le corps mystique, qui est la société des
âmes, et pouvoir sur le corps naturel (le corps vrai, eût dit
saint Thomas), qui joint les deux en un seul (power both over
the mystical body which is the society of souls and over that
natural which is himself for the knitting of both in one)[12].
Nous avons rencontré ce thème en traitant de l'Eucharistie.
Qu'il suffise de souligner comment, dès le début de ce chapitre,
le pouvoir ministériel se concentre dans le pouvoir eucharistique, qui lui-même rassemble en soi les pouvoirs sacramentels.
C'est dans l'action eucharistique, par quoi s'édifie le corps du
Christ (a work which antiquity doth call the making of Christ's
body)[13], que se déploie toute la puissance efficace du prêtre.
C'est de cette action, de ce pouvoir essentiel, qu'il dérive la
multiplicité de ses pouvoirs spirituels, qui tous, d'une certaine manière, se récapitulent en l'édification du corps du
Christ. Le pouvoir pastoral, qui est pouvoir sur le corps mystique, sur "la société des âmes", prend son assise sur le pouvoir sacramentel ou, si l'on veut, s'exerce par le truchement
de ce pouvoir, qui est pouvoir sur le corps naturel. Liaison
profonde, eucharistique, entre corps mystique et corps naturel,
qu'on peut distinguer mais non disjoindre, à quoi chez le ministre correspond une liaison non moins intime entre sa fonction de guide et sa fonction de prêtre (au sens restreint de ce
dernier terme).

Ces liens apparaissent dans d'autres textes; mais les
rapports peuvent être inversés. Au début du chapitre qui nous
retient, avant le passage même qu'on vient de commenter, Hooker

écrit: "Quel ange au ciel aurait pu dire à l'homme ce que Notre
Seigneur a dit à Pierre "Pais mes brebis: prêche; baptise; fais
ceci en mémoire de moi; les péchés seront retenus à qui tu les
retiendras, les offenses pardonnées au ciel à qui tu les pardon-
neras sur terre."[14] C'est la fonction pastorale qui est mise en
exergue: "Pais mes brebis"; mais loin d'être séparée des autres
ou de leur être opposée dans une intention polémique, elle les
contient en soi. "Paître les brebis", qu'est-ce? Ce n'est pas
seulement les guider par de fermes conseils ou les gouverner.
C'est prêcher, certes, mais c'est aussi baptiser, partager le
pain, remettre les péchés. Même insistance sur le thème pastoral dans le commentaire sur les paroles consécratoires de l'Ordinal: "Recevez le Saint-Esprit, les péchés seront remis etc."
Par ces paroles, l'évêque donne à l'ordonné l'autorité sur les
âmes (authority over the souls of men), les clés du royaume du
ciel (the keys of the kingdom of heaven). Mais cette autorité
ne doit pas s'entendre en un sens simplement moral ou juridique,
c'est la puissance miraculeuse de l'Esprit (a miraculous power
of the Holy Ghost)[15]. "Que nous prêchions, conclut Hooker, que
nous priions, que nous baptisions, que nous distribuions la communion, que nous condamnions, que nous donnions l'absolution,
quoi que nous fassions à titre d'intendants des mystères divins
(as disposers of God's mysteries), nos paroles, nos jugements,
nos actes et nos gestes sont les paroles, les jugements, les
actes et les gestes du Saint-Esprit et non pas les nôtres."[16]
"Intendants des mystères de Dieu". L'expression, reprise à saint
Paul (I Co. 4,1), est significative. L'image de l'intendance,
comme celle des clés, oriente l'esprit vers l'idée de gouvernement. Mais le gouvernement du prêtre est, comme ses autres fonctions, dispensation des "mystères" de Dieu; il est liturgique,
relié au mystère central du culte chrétien, au mystère chrétien
par excellence, l'Eucharistie, édification mystique du corps du
Christ.

Joignons encore un texte au dossier, pris cette fois
dans un autre chapitre. Il s'agit d'un passage dans lequel
Hooker prend parti dans une vieille querelle. Pour désigner le
ministre, usera-t-on du terme catholique traditionnel de prêtre,

priest, ou de celui protestant d'ancien, elder? Querelle de mots
dit Hooker. De quel sens alors charge-t-il, lui, le terme de
presbytre, presbyter, qu'il retient de préférence à celui de
prêtre, trop lourd d'une valeur sacrificielle? "Un presbytre,
au sens précis où l'entend le Nouveau Testament, c'est celui à
qui notre Sauveur le Christ a communiqué le pouvoir de procréation spirituelle."[17] Le titre est donc plus riche que ne le
laisse supposer le sens littéral ou surtout l'usage presbytérien
un presbytre est plus qu'un ancien revêtu d'une autorité de gouvernement, a ruling elder. Par le ministère du presbytre, les
chrétiens "reçoivent l'adoption de fils". "Des douze patriarches
est issu le peuple entier d'Israël selon la chair, poursuit
Hooker, et, selon le mystère de la naissance spirituelle, nous
reconnaissons que les Apôtres du Seigneur sont les patriarches
de l'Eglise entière. C'est pourquoi saint Jean a vu, assis au
ciel autour du trône de Dieu, vingt-quatre presbytres: les douze
premiers, pères de l'ancienne Jérusalem, les douze autres, pères
de la nouvelle. Et c'est pourquoi les Apôtres se donnaient à
eux-mêmes ce titre de presbytres, encore qu'il ne leur fût pas
réservé, mais qu'ils l'aient partagé avec d'autres."[18] Bref, on
peut souligner tant qu'on voudra la nature pastorale du ministère, comme le fait le protestantisme; ce qu'il faut voir, c'est
que la fonction pastorale ne se dissocie pas d'une fonction de
paternité et que celle-ci est à prendre au sens fort: une paternité spirituelle, certes, mais réelle, une procréation. Le presbytre est un "guide paternel" (a fatherly guide)[19], écrit Hooker
toujours dans le même passage; qu'on ne donne pas désormais à
cette expression un sens diminué, n'y discernant qu'une valeur
d'autorité, de conseil ou de bienveillance[20].

L'ordination, marque indélébile séparant le clerc du reste du peuple de Dieu

La conséquence de ce caractère sacramentel de l'office
ministériel est évidemment que le clerc est mis à part dans le
peuple de Dieu, séparé des laïcs par l'ordination. Hooker est
sur ce point très explicite. Le pouvoir sacerdotal est "une

marque, un caractère que l'on estime indélébile [...] une marque
de séparation, parce qu'il sépare ceux qui le possèdent des
autres et en fait un ordre particulier (c'est Hooker qui souligne) consacré au service du Très-Haut."[21] Cléricalisme avoué
dirigé contre le "laïcisme" des puritains, des presbytériens
eux-mêmes, mais surtout des séparatistes. L'argumentation puritaine en faveur des lay-elders se fonde sur l'idée que la "con-
grégation" tout entière, l'assemblée des fidèles, est sainte et
non pas quelques uns seulement. Ce principe, observe Hooker, ne
résume-t-il pas "toutes leurs publications: Admonitions, Démons-
trations, Supplications, Traités de tout genre, où ils s'éver-
tuent à supplanter l'autorité, jusque là reconnue, de leurs supérieurs spirituels par le pouvoir inédit d'un presbytérat laïque?"[22]

Une marque indélébile. Ceux qui ont reçu le pouvoir sacerdotal ne peuvent s'en dévêtir pour s'en revêtir à nouveau
comme on le fait d'un manteau. Il est possible évidemment de sus-
pendre ou de dégrader un clerc pour des causes valables, tout
comme il est possible à des époux de se séparer; mais la réinté-
gration d'un ministre, comme la réconciliation des époux, n'est
pas une nouvelle consécration. Suspension ou dégradation n'at-
teignent que l'exercice du pouvoir, non le pouvoir même. L'ordination investit l'ordinand d'un pouvoir nu, de soi universel.
L'attribution d'une charge ou d'une cure particulière détermine
et localise l'exercice du pouvoir[23]. Distinction classique, mais
rejetée par les puritains (presbytériens comme séparatistes)
puisqu'ils adressent au ministère anglican deux reproches qui la
contredisent. Ils condamnent tout d'abord l'usage établi de ministères sans cure, undefined ministry; reproche constamment re-
nouvelé depuis l'Admonition: "Personne [dans l'Eglise primitive]
n'était admis au ministère à moins d'être appelé à occuper une
charge vacante."[24] Hooker commente fort bien le principe de ses
adversaires: "Ils estiment que nul ne devrait appartenir à l'ordre des clercs s'il n'est attaché à une paroisse précise. Car
les titres de tous les offices ecclésiastiques impliquent une
relation (are words of relation): un berger doit avoir un troupeau, un maître des disciples, un ministre des fidèles, auxquels

il administre ses soins. C'est pourquoi il leur semble absurde,
contraire à toute raison, qu'un homme soit ordonné ministre autrement que pour une paroisse définie."[25] Les puritains accu-
sent en outre l'Eglise d'Angleterre de ne faire aucune place à
la règle de l'élection. Cette accusation ne se distingue guère,
au fond, de la précédente; elle s'appuie sur la même raison:
celui qui se présente à l'ordination doit être appelé et choisi
par la paroisse qu'il doit desservir. Voyez encore l'Admonition
"Alors (en ces temps de l'Eglise primitive), on procédait à
l'élection par consentement général [...] ; alors, l'assemblée
des fidèles avait le pouvoir d'appeler les ministres [...]; alors
aucun ministre n'était installé sans le consentement du peuple."
Grief inlassablement repris, principe réaffirmé sans cesse.

La réponse de Hooker se fonde sur les données bibli-
ques et l'histoire; elle présuppose également une conception
d'ensemble du ministère et de l'Eglise. Il réfute les mauvaises
interprétations de la Bible qu'on lui objecte; il affirme qu'en
fait "l'ordination absolue (indefinite) des presbytres et des
diacres est plus proche de la pratique apostolique"[27] que l'u-
sage, invoqué par les puritains, de les attacher à une Eglise
particulière. Il refuse de toute façon (et ceci est bien conforme à ses principes généraux) de lier sans nuance l'Eglise à
l'exemple apostolique. Il s'agit là, une fois de plus, de l'une
de ces questions indéterminées où priment les raisons de convenance. De façon significative, Hooker accepte de placer sa défense sur un plan profane, simplement historique. L'évolution
des institutions de l'Eglise est parallèle à l'évolution des
institutions romaines: dans l'ordre ecclésiastique comme dans
l'ordre civil, l'expérience accumulée des siècles peut provoquer des transformations considérables, exiger notamment la con-
centration des pouvoirs. Les presbytériens eux-mêmes, qui se
targuent de l'exemple apostolique, ne le suivent pas en fait,
puisqu'ils confient les élections à leur "sénat ecclésiastique";
dérogation à leurs principes qu'ils justifient aussi par des
raisons d'opportunité[28]. Et ici Hooker ne se gêne pas pour ma-
nier le sarcasme: "Qu'est-ce là sinon traiter le peuple comme
les nourrices traitent les nourrissons dont elles barbouillent

la bouche avec le dos de la cuiller, pour faire croire qu'elles leur ont donné à manger, alors que ce sont elles qui ont tout dévoré?"[29] Il rappelle enfin la distinction classique: ces problèmes de titres et d'élections concernent l'exercice du pouvoir d'ordre, non le pouvoir même[30].

Ce que Hooker veut mettre en relief, dans tout cela, c'est le caractère surnaturel de l'ordination. Le rituel anglican souligne bien ce caractère, selon lui, et notamment la phrase: "Recevez le Saint-Esprit", que les presbytériens réprouvent: comme si l'Eglise pouvait donner le Saint-Esprit! Mais, en un sens, elle le peut en effet. En répétant ces paroles du Christ consacrant ses Apôtres, l'évêque confère réellement au nouveau ministre les dons de l'Esprit: l'ordinand "est assuré de toujours posséder l'Esprit"; "l'Esprit-Saint transmis par notre Sauveur lors des premières ordinations ne cesse d'être transmis à travers tous les âges aux ministres appelés"; lorsque nous agissons "comme intendants des mystères de Dieu, nos paroles, nos jugements, nos actes et nos gestes sont les paroles, les jugements, les actes et les gestes du Saint-Esprit et non pas les nôtres". Supprimez du rituel ces paroles consécratoires et ce qu'elles impliquent, de quoi le ministère de Dieu pourrait-il encore se glorifier?[31]

Privilège épiscopal et pouvoir de l'Eglise

A travers l'acte rituel, c'est Dieu qui ordonne. Cependant, qui concrètement, dans l'économie humaine et sacramentelle de l'Eglise, investit le presbytre de ses pouvoirs? La réponse semble certaine: "Ceux que l'Eglise entière depuis les origines a utilisés comme ses agents dans l'octroi de ce pouvoir ne sont pas des laïcs, individus ou groupes [...]. Seuls les clercs et, parmi les clercs, ceux qui par leur rang sont au-dessus, et des diacres, et des prêtres, ont jamais été autorisés à ordonner diacres et prêtres et à leur conférer le pouvoir d'ordre au nom de l'Eglise."[32] Cette phrase rejette sans équivoque apparemment le principe presbytérien d'une participation laïque à

l'ordination[33] et revendique fermement le privilège épiscopal.
On devra pourtant nuancer la proposition pour des raisons que
nous avons déjà dites. Si l'évêque est l'instrument de l'Eglise
(her agent), il agit précisément "en son nom"; c'est l'Eglise
entière qui est originellement le sujet de tout pouvoir, tant
du pouvoir d'ordre que du pouvoir de juridiction; elle peut donc
en des situations extraordinaires, permettre à d'autres qu'à des
évêques, à de simples prêtres, d'ordonner[34].

     Est-ce à dire que Hooker rend aux presbytériens ce
qu'il leur a enlevé, qu'il admet pleinement le principe protestant du ministère comme simple fonction dans l'Eglise ou de l'E-
glise, qu'il n'établit pas de séparation réelle et radicale entre clercs et laïcs, quoi qu'il en dise, qu'il ne distingue pas
en fin de compte le sacerdoce royal des fidèles du sacerdoce
hiérarchique ? Voici comment s'exprime (ou peut-être s'exprimait
naguère) la théologie catholique officielle sur ce problème ca-
pital des rapports entre les deux sacerdoces: selon une première
conception,

"la communauté ecclésiale posséderait en elle-même et par
elle-même les pouvoirs d''Ordre' et elle déléguerait en son
sein certains hommes pour les fonctions nécessaires au Corps
ecclésial. Comme, selon cette conception, le pouvoir du
'presbytre' ne contient rien de plus que le sacerdoce du
baptisé, la nomination des 'presbytres' leur donnerait une
nouvelle fonction mais ne leur conférerait aucun nouveau
pouvoir. On a reconnu la conception protestante. Selon l'autre conception, au contraire, -la conception catholique- le
'presbytre' ne tient nullement ses pouvoirs de la communauté
il les tient du Christ par l'intermédiaire des Apôtres et
de leurs successeurs. 'La conception protestante voit le
Christ céleste ou pneumatique se former directement son corp
et celui-ci se donner les organes du ministère sur la base
d'une égalité absolue de tous les fidèles quant à leur qualité sacerdotale. La conception catholique voit le Christ
historique instituer un ministère apostolique chargé de célébrer les sacrements visibles de ses acta et passa in car-
ne,de sa pâque, et le corps se constituer ainsi, se joindre

à sa tête céleste (Y. Congar, Remarques critiques, p. 295)'
[...] Les ministères hiérarchiques -ou plus précisément la
fonction pastorale de l'épiscopat- sont des organes que le
Christ a institués avant le Corps pour faire celui-ci: 'Ce
ne sont pas des organes que le Corps, déjà vivant et animé
par le Saint-Esprit, se donnerait' (id.)."[35]

Cette analyse permet de saisir la position intermédiaire, difficile, qui est celle de Hooker. Oui, la communauté
ecclésiale, c'est-à-dire l'Eglise dans sa totalité, possède en
elle-même et par elle-même le pouvoir d'ordre; mais le pouvoir
du presbytre contient plus que le sacerdoce du baptisé. Oui,
le presbytre, éminemment l'évêque, tient ses pouvoirs du Christ
par l'intermédiaire des Apôtres et de leurs successeurs; mais
il les tient comme agent de l'Eglise et en son nom. Enregistrons
la difficulté et plaidons pour la cohérence. Nous avons déjà
donné l'argument du plaidoyer: le principe collectiviste et le
principe hiérarchique se concilient dans la notion de corps,
ambivalente mais riche. Nous savons qu'en politique le pouvoir
siège dans le corps entier et pourtant que cette totalité organique est nécessairement différenciée. Sans nier l'axiome de la
souveraineté globale, Hooker concentre dans la personne du roi
le principe vital du corps: il est le père (the parent) des autres membres, il est le moteur (the motioner) de la machine publique, il est la source (the fountainhead) de toute justice.
Fonction nourricière et motrice. La difficulté qui nous arrête
n'est donc pas propre au traité de l'Eglise; la contradiction
de Hooker n'est pas ici plus grande qu'elle n'était lorsqu'il
parlait des choses de l'état. Elle tient à la plasticité même
de la notion de corps. On n'y a plus recours dans l'analyse politique; mais peut-on l'abandonner dans l'analyse ecclésiologique? Il faudrait jeter aux orties saint Paul, l'Ecriture et
la tradition, les Pères et la scolastique! Or, il est conforme
aux exigences de cette notion de dire à la fois que les organes
de la communauté la constituent, lui donnent forme et réalité,
et pourtant qu'elle est leur fin, qu'elle leur est entièrement
supérieure en dignité, qu'elle est donc, pour reprendre le langage de Hooker, le sujet fondamental du pouvoir que les organes

exercent concrètement. Il n'est pas permis de tirer du principe
corporatif un corollaire égalitaire. Dès lors, il n'est pas sûr
que les dichotomies du Père Gy et du Père Congar soient évidentes. En posant que l'Eglise est le sujet du pouvoir et que l'é-
vêque est son agent, Hooker ne postule pas l'égalité sacerdotale
de tous les baptisés. D'ailleurs, il ne fait guère usage du concept du sacerdoce des baptisés. Ce qu'il repousse, c'est une
théologie du pouvoir ministériel qui évacuerait subrepticement
l'idée d'instrumentalité: elle glisserait au sacerdotalisme. Or,
le prêtre n'est pas un instrument de Dieu sans l'être de l'Eglise. Le vouloir, c'est imaginer qu'il fabrique l'Eglise comme du
dehors. Le prêtre fait l'Eglise, c'est vrai; il édifie le Corps
du Christ par le sacrement, Hooker le dit en termes exprès[36].
Mais cette édification s'opère dans l'Eglise et pour l'Eglise.
Point de sacrement hors de l'Eglise, car c'est toute l'Eglise
qui est sacrement. Théologie de l'Eglise, théologie du ministère, théologie du sacrement se rejoignent en une théologie cohérente du corps mystique, elle-même appuyée sur une philosophie
difficile, certes, mais également cohérente du corps social.

LE MINISTERE . 2.ORDRE,JURIDICTION,PENITENCE

1. L'ordre et la juridiction

La distinction de l'ordre et de la juridiction

Hooker reprend à son compte la distinction traditionnelle des pouvoirs d'ordre et de juridiction, au livre V, dès
le début du chapitre consacré aux pouvoirs ministériels: "Le
pouvoir spirituel qu'il leur a donné, nous l'appelons le pouvoir de leur ordre (the power of their order) dans la mesure où
ce pouvoir n'est que le pouvoir d'administrer les choses sacrées qu'on appelle à proprement parler les affaires de Dieu.
Quant à leur pouvoir de juridiction sur les personnes (the power
of their jurisdiction over men's persons), nous en parlerons aux
livres suivants."[1]

Effectivement, Hooker introduit les trois derniers livres en annonçant qu'il lui reste à traiter le plus important:
la Juridiction, la Dignité, la Souveraineté ecclésiastique
(Jurisdiction, Dignity, Dominion ecclesiastical)[2]. Ainsi sont
désignés respectivement les livres VI, VII et VIII. En fait, le
terme de juridiction n'est utilisé ici que pour le livre VI. De
même, il n'est repris que dans le titre de ce livre, pas dans
celui des deux autres[3]. L'autorité épiscopale est désignée par
le terme de Dignité, d'une acception plus large, consacré par
l'usage médiéval[4]. Le pouvoir du roi par celui de Dominion, plus
politique et moins ministériel que celui de juridiction. Nous
aurons l'occasion de revenir sur ces nuances, qui ne sont pas

négligeables. Quoi qu'il en soit, il n'est pas inexact de dire
en gros que les trois derniers livres traitent de la juridiction dans l'Eglise après que le Ve a traité de l'ordre. Ils
s'appliquent à réfuter l'ensemble de la conception presbytérienne du gouvernement ecclésial et, au regard de cette conception, à faire l'apologie du système anglican. Le livre VI primitif s'en prenait à l'institution des lay-elders, récusait comme non scripturaire la distinction entre teaching elder et
ruling elder et s'acheminait vers une définition proprement ministérielle ou sacerdotale de la juridiction. Le livre VI qui
nous reste complète l'étude et l'élargit par un traité de la
pénitence, où il est soutenu qu'elle est discipline et non sacrement, qu'elle est pourtant spirituelle et proprement sacerdotale. Si le livre VI, ou plutôt les livres VI, rejettent le
principe d'une égalité du clerc et du laïc dans la constitution
de l'Eglise, le livre VII, lui, repousse celui d'une égalité
entre les clercs: il est entièrement consacré à la dignité épiscopale sous ses divers aspects, mais surtout, et c'est l'essentiel, sous son aspect juridictionnel. Le livre VIII, pour finir
défend la juridiction suprême du roi: l'adversaire ici n'est
d'ailleurs plus le presbytérien seulement, mais autant (sinon
plus) le catholique.

Entrons plus avant dans l'analyse. Pour déterminer la
vérité sur le problème des lay-elders, observe Hooker, au chapitre ii du livre VI, il est nécessaire de bien distinguer auparavant ordre et juridiction. "Quand l'Apôtre parle de gouverner
l'Eglise ou de recevoir les accusations, ses paroles se réfèrent
d'évidence au pouvoir de juridiction (Actes 20,28; I Tim 5,19).
C'est au pouvoir d'ordre que se réfèrent celles du Christ, lorsqu'il envoie ses disciples en mission, leur disant: prêchez,
baptisez, faites ceci en mémoire de moi (Mc 16, 15; Mt 28, 19;
1 Co 11, 24)."[5] A ces textes scripturaires, Hooker en joint un
autre, tiré d'Ignace: "L'évêque est l'image de Dieu et du Christ:
il est l'image de Dieu lorsqu'il gouverne, du Christ lorsqu'il
administre les choses sacrées."[6] Ces précisions n'ajoutent rien
à la définition que nous avons donnée au début. Cependant, deux
remarques s'imposent. On notera, en comparant l'une à l'autre

les deux définitions (celle inspirée de saint Paul, celle inspirée d'Ignace), qu'"administrer les choses sacrées" (ἱερατεύειν
dit Ignace), c'est prêcher, baptiser, partager l'Eucharistie;
donc (et ceci confirme une idée plusieurs fois suggérée) que la
fonction évangélique s'inscrit dans la fonction liturgique. Surtout, la distinction faite n'est pas aussi abrupte qu'il semble.
Aussi bien, les discussions des chapitres précédents où l'on a
vu s'opposer mais s'articuler l'un à l'autre le politique et le
sacramentel, se différencier mais s'unir les diverses fonctions
ministérielles, nous ont préparés à cette constatation. Ordre et
juridiction sont les deux aspects d'un même pouvoir.

L'intime jonction de l'ordre et de la juridiction

Si nous retournons au début du livre VI, nous y voyons
en effet que la juridiction est un "pouvoir spirituel" (a spiritual power), au sens fort du terme: "un pouvoir qui ne peut découler d'un droit de nature ni procéder d'une institution humaine,
parce que les énergies et les effets en sont surnaturels et
divins [...] Il [le Christ lui-même] l'a donné pour le bien des
âmes comme un moyen pour les maintenir dans la voie qui mène au
bonheur éternel."[7] "Cette autorité spirituelle est un pouvoir
que le Christ a donné pour qu'il serve au bien éternel de l'âme"
de ceux qui lui sont soumis[8]. "La raison principale de la juridiction spirituelle, c'est de pourvoir à la santé et au salut
des âmes."[9] En donnant aux Apôtres les clefs du Royaume, Notre
Seigneur en a fait "les intendants de la maison de Dieu, sous
l'autorité de qui ils guident, commandent, jugent, corrigent sa
famille. Les âmes sont le trésor de Dieu confié à leurs soins
fidèles."[10]

Même origine divine, mêmes effets spirituels, même fin
surnaturelle de l'ordre et de la juridiction. Ajoutons, mêmes
bases textuelles. Le premier des deux textes invoqués par Hooker
pour établir le pouvoir juridictionnel (ruling the Church)[11]
confie aux clercs, par la bouche de saint Paul, une mission pastorale: "Prenez garde à vous-mêmes et à tout le troupeau sur

lequel le Saint-Esprit vous a constitués évêques pour paître
l'Eglise de Dieu" (Ac. 20, 28). Or, nous savons quelle valeur
large, proprement ministérielle, englobant magistère, prêtrise
et gouvernement, prend ce thème (paître les brebis) en d'autres
lieux[12]. On fera la même constatation pour l'image des clefs.
Au livre VI, elle justifie la juridiction; Mt 18, 17, Mt 18, 18
Jn 20, 23 sont invoqués très traditionnellement; mais l'Ordinal
fidèle à la tradition du rite romain, utilise le texte de Jean
pour en faire la pièce maîtresse de l'ordination et Hooker le
commente dans les termes que l'on sait[13]. Même ambivalence du
thème de l'intendance, lié d'ailleurs à celui des clefs[14].

La conclusion est claire: s'il est nécessaire de distinguer les deux pouvoirs, puisque par exemple la pénitence est
une discipline et non pas un sacrement, il est impossible de le
disjoindre. La juridiction est en dépendance de l'ordre, elle
lui est unie de manière inséparable (that power of juridiction
which is with it unseparably joined)[15]. L'autorité conférée aux
ministres par l'ordination est un don de l'Esprit, une puissance
plus qu'un pouvoir. Si les textes cités ne suffisent pas à convaincre, on pourra leur ajouter cet autre qui explicitement intègre la discipline à l'ordre: le Christ est le seul Seigneur,
le seul Chef de l'Eglise, "la source unique qui répand l'influx
de la grâce en toutes les parties de ce Corps, que ce soit par
le canal de la parole, des sacrements ou de la discipline (c'est
nous qui soulignons), ou par tout autre moyen. Quant au pouvoir
d'administrer ces choses dans l'Eglise du Christ, pouvoir que
nous appelons le pouvoir d'ordre (c'est nous qui soulignons encore), c'est bien un pouvoir spirituel et qui revient au Christ.

L'erreur d'une dissociation abusive

Paradoxe: alors que, par de multiples aspects, Hooker
réagit vivement contre le cléricalisme immodéré des presbytériens
et défend avec force les droits religieux du prince, de ses
cours, du parlement, de la nation tout entière contre l'ambition
ou l'arrogance ecclésiastique, l'analyse qu'on vient de faire

révèle au contraire le champion d'une doctrine spiritualisant
le gouvernement de l'Eglise autant qu'il se peut, sacralisant
pleinement le pouvoir ministériel. Théologie des valeurs laïques par certains côtés, mais théologie accentuée des valeurs
sacerdotales par d'autres. On peut aller plus loin. On peut
trouver dans l'intime jonction qu'établit l'anglicanisme entre
ordre et juridiction l'un des points qui le différencient non
pas uniquement des presbytériens, mais du catholicisme romain.
Si la juridiction dépend de l'ordre, il faut que la hiérarchie
juridictionnelle dépende à son tour de la hiérarchie sacerdotale; c'est effectivement ce que dit Hooker[17]. Inégalité dans
la juridiction et inégalité dans l'ordre vont de pair. Il n'en
est rien pour un saint Thomas, qui soutient au contraire l'égalité dans l'ordre de tous les prêtres, mais leur inégalité dans
la juridiction. Il fonde la première sur Jn 20,23, texte qui
s'adresse à tous les Apôtres et leur donne le pouvoir de lier
et de délier ("Recevez le Saint-Esprit, les péchés seront remis
à qui vous les remettrez etc."), et la seconde sur Mt 16,19,
texte qui s'adresse au seul Pierre ("Tu es Pierre, etc.") et
lui confie éminemment la charge de l'Eglise, les clefs du Royaume
et, dans les mêmes termes que Jean, le pouvoir de lier et de délier[18]. La juridiction est attribuée à Pierre seul et, par le
canal de Pierre et de ses successeurs, descend par degrés jusqu'au simple prêtre[19]. On exprime la même idée en disant que
l'ordre est donné directement au prêtre, la juridiction indirectement, ou encore que l'ordre établit un rapport immédiat entre
le prêtre et Dieu, la juridiction un rapport médiat[20]. Cette
théorie a pour conséquence de dé-spiritualiser la juridiction,
de la disjoindre de l'ordre plus qu'il ne convient sans doute
et par contrecoup de dévaloriser ce qu'on appelle en jargon canonique la juridiction ordinaire au profit de la juridiction com-
mise ou déléguée[21]. C'est donc une même dissociation qu'à des
degrés différents l'anglicanisme dévoile chez ses adversaires
tant presbytériens que catholiques, une même tendance à séparer
l'une de l'autre les fonctions ministérielles, la fonction de
gouvernement surtout des fonctions évangélique et culturelle.
Dissociation dangereuse, qui chez les uns se traduit par un mora-
lisme inquisiteur, chez les autres par un juridisme autoritaire,

chez les deux par une hypertrophie de la fonction de gouvernement.

2. La Pénitence

On n'aura pas épuisé le problème des rapports de l'ordre et de la juridiction tant qu'on n'aura rien dit de la pénitence, qui fait l'objet du livre VI. Le livre est complexe.
C'est un de ceux où se déploie le plus richement l'érudition de
Hooker; il a toujours été difficile de traiter de la pénitence
sans en retracer l'histoire. Nous n'accompagnerons pas Hooker
sur ce terrain où nous sommes incompétents; nous risquerions
en outre de nous perdre dans des minuties. Nous ne reprendrons
pas non plus les points de théologie fondamentale (grâce, foi,
sacrements surtout) soulevés au cours de la démonstration. Ces
points sont acquis. Notre propos est d'étudier la pénitence
dans le cadre du ministère et, nommément, dans le cadre de sa
fonction juridictionnelle. Pourtant, cela ne peut se faire sans
dire rapidement ce qu'elle est.

Vertu du repentir et discipline de la pénitence. Leurs éléments contrition, confession, satisfaction

Hooker pose dès le départ une distinction capitale entre vertu du repentir et discipline pénitentielle. L'une est
intérieure, l'autre extérieure. La vertu du repentir, vertu
secrète (the inward secret repentance of the heart), est seule
essentielle; elle suffit à guérir l'âme, à lui restituer la
lumière perdue, à la réconcilier avec Dieu[22], encore que, dans
certains cas, selon la nature du péché ou la qualité du pécheur
l'Eglise puisse imposer une discipline pénitentielle. Si la
vertu du repentir est toujours nécessaire, la discipline de la
pénitence, elle, ne l'est que "dans la mesure où l'exigent les
lois et les dispositions de l'Eglise."[23] Protestantisme pur et
simple, dira-t-on, qui dévalorise la pénitence en l'intériori-
sant tout à fait. La conclusion serait trop rapide: aussi bien,

c'est un retour à l'idée essentielle que la pénitence est
μετάνοια , conversion du coeur et réconciliation, idée que la
théologie catholique n'avait jamais abandonnée, même si elle
l'avait parfois mise en retrait par souci de bien reconnaître
les exigences du principe sacramentel et de ne pas évacuer de
la description les autres parties de la pénitence. Après tout,
l'école dominante au Moyen Age avait été le "contritionnisme",
qui, comme le nom l'indique, donnait une place prépondérante à
la contrition intérieure, au point de ne plus admettre comme
absolument nécessaire la confession et la satisfaction.

Cependant les textes interdisent qu'on range Hooker
sans nuance parmi les contritionnistes. Car, si la vertu de
repentir est l'oeuvre de Dieu, si elle est une grâce infusée à
l'âme en une seule fois, elle se déploie néanmoins en une série
d'opérations distinctes[24]. Du pécheur, il est exigé non seulement le regret de sa faute, mais l'aveu et certaines actions.
Il doit détourner sa volonté du péché, se soumettre à Dieu par
une humble supplique, décider de changer de vie et donner des
gages de ce propos. Nous offensons Dieu par pensée, par parole
et par action: à ces trois moments du péché doivent correspon-
dre trois moments de la pénitence: la contrition, la confession,
la satisfaction. Toutes trois sont également nécessaires[25]. Et
qu'on se garde d'attribuer à la vertu de repentir la seule contrition en rejetant confession et satisfaction vers la discipline. Ce serait une autre façon de n'accorder de nécessité qu'à
la première, puisque la vertu de repentir est seule essentielle.
Non, contrition, confession, satisfaction appartiennent toutes
trois à la vertu de pénitence[26], au repentir intérieur, bien
qu'elles puissent se manifester extérieurement, en certains cas,
par une conduite perceptible et contrôlable et relever pour autant de la discipline. L'Eglise veut alors, "en témoignage public
de la conversion, des signes extérieurs de contrition, une confession ouverte, des oeuvres visibles."[27] Par le jeu de ces di-
visions et de ces symétries, Hooker unit ensemble l'enseignement
de l'Eglise des premiers siècles, la systématisation scolastique
(il s'y réfère explicitement)[28] et les nouvelles exigences de la
Réforme. On éprouve devant ce schéma bien ordonné une admiration

teintée de méfiance. Est-ce là plus qu'une habileté? Le sens
de tout cela est assez clair cependant, si l'explication est
parfois obscure et la complication bien grande. Hooker veut à
la fois retirer tout caractère proprement sacramentel à la pénitence, garder à la conversion du coeur la place unique qui lui
revient (elle est l'essence de la pénitence, la seule condition
nécessaire à la rémission des péchés) et pourtant, ne pas évacuer du système, comme simplement accessoires, la confession et
la satisfaction. Une seule solution pour accorder ces exigences
qui semblent au premier abord contradictoires: intégrer les
trois parties de la pénitence à la vertu intérieure, ou plutôt
leur attribuer deux aspects possibles, deux faces. Une face intérieure, et elles sont alors vertu: elles sont les devoirs de
la vertu de pénitence; une face extérieure et elles sont alors
discipline: elles sont les parties de la discipline pénitentielle.

Réduire en effet la vertu de pénitence à la contrition
et définir celle-ci en termes de douleur ressentie, c'est cou-
rir le risque du subjectivisme. Le repentir se dissoudrait dans
les affections, dans les puissances passives de l'âme[29]. L'aristotélisme de Hooker le garde de ce danger. La vertu est une disposition active; elle ne va pas sans devoirs, secrets peut-être
perçus du seul pénitent, intérieurs en un mot, mais qui sont
plus que des sentiments vécus. Dans certains cas, l'action ver-
tueuse devra s'extérioriser. Ceci est vrai tout particulièrement
pour la satisfaction, qui n'est pas autre chose en définitive
qu'une conduite changée[30]. Parfois, même, il n'est pas de satisfaction possible sans tel ou tel acte matérialisé, précis: restitution d'un bien volé, dédommagement, soumission à tel ou tel
impératif disciplinaire[31]. Bref, pas de vertu de pénitence sans
une oeuvre[32].

Si le principe est clair, il faut avouer qu'il reste
peu théorique; car, des devoirs ou des oeuvres de la contrition
Hooker ne parle pas en fait. On comprend assez bien pourquoi:
dans la vertu de repentir, elle est la partie la moins active,
celle qui se rapporte à la "pensée", comme on l'a vu. Une fois

son schéma d'ensemble posé, Hooker se concentre sur la confession et la satisfaction. Dans la confession, l'acte vertueux se réduit en définitive à l'aveu fait à Dieu, à une parole intérieure en somme[33]. La confession extérieure, faite à l'oreille du prêtre, comme dans le rite catholique, ou faite publiquement, comme dans la discipline de l'Eglise ancienne ou dans celle que préconisent les calvinistes pour les péchés graves et notoires, n'est pas essentielle à la pénitence. La première est d'un usage relativement récent et qui n'a jamais été constant; la seconde a des origines lointaines, mais elle n'a jamais été non plus pratiquée de façon continue. Toutefois, bien qu'elles ne soient pas nécessaires, elles sont l'une et l'autre profitables et elles ont, à ce titre, leur place dans l'Eglise[34]. La satisfaction, comme on vient de le dire, est, parmi les devoirs du repentir, celui qui s'exprime le plus naturellement par des oeuvres extérieures, puisqu'il se rapporte plus spécifiquement à l'"action" que les deux autres. Il a néanmoins, lui aussi, une face interne. L'oeuvre bonne connue de tous, la conduite nouvelle que chacun peut juger manifestent une sainteté secrète. La sainteté ne se réduit pas à son apparence, elle est un mystère intime que les oeuvres n'épuisent pas, ni ne mesurent.

L'absolution

Rien sur l'absolution dans tout cela. Que viendrait-elle faire, puisque la vertu de repentir constitue à elle seule l'essence de la pénitence? Mais peut-on ne tenir aucun compte des textes explicites de l'Ecriture donnant au prêtre le pouvoir de lier et de délier, textes auxquels Hooker fait la place qu'on a dite dans sa description générale du pouvoir ministériel et qu'il utilise plus particulièrement pour fonder la discipline pénitentielle? La solution proposée est encore des plus classiques: c'est celle qu'avait consacrée tout un courant de la scolastique et qui s'appuie, entre autres, sur l'autorité de Pierre Lombard, Alexandre de Hales, saint Bonaventure. L'absolution n'est que déclarative: "Elle nous déclare seulement libérés de la faute du péché [...] Effacer réellement le péché de l'âme, ou l'y maintenir, n'est pas un acte sacerdotal, c'est une oeuvre qui excède de beaucoup le pouvoir du prêtre."[35] Et encore, en une phrase qui répartit les tâches et décrit les opérations de façon très claire: "Seul Dieu accorde vraiment la rémission des péchés; seule la vertu de repentir la procure; l'absolution ministérielle et privée du prêtre ne fait que la déclarer (c'est nous qui soulignons)."[36] Cependant, l'absolution n'est déclarative que pour la rémission des péchés; elle a un pouvoir plus réel, plus créateur si l'on veut, quant aux censures ecclésiastiques. Si "au plan du péché elle ne fait que nous déclarer libérés de la faute et réintroduits dans la faveur divine, en ce qui concerne notre droit de prendre part aux mystères divins et sacrés,[...]elle nous rend véritablement notre liberté, elle défait les chaînes qui nous liaient". En ce domaine, "le ministre de Dieu fait plus que de déclarer ou de signifier ce que Dieu a opéré."[37] Quantum ad culpam, quantum ad poenam, on reconnaît derrière les phrases de Hooker, jusqu'aux expressions des scolastiques invoqués. Mais le Concile de Trente est allé plus loin, suivant en cela la solution de saint Thomas, dont Hooker ici se sépare. Cette solution, il la trouve incohérente. Restant fidèle dans une certaine mesure au contritionnisme qu'elle condamne, elle donne à la contrition parfaite le pouvoir d'effacer le péché sans que l'absolution soit nécessaire, à la condition, il est vrai, que le pécheur désire l'absolution qu'il est empêché de recevoir. Le désir du sacrement, objecte Hooker, n'appartient pas au sacrement de pénitence, mais à sa vertu[38]. On n'échappe pas au dilemme: la conversion du coeur efface-t-elle le péché ou non, et, dans l'affirmative, quelle place reste à l'absolution sacramentelle?

Discipline pénitentielle et ministère: le presbytre est un méde cin et un juge

Ainsi se précise le rôle du ministère dans la discipline pénitentielle et la position de Hooker par rapport à celle des presbytériens d'un côté et des catholiques de l'autre. Les presbytériens, conformément à l'idéal calviniste, voulaient

restaurer l'ancienne pénitence publique pour les pécheurs notoires: ils estimaient l'aveu public nécessaire en ce cas pour
donner satisfaction à l'Eglise et réaffirmer la foi de ceux
que le péché avait ébranlés[39]. Toutefois, la différence entre
l'usage presbytérien et l'usage primitif tenait au rôle essentiel joué par les prêtres et l'épiscope dans la discipline ancienne, rôle que Hooker s'acharne à mettre en relief. Il y avait
d'abord un aveu des péchés à un prêtre, sans valeur sacramentelle s'entend, puis l'accomplissement d'une pénitence infligée
par l'évêque, la confession publique au terme de la pénitence,
la prière de l'Eglise, l'imposition des mains enfin, et par
cette cérémonie la réconciliation[40]. Cette énumération suffit
à montrer que les presbytériens se targuaient abusivement de
fidélité aux normes anciennes. Quant aux catholiques, ni leur
confession privée, ni leur absolution n'avaient la valeur sacramentelle qu'ils prétendaient leur attribuer.

En un sens, la pénitence n'occupe qu'une place modeste
chez Hooker puisqu'il dénie tout caractère nécessaire à la confession publique des uns, à la confession privée des autres. A
faire des rites pénitentiels de simples pratiques profitables,
qu'on peut suivre ou non selon la convenance, on risque fort de
les laisser tomber en désuétude. C'est bien ce qu'a fait l'Eglise anglicane dans son ensemble. Matière indéterminée que cette
question, où cette fois l'Eglise n'a rien imposé; elle a laissé
libres ses ministres et ses fidèles. Mais Hooker était, lui, de
ceux qui voyaient l'importance de cette discipline, soulignaient
sa fonction spirituelle et lui assignaient, parmi les tâches du
ministère, un rôle de premier plan.

Le prêtre est un médecin de l'âme et un juge. Un médecin de l'âme, cette image, empruntée aux Pères, revient plusieurs fois: la pénitence a été instituée pour guérir les âmes,
to heal men's consciences, to cure their sins[41]. Hooker cite
Origène: "Sois circonspect dans le choix de celui à qui tu veux
confesser ton péché. Connais ton médecin avant d'avoir recours
à lui: s'il estime que ton mal doit être rendu public, en sorte
que cette divulgation puisse profiter à d'autres et t'aider

toi-même à recevoir une aide plus prompte, il te faut lui obéir et suivre son conseil."[42] Il est, en effet, difficile d'être son propre médecin:

> "Ce n'est pas un art courant ou commun que de savoir traiter ses propres maux. Ou bien nous nous portons à nous-mêmes une main trop légère et trop douce, redoutant d'approcher trop du point sensible, ou alors, dans notre désir de n'être point partial, nous tombons dans les craintes du scrupule et parfois notre âme s'enfonce dans une affliction dont elle ne se relève jamais. On estima donc que le plus sûr était de dévoiler ses fautes et d'implorer l'imposition d'une pénitence de ceux-là que Notre Seigneur Jésus-Christ avait institués dans son Eglise médecins spirituels, guides et pasteurs des âmes rachetées, et dont l'office ne se réduit pas à donner des conseils généraux pour une vie plus vertueuse, mais consiste encore à accorder leurs soins particuliers, personnels, aux esprits malades."[43]

Le presbytre est aussi un juge, judge, officer, court tribunal, crime, sentence, judgment, tel est le vocabulaire employé cette fois[44]. La fonction du ministre est alors de discerner la qualité du repentir ou plutôt des actes du repentir (car si la sincérité est affaire de conscience, elle doit pourtant s'exprimer par des actes, fit and convenient offices, dont le ministre est juge) et d'absoudre ou de refuser d'absoudre selon son jugement, étant bien entendu que cette sentence qu'est l'absolution peut avoir la double valeur qu'on a dite.

L'exclusion de la sainte table

Il resterait à voir comment ces pouvoirs de juge se distribuent dans la hiérarchie. L'usage anglican, sur ce point comme sur bien d'autres, prolonge l'usage catholique. A l'évêque revient la juridiction ecclésiastique, au presbytre la juridiction pénitentielle. Il n'est donc pas du ressort de ce dernier de prononcer un jugement public fondé sur le droit de l'Eglise. Cependant, en vertu de la rubrique qui figure dans le

Book of Common Prayer au début du service eucharistique, il peut
écarter de la table sainte un pécheur notoire ou qu'il juge tel.
On se trouve ici dans une zone intermédiaire, où la censure imposée n'est pas celle d'un jugement canonique pris en bonne et
due forme et pourtant revêt un caractère social. Elle n'est pas
encore une peine légale, mais elle est déjà plus qu'un châtiment
personnel. On a bien affaire à une sorte d'excommunication. Il
est intéressant, pour notre propos, de voir combien, en opposition aux presbytériens, les anglicans répugnent à étendre ce
pouvoir discrétionnaire accordé au ministre et de noter avec
quelle prudence Hooker le commente, avec quelle insistance il
recommande le pardon. Le Book of Common Prayer désigne trois
sortes de pécheurs justiciables d'une telle exclusion: ceux qui
mènent ouvertement une mauvaise vie (if any of those be an open
and notorious evil liver); ceux qui ont fait tort à leur prochain (or have done wrong to his neighbours); ceux enfin qui
nourrissent entre eux querelle ouverte (those betwixt whom he
perceives malice and hatred to reign). Pas de difficulté pour la
première et la dernière de ces fautes, observe Hooker; mais la
seconde n'est pas facile à déterminer. Comment définir et mesu-
rer les torts que se font les chrétiens? Le ministre, en se pro-
nonçant trop vite, risque de s'aventurer sur le terrain du droit,
qui n'est pas le sien, et d'usurper l'autorité des cours. Il doit
s'en tenir à l'évidence des faits patents et inexcusables. Si le
coupable a le moindre semblant de droit, s'il peut présenter la
moindre défense, que cela serve au ministre de frein[45]. Il est
certain que, par ce commentaire, Hooker vise une fois de plus
les presbytériens, qui s'appuyaient sur la rubrique du Book of
Common Prayer pour transformer ce privilège d'exclusion laissé
au presbytre en une procédure solennelle et quasiment judiciaire
d'excommunication, et de la sorte graduellement dépouiller les
cours épiscopales de leurs prérogatives au profit des nouvelles
cours presbytérales, réserver enfin les sacrements au petit nombre des "saints". Danger pour l'Eglise et pour les âmes[46].

LE MINISTERE. 3. LES DEGRES DU MINISTERE

Egalité ou inégalité des ministres. Evolution dans l'Eglise d'Angleterre

Vers la fin de ses remarques sur le livre VI, George Cranmer écrivait: "Cette question des anciens (lay-elders) et celle des évêques ensuite sont les points essentiels de la querelle."[1] Dans sa lettre à Hooker, il montrait la même préoccupation: "Dans le débat qui s'est élevé entre nous et eux, il faut séparer les points fondamentaux, essentiels, de ceux qui ne sont qu'accidentels. Les points les plus essentiels, les plus fondamentaux, sont les deux points suivants: le renversement de l'autorité épiscopale, l'établissement de l'autorité presbytérale."[2] Les deux points sont évidemment liés; car la critique du pouvoir épiscopal se fait au profit du pouvoir presbytéral et inversement. Du gouvernement presbytéral tel que le concevaient ses adversaires, essentiellement de l'institution du presbytérat laïc, Hooker faisait au livre VI primitif une étude poussée, dont nous avons restitué les grandes lignes dans notre introduction. Quant à sa propre conception de l'autorité du prêtre, nos chapitres précédents l'ont suffisamment décrite. Il reste à envisager l'autre question: le problème de l'épiscopat.

Le grand principe presbytérien est ici celui de l'égalité des ministres, the parity of ministers. A cet égalitarisme l'Eglise officielle oppose une doctrine du ministère hiérarchique:

un dans son essence, le ministère s'étage en degrés, the three
degrees of the ministry; le diaconat, le presbytérat, l'épiscopat. On laissera de côté le diaconat, auquel d'ailleurs Hooker
ne consacre que quelques paragraphes au livre V et quelques allusions dispersées au livre VII, pour se concentrer sur l'essentiel: l'inégalité qui différencie le prêtre de l'évêque.

Toute la question est de savoir si cette hiérarchie est
scripturaire et donc divine ou surnaturelle, ou si elle n'est
fondée que sur des raisons d'opportunité. Les presbytériens ne
nient pas la nécessité pratique d'une "présidence", d'une "surin-
tendance" dans le ministère; mais une telle présidence ou surin-
tendance ne peut qu'être provisoire[3]; elle n'entre pas dans la
constitution fondamentale de l'Eglise. Sur ce problème, la doctrine de l'Eglise anglicane a certainement évolué[4]. Les principes mêmes de l'anglicanisme s'inscrivent, au premier abord,
contre l'idée d'une hiérarchie divine puisque la constitution de
l'Eglise est matière indéterminée: l'ordre épiscopal est un
$\alpha\delta\iota\acute{\alpha}\varphi o\rho o\nu$. Pourtant, l'Eglise anglicane n'a jamais cessé de
reconnaître le bien-fondé de l'épiscopat. Mais elle le justi-
fiait à l'origine par des raisons historiques: l'institution
remontait aux temps les plus lointains de la chrétienté; il était
insensé de vouloir s'en défaire pour forger une Eglise neuve et
sans racines. Toutefois, au plan de la définition théologique
des pouvoirs sacrés, le presbytre restait l'égal de l'évêque.
Les théologiens anglicans partageaient en outre avec le protestantisme un idéal évangélique et pastoral de l'épiscopat, en
réaction contre le juridisme romain: l'évêque était, comme l'étymologie le suggère, le "surveillant", le guide, le berger de
son troupeau[5]. Troisième et dernier point: la conception anglicane de l'épiscopat s'ajustait à la théorie des pouvoirs religieux du prince. Sykes a attiré l'attention sur l'importance
théologique du concept protestant du godly prince, concept qui,
dans la doctrine anglicane de la suprématie royale, a un singu-
lier relief. "Si vous parlez de l'Eglise société externe, écrivait Whitgift, [...] et de son gouvernement extérieur, alors
elle n'est pas ni ne peut être aussi parfaite au temps de la
croix qu'elle peut l'être sous un prince chrétien; elle n'est

point aussi complètement établie, ni aussi ornée extérieurement."[6] Et encore: l'Eglise peut être établie quant à la vraie
foi et quant à son gouvernement spirituel par le Christ sans
qu'il y ait de magistrat [...] mais non pas comme Eglise visible
et dans son gouvernement extérieur."[7] Pour Whitgift, commente
Sykes, la suprématie royale relevait très évidemment du bene
esse de l'Eglise[8]. La conséquence est claire: un prince a le
droit de commander à ses évêques, de les menacer, de les punir
s'ils sont coupables[9]; il faut aller plus loin: l'évêque n'
exerce sa juridiction que sous l'autorité du roi et en vertu de
cette autorité, under the prince and by the prince's authority[10].
Théorie fortement bâtie: jusque vers la fin du siècle, dans la
théologie anglicane, adiaphorisme, conception protestante du
ministère, conservatisme monarchique vont de pair. Tous y trou-
vent leur compte: les théologiens aux écoutes de la Réforme, les
nobles et les bourgeois, heureux de voir rabaissé l'orgueil
épiscopal et diminué l'ascendant du "spirituel", les rois bien
sûr.

L'essor du presbytérianisme, puis du séparatisme, provoque, dans les années quatre-vingt dix, un revirement singu-
lier[11]. Les théologiens prennent conscience que l'institution
épiscopale n'est pas suffisamment étayée par les preuves jusque
là courantes. Le sens du caractère surnaturel de l'ordre ecclésial s'avive sous l'assaut puritain. Par ailleurs, une connaissance plus approfondie des Pères et de la primitive Eglise vient
soutenir ces convictions nouvelles. Quant aux grands et à ceux
des classes possédantes qu'un vieil anticléricalisme avait pré-
venus d'abord en faveur du parti presbytérien, ils comprennent
qu'ils se sont trompés d'alliés et mesurent la menace qui se
cache sous la revendication presbytérienne. Alors, pour la première fois, le combat pour la hiérarchie sociale et politique
s'unit au combat pour la hiérarchie religieuse. Cranmer servira
de témoin une fois de plus: "Si leurs anciens devaient l'empor-
ter, nous sommes convaincus qu'il en résulterait diverses graves conséquences: le mépris du prince et de la noblesse, l'inso-
lence du bas peuple, etc."[12] Quoi qu'il en soit, au plan théologique qui retient notre attention, d'une conception protestante de l'épiscopat, l'Eglise anglicane passe à une conception

catholique (au sens large de ce terme). A longue échéance, une
telle conception doit restreindre la place qu'occupait dans
l'ensemble de l'édifice anglican le principe des matters indifferent et la doctrine du godly prince. L'ancienne harmonie des
trois principes, adiaphorisme, théorie protestante du ministère,
idéal du godly prince, se voit ébranlée, ou du moins ses éléments sont redéfinis, un nouvel équilibre est institué.

Le prêtre et l'évêque dans l'Eglise d'Occident

A se cantonner sur le terrain anglais, on s'expose à
prendre une vue trop étroite du problème. Elargissons l'horizon.
L'Eglise occidentale n'avait pas au moment de la Réforme une
théologie assurée de l'épiscopat[13]. La théologie du ministère
n'était en réalité qu'une théologie de la prêtrise. Depuis les
temps les plus lointains, le statut de l'évêque dans l'Eglise
latine n'avait cessé de décliner au profit de celui du simple
prêtre. Cela pour plusieurs raisons. Une raison exégétique: on
attribuait une importance exagérée à certains textes de saint
Jérôme qu'on interprétait de façon "trop absolue et trop unilatérale"[14], textes insistant sur l'égalité fondamentale de
l'évêque et du prêtre. Une raison théologique: l'essor, à partir du XIIe siècle, de la doctrine de la transsubstantiation et
le développement simultané d'un culte eucharistique très réaliste dans ses formes. A cette évolution répondait, dans le
traité du ministère, le succès d'une définition du pouvoir sacerdotal comme pouvoir sur le "corps vrai" du Christ. "L'essentiel du sacrement de l'ordre, écrit Dom O. Rousseau, étant la
confection de l'Eucharistie, il était tout entier reçu à l'ordination sacerdotale."[15] L'épiscopat, par suite, n'avait pas
de caractère proprement sacramentel. Une raison ecclésiologique: l'accroissement du centralisme papal. "La théologie de
l'épiscopat aurait subi une aspiration résorbante vers le haut,
laquelle, aux yeux de certains, l'aurait vidée d'une partie de
son contenu au profit de la papauté."[16] Nos propres remarques
sur la juridiction confirmeraient cette hypothèse: l'exigence
de l'unité juridictionnelle a provoqué peu à peu une dissociatio

trop radicale de l'ordre et de la juridiction[17]. Dès l'instant qu'on dérivait tout pouvoir de gouvernement dans l'Eglise de Pierre et de ses successeurs comme d'une source unique, on réduisait celui de l'évêque à n'être plus qu'un pouvoir délégué. Citons le Père Rousseau à nouveau: "Lorsqu'on parle de juridiction, dans notre Eglise, on entrevoit immédiatement, bon gré mal gré, le concept de délégation qui en est devenu presque complémentaire [...] La distinction entre juridiction ordinaire et juridiction déléguée, la première étant appliquée aux évêques, fait figure de distinction formaliste."[18] Comment éviter cette conséquence si l'on décrit simplement la juridiction comme un pouvoir qui descend "du supérieur à l'inférieur" (a majoribus in inferiores)?[19] Au bout du compte, dans une telle conception, l'autorité de l'évêque provient d'une autre source que de la consécration épiscopale.

Il faut attendre le Concile de Trente et la réaction contre les excès protestants pour voir se dessiner une doctrine plus ferme de l'épiscopat dans l'Eglise catholique, et encore le centralisme papal ne lui permet-il pas de se développer pleinement. On retiendra deux points. La distinction entre presbytérat et épiscopat est clairement affirmée et fondée sur l'Ecriture: la hiérarchie ministérielle est une institution d'ordination divine (divina ordinatione instituta)[20]. L'évêque détient sa juridiction par droit surnaturel. "A la suite de ces déclarations, la sacramentalité de l'épiscopat devint doctrine à peu près commune."[21] Pourtant, une question se pose: cette autorité divine vient-elle immédiatement du Christ ou médiatement, par le canal du Souverain Pontife? Ici, les voix se divisent; deux partis s'affrontent en un combat serré au terme duquel nulle option définitive n'est prise. Le Concile de Trente n'a pas été explicite sur ce qu'il entendait par un épiscopat de droit divin. Le problème n'est d'ailleurs toujours pas dirimé dans l'Eglise catholique[22].

Divergences chez Hooker. Evolution ou cohérence profonde?

Quoique les circonstances du débat en Angleterre ne
soient pas les mêmes évidemment, l'enjeu théologique est similaire: quel sens donner à la doctrine de l'épiscopat de droit
divin? Et l'hésitation, dans l'Eglise d'Angleterre comme dans
celle de Rome, est grande; les théologiens tâtonnent; leurs formules sont incertaines. Ce que dit Hooker notamment sur cette
épineuse question semble contradictoire. Le grand argument qu'il
oppose aux presbytériens reste, pour lui comme pour ses prédécesseurs, que la discipline ou polity n'est pas matière nécessaire. Dieu sait même comme sa définition de l'Eglise est large!
Il affirme pourtant, nous l'avons vu, que la hiérarchie dans
l'Eglise est d'institution divine. Le langage qu'il tient est à
la fois celui de Whitgift et celui de Saravia ou de Bilson. "On
peut soutenir la nécessité d'une constitution ou d'un ordre
pour toutes les Eglises sans pour cela soutenir la nécessité
d'une seule forme d'ordre ou de constitution valable pour toutes"[23]; c'est là ce qu'aurait dit Whitgift. "Nous estimons qu'il
a toujours existé, qu'il devra toujours exister deux sortes de
clercs, les uns subordonnés aux autres, comme aux Apôtres et
toujours depuis les Apôtres aux évêques ont été subordonnés d'autres ministres de la parole et des sacrements, nous le voyons
clairement, et dans l'Ecriture, et dans toute l'histoire ecclésiastique"[24]; c'est ce qu'auraient dit Saravia ou Bilson.

A ce dernier texte et à d'autres déjà signalés dans un
chapitre antérieur, on ajoutera ceux-ci encore, qui établissent
indubitablement l'origine scripturaire de l'épiscopat:
"Nous sommes persuadés qu'on n'a jamais connu [cette disci-
pline] avant notre époque; que ceux qui la défendent l'ont
imaginée; que ni le Christ ni les Apôtres ne l'ont jamais
enseignée, qu'ils ont enseigné le contraire. Si donc nous
cherchions quel argument serait le plus à notre avantage,
la meilleure méthode et la plus efficace contre eux serait
de soutenir comme eux que l'on doit nécessairement trouver
dans l'Eglise une forme déterminée d'organisation ecclésiale
instituée par Dieu"[25]; "Je constate que certaines Eglises

réformées, l'Eglise d'Ecosse particulièrement et l'Eglise
de France, ne connaissent pas ce gouvernement qui s'accorde
le mieux à l'Ecriture sainte, je veux dire le gouvernement
épiscopal."[26]

Voilà pour le livre III. Dans le livre VII, on trouvera de telles preuves à la pelle. En voici quelques unes:

"Par la suite les Apôtres ont transmis leur autorité épiscopale pour qu'elle se perpétue [...] Les Apôtres donc ont
été les premiers à être revêtus de cette autorité et tous
ceux qui la détiennent après eux régulièrement sont leurs
successeurs légitimes."[27] "Que les Apôtres aient alors
décidé seuls de ce gouvernement ou que, s'accordant avec
l'Eglise entière pour estimer cette mesure indispensable,
ils aient accepté l'usage établi, nul doute que le régime
ainsi institué pour le bon ordre de l'Eglise du Christ par
ces hommes sur qui le Saint-Esprit se répandait en telle
abondance n'ait été, soit prescrit par Dieu dès le début,
soit approuvé de lui par la suite et qu'il faille donc y
reconnaître une ordonnance divine [...] Que telle ait bien
été l'opinion des Pères sur le gouvernement épiscopal,
qu'ils l'aient considéré comme une institution reçue des
Apôtres en personnes et garantie par le ciel même, il est
plus facile de le prouver que d'obtenir l'assentiment de
tous ceux à qui on le prouve."[28]

Et cet autre texte pour finir, qui attribue la fondation au
Christ et non pas simplement aux Apôtres:

"Le pouvoir épiscopal a toujours existé dans l'Eglise, institué par le Christ lui-même; les Apôtres, en effet, étaient,
quant à leur gouvernement, des évêques universels (bishops
at large), nul ne le niera; ils avaient reçu cette autorité
du Christ lui-même."[29]

Norman Sykes a tenté d'expliquer ces divergences dans
la pensée de Hooker (fondement naturel ou historique de l'épiscopat d'un côté, fondement scripturaire de l'autre) par une évolution: "La grande difficulté qu'on rencontre lorsqu'on veut
juger la doctrine de l'épiscopat chez Hooker vient de l'incertitude où l'on est sur l'authenticité des livres VII et VIII de

son grand ouvrage. Si même on admet qu'ils sont effectivement
de sa main, son propre aveu qu'il a changé d'opinion est évidemment de poids."[30] Sykes cite un passage bien connu, dans lequel
Hooker reconnaît n'avoir pas toujours admis que "les Apôtres
avaient eux-mêmes laissé après eux des évêques investis de pouvoirs sur d'autres pasteurs", et avoir au contraire nourri l'o-
pinion que l'épiscopat était apparu après la mort des Apôtres,
que l'origine n'en était pas apostolique, mais simplement ecclésiale[31]. Keble avait déjà remarqué cet aveu et l'avait mieux
commenté que Sykes à notre avis. Le passage ne permet nullement
de voir une évolution sur ce point précis entre les premiers
livres et les derniers. Les citations faites le prouvent d'elles-
mêmes; elles sont indifféremment prises aux uns comme aux autres
de ces livres. Elles montrent sans ambiguïté que Hooker affir-
mait le caractère scripturaire de l'épiscopat dès le livre III
et qu'inversement, s'il insistait davantage sur cette origine
scripturaire au livre VII, il ne négligeait pas pour autant les
légitimations d'ordre naturel ou historique. L'évolution à laquelle le passage invoqué fait allusion se situe vraisemblablement à une époque antérieure à la rédaction de l'E.P. Il faut
donc se résoudre à chercher une cohérence.

Keble a plaidé pour la cohérence avec des arguments
qui restent valables[32]. Ce que Hooker condamne, c'est l'a priori
des prémisses presbytériennes, une méthode d'interprétation qui,
au lieu de se soumettre à la réalité de l'Ecriture, pose à l'a-
vance ce qu'elle doit dire en matière d'Eglise. Surtout, les
presbytériens, prétextant qu'il ne peut rien y avoir dans l'E-
glise qui ne soit dans l'Ecriture, veulent à tout prix trouver
dans les textes sacrés une constitution ecclésiale détaillée.
A réfuter ces deux postulats, Hooker consacre le deuxième et le
troisième de ses livres; et il ne revient pas sur ces réfuta-
tions. Pourtant, dès ces premiers livres, il ne pousse pas l'exigence de liberté outre mesure; il se garde de présenter une doctrine quasiment naturaliste de l'Eglise, comme si elle pouvait
développer ses principes sans référence à l'enseignement divin;
nous l'avons vu, l'Ecriture n'est pas muette sur notre problème
et, sans lier l'Eglise par des règlements trop étroits, elle

donne les grandes lignes (things of principal weight, principal and perpetual parts)[33].

Complètons cette défense de Keble en rappelant et en
précisant des conclusions auxquelles nous sommes déjà parvenus
lorsque nous avons traité de l'Eglise de façon générale[34]. On
rencontre toujours une double exigence. L'Eglise est une société
réelle que Dieu n'a pu priver des attributs des corps sociaux,
notamment de la liberté d'organiser sa vie collective. Elle reste
cependant une réalité de grâce, dotée par Dieu de moyens qui
transcendent sa réalité sociologique. Elle est un corps social
réel, disposant des organes nécessaires à la vie d'un corps,
donc d'une hiérarchie, c'est entendu. Mais ce corps est aussi
le corps du Christ, qu'édifie sacramentellement le ministère.
Le ministère, instrument de grâce, est, par suite, lui-même une
réalité de grâce. Voilà donc une première hiérarchie, celle qui
sépare le ministre du reste du peuple de Dieu, ratifiée surna-
turellement; elle est nécessaire d'une nécessité de salut.
Quant à la hiérarchie qui doit exister au sein du ministère, que
la nature réclame et que l'histoire a imposée, c'est une institution divine également, apostolique, et même dominicale; elle
est nécessaire aussi, mais d'une nécessité de perfection, selon
la distinction que nous avons faite. Sans elle, le ministère
n'est pas conforme au modèle requis par Jésus-Christ; il est
inachevé, incomplet. Rien là ne fera plus difficulté lorsque
nous aurons vu que l'épiscopat n'est en définitive que le ministère en sa plénitude.

Et d'ailleurs, la solution que propose Hooker est-elle
bien différente de celle d'un Saravia, d'un Bilson, de l'auteur
anonyme de la Querimonia Ecclesiae, bref des défenseurs d'une
nouvelle et plus "catholique" théologie de l'épiscopat? La rupture dans l'histoire de l'anglicanisme qu'avec tout le monde
nous avons acceptée comme un fait est-elle aussi nette qu'on l'a
dit? Saravia, par exemple, écrit ceci, que rapporte Sykes: "Je
crois l'épiscopat nécessaire à l'Eglise, j'estime cette discipline, ce gouvernement de l'Eglise le meilleur possible et divin."[35] Nécessaire, le meilleur, divin, trois adjectifs que

l'on trouve à chaque instant chez Hooker pour caractériser l'ordre épiscopal et dont nous avons analysé la portée. Saravia écrit encore: "Pour le gouvernement dont il est question maintenant, il en va différemment; car, puisqu'il est venu directement de Dieu, les hommes ne peuvent le modifier à leur guise."[36] Voilà peut-être qui s'oppose au principe de la mutabilité des lois ecclésiastiques, si cher à Hooker? Mais non. Hooker n'a jamais dit que l'Eglise pouvait modifier ses lois "à sa guise", surtout pas sa constitution hiérarchique. Il faut une nécessité contraignante, insurmontable, pour justifier pareille mesure extrême; le passage, cité déjà, sur les Eglises d'Ecosse et de France imparfaitement gouvernées, l'analyse qu'on a faite du texte de saint Jérôme sur la souveraineté de l'Eglise entière, le prouvent bien, comme aussi les extraits sur les ordinations non épiscopales[37]. L'examen des textes de la Querimonia Ecclesiae, de ceux de Bilson, ou même de ceux des théologiens carolins immédiatement postérieurs, aboutirait sans doute à la même constatation[38]. D'ailleurs, Norman Sykes, après avoir résumé l'enseignement de ces derniers et souligné "la nouvelle insistance sur l'épiscopat, conclut:

"Il est néanmoins aussi important d'observer que les défenseurs anglicans de l'épiscopat ne vont généralement pas jusqu'à rejeter de l'Eglise les Eglises réformées ni jusqu'à contester la validité de leur ministère et de leurs sacrements. L'épiscopat était la règle; il était essentiel là où on pouvait l'avoir; mais, en cas de nécessité, on pouvait s'en passer. Et c'était là, pensait-on, l'infortune de ces Eglises."[39] "L'évêque Lancelot Andrewes, écrit encore Sykes, n'hésitait pas à affirmer, à l'occasion de sa controverse avec le Cardinal Du Perron: 'Notre Eglise soutient qu'il existe une distinction entre évêque et prêtre, distinction de droit divin (and that divino jure)'; et il faisait remonter cette différence des deux ordres au fait qu'ils succédaient, les uns aux Apôtres, les autres aux Soixante-dix, choisis par le Christ lui-même. Mais il soutenait en même temps que ces problèmes de constitution (these matters of polity) ad agenda Ecclesiae spectant, et non pas ad credenda."[40]

C'étaient très exactement les distinctions que faisait Hooker
et la synthèse qu'il présentait.

L'émergence de l'institution épiscopale

Nous ne sommes pas compétents pour juger de la science
que déploie Hooker lorsqu'il décrit l'émergence de l'institution épiscopale, pour la situer dans le contexte des études historiques à cette date et pour apprécier la valeur de ses conclusions. Cette description mérite cependant un examen rapide,
ne serait-ce que parce qu'elle n'est pas très différente, nous
semble-t-il, de celle que propose l'exégèse moderne. En cette
fin du XVIe siècle, les historiens ne sont pas encore en possession de documents essentiels: l'Epître de Clément de Rome
aux Corinthiens n'est pas connue; le texte authentique des lettres d'Ignace n'a pas encore été établi de façon sûre[41]. Et
pourtant, la prudence de Hooker est telle, son sens historique
à ce point aigu, qu'il n'avance pas de proposition qui soit
aujourd'hui brutalement démentie.

Voici sa reconstruction. On ne doit pas s'arrêter à
l'appellation d'"évêque", qui désignait en grec une fonction
de surveillance. Un ἐπίσκοπος , c'était celui qui avait la charge de "guider les autres et de veiller sur eux" (to guide and
oversee others)[42]. On a utilisé le terme dans l'Eglise au début
pour désigner tous ses chefs ou ses gouverneurs sans distinction, et non pas seulement les plus élevés d'entre eux. Mais
rapidement l'usage s'est limité. Peu importe le nom, par conséquent; il faut considérer la chose, bien voir que "ce pouvoir
des surveillants principaux dans l'Eglise, qu'implique le terme
d'évêque, existait avant l'usage restreint du mot"[43]. La prééminence hiérarchique de certains pasteurs est un fait dont témoigne l'Ecriture. Les Apôtres ont reçu du Christ une double charge: comme Apôtres, ils ont reçu la mission de publier l'Evangile dans le monde entier, comme évêques, celle de gouverner
l'Eglise. Que le terme d'ἐπισκοπή désigne, dans leur office,
cette charge plus particulière de gouvernement ne prouve pas,

encore une fois, la prééminence de leur autorité, puisque ce
terme s'applique à la fonction de surveillance qu'exercent leurs
inférieurs aussi bien qu'à la leur; mais leurs actions montrent
que cette prééminence proprement épiscopale leur appartenait
réellement. C'est là l'essentiel[44].

Pourtant, l'autorité des Apôtres n'était pas absolument
identique à celle qu'auront leurs successeurs dans les généra-
tions suivantes. Ils étaient évêques universels (bishops at
large); l'autorité de ceux-ci, au contraire, était locale, liée
à un siège particulier (bishops with restraint). Le passage de
l'épiscopat général des Apôtres à l'épiscopat territorial et
monarchique de leurs successeurs fait évidemment difficulté:
il y a rupture dans une certaine mesure, et pourtant continuité.

Hooker s'efforce, avec les moyens que l'état de l'histoire lui donne alors, de débrouiller cette question, qui reste
toujours primordiale. L'épiscopat monarchique est post-apostolique
on en trouve le germe dès le temps des Apôtres, cependant. Dans
l'exécution de leur charge universelle, ceux-ci se limitent
eux-mêmes: un accord intervient très tôt entre Pierre et Paul,
l'un se consacrant aux Juifs, l'autre aux Gentils; saint Jean
prend en charge les Eglises d'Asie; Jacques dirige celle de
Jérusalem[45]. Cette situation se généralise peu à peu, selon un
schéma qu'on peut reconstituer avec quelque vraisemblance. Les
Eglises fondées par les Apôtres étaient gouvernées à l'origine
par des collèges de clercs, qu'on appelait indifféremment évêques ou presbytres. De ceci on a la preuve dans le discours de
saint Paul aux anciens d'Ephèse, rapporté dans les Actes (28).
Mais vite des rivalités apparurent au sein des collèges en sorte
qu'il devint nécessaire de généraliser le principe monarchique
en vigueur à Jérusalem. Evolution post-apostolique, donc, dans
une large mesure; mais dont témoigne déjà l'Apocalypse de saint
Jean, qui donne le titre d'Anges aux chefs des Eglises. L'époque du passage de l'apostolat itinérant à l'épiscopat local se
situerait, en somme, quelque part entre la prédication de saint
Paul et l'Apocalypse[46].

La succession apostolique

Voilà pour l'histoire. L'important théologiquement,
c'est que l'épiscopat monarchique "succède" à l'épiscopat général. Il s'agit d'une seule et même fonction instituée par le
Christ et continuée après lui:

"Par la suite, les Apôtres ont transmis leur autorité épiscopale pour qu'elle se perpétue chez ceux qui la détenaient
[...] Les Apôtres, par conséquent, ont été les premiers à
posséder cette autorité et tous ceux qui l'ont eue après
eux régulièrement sont leurs successeurs légitimes, soit
qu'ils leur aient succédé dans une Eglise particulière où
un Apôtre les avait précédés, comme Simon a succédé à Jacques
à Jérusalem, soit au contraire qu'ils aient exercé la même
autorité épiscopale, mais en un lieu où aucun Apôtre n'avait
été avant eux. Car, succéder aux Apôtres, c'est après eux
posséder cette autorité épiscopale qui leur a été donnée à
eux en premier. 'Tous les évêques, dit Jérôme, sont les successeurs des Apôtres'. De même, Cyprien appelle les évêques
'praepositos qui Apostolis vicaria ordinatione succedunt'.
De là vient sans doute que ceux que nous appelons aujourd'
hui évêques portaient communément, aux premiers temps, le
nom d'Apôtres: ils gardaient ainsi le titre de ceux dont ils
avaient hérité l'autorité spirituelle."[47]

Les presbytériens, avec tous les protestants, admettent
sans difficulté une partie de cette argumentation: ils reconnaissent, c'est évident, la prééminence des Apôtres eux-mêmes;
ils reconnaissent aussi l'existence d'un épiscopat monarchique
à une date ancienne dans l'histoire de l'Eglise. Ce qu'ils nient,
c'est la continuité de l'une à l'autre, l'homogénéité de l'Apostolat et de l'Episcopat. L'autorité des Apôtres est unique en
son espèce. Ils ont été les témoins directs du Christ et les
fondateurs de l'Eglise. Leur prédication et leur action font
partie intégrante du donné révélé. Entre eux et leurs successeurs il y a donc une rupture radicale. Justement, cette différence qualitative entre Apostolat et Episcopat se manifeste
dans le caractère itinérant et universel de la Mission Apostolique

par contraste avec la nature locale et limitée de la charge
des épiscopes ou des presbytres. Et puisque la prééminence des
Apôtres n'a pu être transmise, après eux les ministres ont été
égaux. De cette égalité, l'usage indifférent dans l'Ecriture
des termes d'évêque ou d'ancien est la preuve[48]. Que dans la
pratique néanmoins, pour des raisons de bon ordre, une hiérarchie s'impose, cela ne lui donne pas de qualité divine: la supériorité d'un ministre sur ses pairs n'est qu'une présidence
humaine, établie pour un temps et pour certaines actions[49].
L'idée de succession n'est pas rejetée pour cela; mais elle reçoit un sens bien différent de celui que désormais les anglicans lui donnent. D'une part, tous les pasteurs sont successeurs des Apôtres: all do alike succeed the Apostles[50], puisque tous ont reçu la charge apostolique de prêcher et de baptiser. D'autre part, cette succession se fonde sur la parole de
Dieu; Evangelium soll die successio sein, disait Luther[51]. Les
presbytériens restent fidèles à ce concept protestant de la
succession de doctrine, concept dont les prédécesseurs de Hooker
eux-mêmes, un Jewel notamment, faisaient grand usage dans leur
polémique avec Rome[52].

Le problème réside donc dans la valeur qu'il faut donner à cette notion difficile de succession. Hooker, hélas, ne
lui consacre pratiquement que deux paragraphes[53], dont nous
avons extrait le passage cité. On ne doit pas trop s'étonner
de cette réserve. Bien qu'on brandisse le terme comme une arme
polémique ici ou là, la question reste encore assez peu élaboré
dans la théologie occidentale à cette date, non pas uniquement
chez les protestants, mais chez tous, les catholiques aussi bie
Le jugement de Kebles sur ce point reflète peut-être les regrets
d'un "tractarian", mais il est fondé: "En vérité, lorsqu'on con
sidère les effets conjoints de tous ces intérêts (c'est-à-dire
tant des intérêts protestants que des intérêts catholiques), si
divers par eux-mêmes et qui, pourtant, s'accordent pour discré-
diter l'épiscopat primitif, l'étonnant, ce n'est pas que les
titres apostoliques de l'épiscopat n'aient pas été défendus
pleinement par les adversaires des puritains en Angleterre,
c'est plutôt qu'il nous soit resté quelque chose qui ressemble

à la succession apostolique."[54]

Reprenons cependant notre texte et complètons l'analyse de quelques remarques. "Succéder aux Apôtres, c'est après eux posséder cette sorte d'autorité épiscopale (that kind of episcopal authority) qui leur a été donné à eux en premier."[55] Cette définition désigne certainement plus qu'une simple succession de doctrine: ce à quoi l'évêque d'aujourd'hui succède c'est à une autorité, à une fonction. Il ne s'agit pas non plus d'une simple succession à la mission de prêcher et de baptiser et au pouvoir d'ordre qui l'accompagne. Il s'agit d'une succession au pouvoir "épiscopal" tel que l'a défini Hooker par ailleurs, c'est-à-dire à la prééminence d'autorité sur les autres ministres. Toutefois, l'évêque ne succède pas à la mission unique de l'Apôtre. En un sens, le principe presbytérien est parfaitement exact: la prééminence des Apôtres est incommunicable; mais elle concerne alors leur mission proprement surnaturelle de témoins du Christ et de fondateurs. Leur mission épiscopale de gouvernement, elle, peut se transmettre, comme aussi peut se transmettre à tous les ministres la mission, plus générale cette fois, de prêcher, de baptiser, de partager le pain, etc.

> "Sur certains points, les presbytres sont les successeurs des Apôtres; sur d'autres seuls les évêques le sont; sur d'autres encore, ni les uns, ni les autres ne le sont. Les Apôtres ont été envoyés comme témoins choisis, particuliers, de Jésus-Christ; ils ont reçu de lui seul, directement, leur mission et la charge d'être les premiers et les principaux fondateurs d'une maison de Dieu qui réunit à la fois Juifs et Gentils. En cela, nul après eux n'est comme eux. Et pourtant, les Apôtres ont aujourd'hui leurs successeurs sur terre, qui prennent véritablement leur succession dans la fonction épiscopale, à coup sûr dans l'essence de cette fonction, sinon dans son étendue."[56]

If not in the largeness, surely in the kind of that episcopal function: peu importe qu'elle soit restreinte dans son exercice, comme c'est le cas pour les évêques (bishops with restraint), ou sans limite, comme c'était le cas pour les Apôtres (bishops at large), l'autorité épiscopale dans l'un et l'autre cas est de même nature.

Succession donc à la "fonction" épiscopale. Trouvera-t-on chez Hooker l'idée d'une chaîne ininterrompue d'un évêque à l'autre sur un même siège, idée chère aux théologiens catholiques d'alors (ainsi Bellarmin)[57] et que certains anglicans adoptent (ainsi Bilson)?[58] L'idée prête aisément à la critique; il est difficile de prouver une succession territoriale continue, sans vacance aucune au cours de l'histoire. Il existe un passage dans lequel Hooker semble, à première vue, faire éch à cette théorie: "Nous constatons que dans toutes les cités où les Apôtres ont implanté le christianisme, l'histoire n'a enregistré de succession que pour le siège d'un seul pasteur uniquement (alors qu'il y a toujours eu dans toutes ces Eglises un grand nombre de pasteurs) et nous constatons que le premier dan chacune des chaînes de succession (in every rank of succession a toujours été, sinon un Apôtre, du moins le disciple d'un Apôtre."[59] Et Hooker prouve le point en invoquant les Pères et les premiers historiens de l'Eglise, notamment les listes d'évêques dressées par Eusèbe et Socrate. Mais il ne faut pas se laisser tromper par ces listes ou par l'expression rank of succession. L'insistance n'est pas sur l'idée d'une chaîne ininterrompue. Le propos est simplement de montrer, une fois de plus, que l'épiscopat monarchique a ses racines dans l'âge apostolique. Hooke est trop prudent pour faire dire à l'histoire ce qu'elle ne di pas de façon nette et pour asseoir la succession épiscopale su une théorie qui n'est pas théologiquement nécessaire.

Les degrés d'un ministère unique: le pouvoir épiscopal est le pouvoir ministériel en sa plénitude

Le terme de "presbytre", presbyter, quand il apparaît pour la première fois sous la plume de Hooker, dans un chapitre du livre V où est justifié le choix de cette traduction du mot grec πρεσβύτερος de préférence à l'ancienne traduction catholique par "prêtre", priest, ou à la traduction protestante par "ancien", elder[60], ne désigne pas le presbytre en opposition à

l'évêque, mais l'un et l'autre à la fois, c'est-à-dire le ministère dans son unité. En ce sens, tout presbytre est successeur
des Apôtres et les Apôtres sont les premiers presbytres. Rappelons la citation que fait Hooker d'un passage de l'Apocalypse
où saint Jean raconte avoir vu, assis autour du trône de Dieu,
vingt-quatre presbytres: les douze premiers, pères de l'ancienne
Jérusalem, les douze autres, pères de la nouvelle; "C'est pourquoi, conclut Hooker, les Apôtres se donnaient à eux-mêmes ce
titre de presbytres, bien qu'il ne leur appartînt pas en propre
et qu'ils l'aient partagé avec d'autres."[61]

        La distinction entre presbytre au sens restreint du
terme et évêque ne vient qu'après cette définition générale;
elle se fait à l'intérieur du ministère. Le Christ lui-même, en
effet, a institué deux degrés du ministère et non deux ministères[62]. Episcopat et presbytérat ne constituent pas deux ordres
distincts, mais un seul. On doit aller plus loin et ajouter un
troisième degré, le diaconat, dont l'origine est apostolique et
non plus dominicale, mais qui fait aussi partie du ministère
unique: les diacres sont des clercs, mis à part dans le peuple
de Dieu par le sceau de l'ordination. La charge diaconale n'est
qu'une manifestation particulière de l'unique charge apostolique. Théologiquement, il est grave de trop isoler les charges
ministérielles l'une de l'autre, comme s'il s'agissait d'espèces différentes, ainsi que le font les presbytériens. S'ils
insistent sur l'égalité du ministère, ils en détruisent par contre l'unité: ils interdisent au diacre toute participation à
l'office proprement ministériel (prédication et liturgie sacramentelle) pour le cantonner dans un rôle économique. Et cela en
dépit de l'enseignement clair de l'Ecriture; car, avant l'institution des diacres, les Apôtres unissaient en eux-mêmes toutes les fonctions pastorales: "Qu'a-t-il été fait par les
diacres dans l'Eglise que n'aient fait les Apôtres au début?"[63]
Les Apôtres ont dû, en raison du développement de l'Eglise nais-
sante, se décharger sur d'autres d'un office qui reste le leur
par essence. En instituant le diaconat, ils n'ont donc pas créé
un office nouveau, mais poussé plus loin que le Christ ne l'avait
fait la diversification d'un office unique.

Ces considérations permettent de mieux saisir le rapport entre évêque et presbytre. L'évêque seul est pleinement presbytre: "Parmi les presbytres, certains avaient plus de pouvoir que d'autres, et cela de par l'ordonnance même de notre Sauveur. Les premiers recevaient la plénitude du pouvoir spirituel (the fulness of spiritual power); aux autres il était moins donné."[64] Doctrine classique: saint Bonaventure parle d'eminentia dignitatis, saint Thomas de completio potestatis[65]; "La consécration épiscopale, écrit le Père Congar en commentant la doctrine de ce dernier, ne fait que développer en lui [en l'évêque] la possibilité de certains actes de son sacerdoce liés dans le simple sacerdoce presbytéral."[66] Et, cependant, pour les raisons déjà dites, cette doctrine n'a pas eu dans les faits l'écho qu'elle méritait dans la catholicité occidentale. Le réalisme eucharistique médiéval et conjointement la séparation excessive de l'ordre et de la juridiction dans le ministère ont rejeté au second plan l'épiscopat au profit du presbytérat d'un côté, de la papauté de l'autre. L'épiscopat n'est pas considéré comme un ordre sacramentel puisqu'il n'ajoute rien au pouvoir sur l'Eucharistie; quant à l'"éminence de la dignité", si l'on entend par là la juridiction de l'évêque, elle lui vient du Pape. Tout change si l'on renverse l'optique, si l'on part de l'évêque et si l'on voit dans l'épiscopat l'ordre sacramentel en sa plénitude. Centrer le ministère sur l'Eucharistie, et même le définir essentiellement avec saint Thomas et avec Hooker comme un pouvoir sur le corps vrai ou sur le corps naturel du Christ, ne fait plus difficulté : l'évêque est le liturge qui, dans l'Eglise rassemblée autour de lui, préside à l'Eucharistie Théologie de l'épiscopat, théologie de l'Eucharistie, théologie de l'Eglise, ce n'est qu'une seule et même théologie. On objectera qu'il s'agit là d'idées récentes et qu'il est abusif d'éclairer Hooker par des concepts qui s'élaborent de nos jours. Nous répondrons que ces idées sont les plus traditionnelles qui soient: l'Orthodoxie les a toujours honorées; le Catholicisme les redécouvre simplement. Or, l'anglicanisme a précédé le catholicisme dans ce renouveau, cela dès la fin du XVIe siècle, et Hooker a joué là un rôle évident. "Dans l'office d'un évêque écrit-il, Ignace relève ces deux fonctions, ἱερατεύειν καὶ ἄρχειν

Quant à l'une, la prééminence de l'évêque est telle que lui seul
détient originairement la charge des mystères sacrés de Dieu,
en sorte que nul n'est autorisé à célébrer ces mystères comme
ministre ordinaire de l'Eglise de Dieu, si ce n'est en vertu de
l'ordination épiscopale et du pouvoir reçu de l'évêque."[67] La
comparaison que fait Hooker entre la hiérarchie du sacerdoce
juif et la hiérarchie du sacerdoce chrétien prend ici tout son
relief. L'évêque est assimilé au Grand Prêtre. Il faut prendre
au sérieux cette similitude, se garder d'y voir une métaphore
vague, un ornement rhétorique. Elle est constante chez les Pères,
notamment chez saint Cyprien, mais on la trouve même chez saint
Jérôme[68]. Hooker remplit son texte de ces références patristiques. Saint Ignace, le grand docteur de l'épiscopat, mais à nouveau saint Jérôme (on sent bien décidément que Hooker veut contester à ses adversaires le patronage exclusif de ce soi-disant
pilier des doctrines hostiles aux évêques), fournissent une autre image, plus forte encore: l'évêque est comparé au Christ ou
à Dieu[69].

La prééminence épiscopale

La prééminence de l'évêque n'est donc pas une simple
prééminence de commandement; elle concerne l'ordre autant que
la juridiction. Certes, en de nombreux passages, n'est apparemment retenue que la seule prééminence juridictionnelle[70]; c'est
qu'elle est plus concrètement perceptible que la prééminence
sacramentelle; par ailleurs, les presbytériens s'en prenaient
surtout au gouvernement des évêques, en sorte qu'inévitablement
la défense du principe hiérarchique tendait à se confondre avec
la défense de l'autorité sur les prêtres. Mais s'obnubiler sur
cette notion de gouvernement, c'est s'enchaîner aux circonstances historiques du débat sans vouloir le dominer et c'est
manquer l'essentiel. Quelle sorte de pouvoir ont les évêques
dès l'origine, s'enquiert Hooker, au chapitre vi du livre VII?
Une double supériorité: "Il [l'évêque] l'emportait sur les autres prêtres, en premier lieu, par l'extension du pouvoir d'ordre, ensuite par ce pouvoir qui relevait de la juridiction."[71]

Or, le deuxième dérive du premier, comme nous le savons. A nouveau, Hooker allègue ici l'antécédent juif: chez les Juifs, celui qui occupait la position la plus élevée par la dignité de sa fonction liturgique disposait du plus grand pouvoir de juridiction[72].

L'éminence épiscopale au plan de l'ordre conférait trois prérogatives: le pouvoir de consacrer les vierges et les veuves au service de Dieu, le pouvoir de confirmer, le pouvoir d'ordonner[73]. Hooker mentionne le premier sans s'arrêter et n'accorde que cinq lignes brèves au second, dont il dit qu'il n'entre pas parmi les pouvoirs exclusifs de l'évêque puisqu'en certains endroits les presbytres pouvaient confirmer en l'absence des évêques. Le pouvoir essentiel, c'est le pouvoir d'ordonner[74]. Principe évident, qui découle de ce qu'on vient de dire. La fonction sacerdotale est une fonction de procréation spirituelle, le presbytre est un père; les évêques, qui sont pleinement prêtres, sont donc honorés de cette dignité paternelle plus que les autres prêtres. La décision du concile de Carthage d'associer les prêtres au rite de l'imposition des mains, décision invoquée à tort par les presbytériens en faveur de l'égalité ministérielle, confirme en fait cette doctrine de la plénitude sacerdotale sise en l'évêque et de l'exclusivité du pouvoir d'ordonner qui en dérive[75]. Pourtant, l'ordination par un prêtre est possible en certains cas; nous avons vu qu'il s'agit de cas exceptionnels, qui compliquent certainement la théorie de la prééminence épiscopale, mais ne l'infirment pas[76].

Nous ne nous attarderons pas sur la juridiction de l'évêque. Dans le chapitre plus particulier que nous suivons ici, Hooker, pour achever une démonstration que les développements antérieurs rendent presque inutile, amasse les témoignages patristiques. Retenons un point intéressant: la réfutation d'une objection fondée sur des textes de saint Jérôme (encore lui!) et de saint Jean Chrysostome, qui, contrairement à l'opinion la plus couramment admise, n'accorderaient à l'évêque de supériorité que dans l'ordre. La juridiction ne serait qu'un pouvoir ajouté a thing added unto bishops[77], donné à l'évêque, indépendamment

de sa consécration, sur les fidèles qui lui sont assignés, alors
que l'ordre lui est conféré par le rite et lui appartient absolument, quelle que soit sa résidence. Il est indéniable que
l'argument ébranle Hooker un instant; il semble prendre à son
compte ce vocabulaire. S'il poussait l'idée jusqu'à ses conséquences, il aboutirait à des conclusions contraires aux prémisses acceptées: la juridiction ne serait plus dérivée de l'ordre,
elle ne serait plus une puissance spirituelle active attachée
à la personne de l'évêque consacré. Mais ce que désigne Hooker
ici par juridiction n'en est qu'un mode, son exercice plus exactement: the bishop's particular accessory jurisdiction[78], la
juridiction de l'évêque en tant qu'elle s'exerce concrètement
sur des personnes déterminées. Elle est alors, en effet, quelque chose d'ajouté ou d'"accessoire"; car il est évident que
la consécration ne donne pas d'autorité sur un territoire. Rien
dans tout cela qui ne soit traditionnel.

CHAPITRE IX

L' EGLISE ET LE MAGISTRAT

The King head or governor of the Church

Le titre donné au prince de Supreme Head of the Church
et, dans une large mesure, la doctrine des rapports de l'Eglise
et de l'Etat qu'il suggérait rencontraient l'opposition des
catholiques et des puritains. L'opposition catholique était ancienne; elle datait de la rupture avec Rome. Dès cette origine,
elle s'était exprimée dans une argumentation ferme, constamment
renouvelée, aux différents niveaux de la polémique. Thomas More,
au temps d'Henri, avait été son grand champion. Au temps d'Elisabeth, dans la seconde partie du règne, ç'avait été le cardinal
Allen et Stapleton. En tout cas, c'est surtout à leurs écrits
que répond Hooker. L'opposition protestante avait été moins immédiate et moins nette. Les premiers réformateurs dans l'Eglise
anglicane avaient accueilli sans critique aucune la théorie de la
suprématie: elle occupe une place éminente dans la théologie de
Cranmer. Cette ouverture s'accordait fort bien aux tendances du
protestantisme à ses débuts. Il faut attendre Calvin pour voir
apparaître chez les réformateurs les premiers conflits graves
entre les nouvelles Eglises et le magistrat, et renaître le sens
de l'autonomie de l'Eglise dans le corps chrétien, de son éminente dignité, de son rôle de guide spirituel. Il faut donc attendre pour l'Angleterre le retour des clercs exilés, puis l'influence grandissante des plus extrémistes d'entre eux, de ceux
surtout qui regardent vers Genève. L'opposition puritaine, toutefois, n'est pas monolithique. Les puritains réprouvent tous

le titre de Head of the Church; mais seuls les séparatistes
condamnent la suprématie royale. Les presbytériens et, à plus
forte raison, les puritains modérés acceptent le principe, encore qu'ils ne l'entendent pas comme les anglicans.

Mais tenons-nous en au titre. On connaît les hésitations de la Reine à son avènement et son choix: selon les termes de l'Acte de Suprématie finalement adopté , elle n'est
plus Supreme Head in earth of the Church of England, mais Supreme Governor of this realm [...] as well in all spiritual or
ecclesiastical things or causes as temporal. La Reine a prêté
l'oreille aux avis des théologiens radicaux: Thomas Lever notamment[1]. Vingt-cinq ans plus tard, le cardinal Allen, dans sa
Defence of English Catholics fait allusion à ces pressions, en
soulignant leur source ultime et leur sens: "Certains, particulièrement influencés par les écrits de Calvin, qui avait con-
damné ce titre donné à ces princes [les princes d'Angleterre] ,
n'aimaient pas l'expression, et ils obtinrent qu'on en adoptât
une autre, équivalente, mais moins choquante (equivalent but
less offending)."[2] Décision prudente. La marge de manoeuvre
dont la Reine disposait n'était pas large au début de son règne:
il lui fallait ménager l'opinion catholique puissante, l'épiscopat surtout, sincèrement rallié à la cause romaine, sans pourtant lui céder; il lui fallait donc s'appuyer sur les exilés
revenus en force.

Le vocabulaire est différent (governor et non head);
mais qu'en est-il des réalités du pouvoir? Le nouveau titre
est moins clérical que l'ancien, moins chargé de connotations
théologiques, less offending, pour reprendre les termes du cardinal Allen. Le comportement d'Elisabeth par la suite confirme
cette discrétion: elle se garde à distance des querelles religieuses; elle les désapprouve parce qu'elles nuisent à l'unité
politique et spirituelle du royaume; mais elle refuse d'intervenir dans l'âme de ses sujets, d'ouvrir une fenêtre sur leur
conscience, comme elle dit. Elle ne renonce évidemment pas à
gouverner son Eglise, tant s'en faut; mais elle veut le faire
avec ses évêques, avec son Archevêque surtout, et réprouve,

réprime à l'occasion, les prétentions du parlement à se mêler
de questions qui relèvent, selon elle, de sa seule prérogative.
Tout cela est bien connu. Pourtant, systématiser cette conduite
en une théorie quasiment inédite, qui se déduirait du nouveau
titre ou se résumerait dans ce titre, est une tentative illusoire. Certains historiens donnent aux deux termes comparés une
densité doctrinale qu'ils n'ont pas, comme s'ils exprimaient
des conceptions différentes du rapport politique ou juridique
entre le pouvoir civil et l'Eglise. Anachroniquement, ils invo-
quent des témoignages ou des analyses bien postérieures[3]. En
fait, et c'est là l'essentiel, au plan des droits politiques
et juridiques du souverain, rien, strictement rien n'est changé.
L'Acte de Suprématie de 1534 et celui de 1559 donnent au Prince
la même autorité religieuse.

On n'en veut pour preuve que les textes de Hooker (et
il ne serait pas difficile de faire la même démonstration pour
Whitgift). Loin de refuser à la Reine le titre de Head of the
Church, il en expose la défense la plus rigoureuse qui en ait
été faite, dans un chapitre au libellé sans équivoque: Vindication of the Title, Supreme Head of the Church within his own
dominions. De propos délibéré, il traite comme synonymes les
deux mots head et governor; il les emploie indifféremment l'un
ou l'autre. Il repousse les critiques catholiques ou puritains
en montrant qu'elles reposent sur de fausses acceptions: headship, government, regiment, autant de termes équivalents, qui
expriment tout bonnement l'autorité suprême: the chiefty of
dominion. La querelle est donc verbale[4]. Hooker, quant à lui,
renoncerait volontiers à l'expression de Supreme Head pour
satisfaire les consciences; mais il craint que les raisons
théologiques ne soient qu'un prétexte et que le vrai motif des
opposants soit autre, et cette fois inacceptable: le refus
d'accorder à un laïc la suprématie en toute espèce de causes,
tant spirituelles que temporelles[5]. Bref, pour mieux rester fidèle au contenu même de l'Acte de Suprématie, mieux vaut garder
le titre consacré.

Hooker, pourtant, consent à examiner la question au

fond. Voici très rapidement la teneur de son plaidoyer. Le titre de Head of the Church se justifie d'abord par le principe de l'identité du royaume et de l'Eglise. Puisqu'il n'y a qu'un seul corps politico-religieux, il ne peut y avoir qu'une seule tête, qu'un seul "chef". Le roi est le "chef" de l'Eglise parce qu'il est le "chef" de la nation tout entière. Rien de neuf dans l'argument. C'était déjà celui du préambule de l'Act in Restraint of Appeals et celui de Stephen Gardiner dans son De vera Obedientia, comme on l'a vu[6]. Reste à repousser l'objection théologique. Le titre, dit-on, ne convient qu'au Christ seul. En un sens, c'est exact; mais alors l'expression n'a pas la même valeur. Le Christ et le magistrat ne sont pas "chefs de l'Eglise" de la même manière. La différence est triple[7]. Différence dans l'ordre tout d'abord (in order): le Christ est purement et simplement chef de l'Eglise, tandis que le roi n'exerce sa suprématie que sous l'autorité du Christ, under Christ. Différence de mesure ou de dimension (in measure): la souveraineté du Christ est universelle; elle s'étend sur toute la terre et jusqu'au ciel; elle est éternelle; elle n'est limitée par aucune loi. Le roi, au contraire, n'a d'autorité que sur l'Eglise restreinte de son royaume, pour un temps et dans le cadre des lois établies. Différence de nature enfin (in nature): le Christ exerce une souveraineté invisible sur l'Eglise corps mystique, le roi, une souveraineté visible sur l'Eglise société politique. On objecte à l'Eglise d'Angleterre d'emprunter cette distinction (spiritual headship in Jesus Christ, outward headship in others) aux catholiques. Mais c'est à tort; la distinction est justifiée; l'erreur des catholiques est d'accorder sans preuve suffisante au seul Pape et sur toute l'Eglise cette autorité extérieure, de soi pleinement légitime[8].

Ecclesiastical dominion or supreme jurisdiction?

Ecclesiastical dominion ou supreme jurisdiction? George Cranmer, dans ses notes, réclame plus de précision dans le vocabulaire qu'utilise Hooker: "Désigne l'autorité suprême (chiefety of dominion); je dirais: désigne non le pouvoir de juridiction, mais l'autorité suprême (importeth not power of jurisdiction, but chiefety of dominion."[9] De son côté, Sandys remarque, avec toute la précision du juriste: "Autorité suprême. Dans ce discours de Bèze, on détecte la confusion qu'on a toujours soupçonnée chez les Praecisians: ils ne distinguent pas la juridiction ecclésiastique du dominion et, ce faisant, ils retirent au souverain dans l'Etat toute souveraineté sur l'Eglise; ce qui, en Angleterre, revient à refuser au prince la suprématie en matières ecclésiastiques."[10] Le sens de la distinction proposée est limpide: la juridiction appartient aux clercs, le dominion aux pouvoirs civils. Au prince, donc, on accordera l'autorité suprême (chiefty of dominion) et non la juridiction suprême (supreme jurisdiction); ce qui veut simplement dire qu'il occupe seul le sommet de toutes les hiérarchies institutionnelles de son propre royaume, y compris l'Eglise, mais ne peut exercer l'autorité d'un évêque, autorité de droit scripturaire et d'essence surnaturelle. Cranmer et Sandys utilisent ainsi un langage précis, qui clarifie apparemment les problèmes et dissipe les confusions qu'encouragent les textes officiels. Ces textes, en effet, font un large emploi de ce terme au fond bien ambigu de juridiction, qui peut au choix se charger d'une valeur spirituelle au sens étroit du mot, disons ministérielle, ou simplement civile[11].

Pourtant, la distinction dépasse-t-elle le champ du langage? Est-elle aussi précise qu'on vient de le dire? En tout cas, Hooker la fait-il? Il semble bien la faire, sans trop la souligner: "Le deuxième et le troisième livre, annonce-t-il dans sa préface, traitent du pouvoir de juridiction [...] Et, puisqu'outre le pouvoir d'ordre [...] et le pouvoir de juridiction [...] il existe encore un troisième pouvoir, le pouvoir de suprématie ecclésiastique (the power of ecclesiastical dominion) [...] , nous avons consacré le huitième livre à cette question."[12] Ces distinctions sont reprises presque mot pour mot dans la deuxième présentation de l'ouvrage, à la fin de la même préface[13]. Au début du livre VI, évoquant les points qu'il reste à étudier dans les trois derniers livres, Hooker les désigne respectivement, nous l'avons vu ailleurs, par les termes de jurisdiction

(la juridiction ministérielle dans sa généralité), de dignity
(l'épiscopat), de dominion (la suprématie royale)[14]. Et le titre même du livre VIII reprend effectivement cette expression
d'ecclesiastical dominion. Cependant, voici que ce livre débute
par une phrase qui remet en question ces précautions: "Nous en
venons maintenant au dernier point de la controverse, à savoir
au pouvoir de juridiction suprême (the supreme power of jurisdiction), que par souci de distinction nous appelons pouvoir de
suprématie ecclésiastique (the power of ecclesiastical dominion)."[15] Et si l'on se reporte à la citation tirée de la préface qu'on vient de faire, on verra que, tout en distinguant
nettement ordre, juridiction, dominion, elle ne fait pas de la
juridiction le privilège exclusif des clercs (the power of jurisdiction which neither they [consecrated persons] all nor
they only have). Si l'on hésitait dans l'interprétation de ce
texte elliptique, un autre passage nous viendrait en aide, qui
commente une allusion de saint Paul (He vi,1) aux pouvoirs des
grands prêtres: "Tout grand prêtre est choisi d'entre les hommes et établi pour les hommes dans les choses qui regardent
Dieu." "L'Apôtre, observe Hooker, mentionne ici le pouvoir que
Dieu n'avait pas seulement donné aux prêtres, mais qu'il leur
avait réservé. Le pouvoir de juridiction, le gouvernement (the
power of jurisdiction and ruling authority), cela aussi Dieu
le leur a donné, mais non pas à eux seuls; car il est reconnu,
on le sait, que certains laïques leur étaient adjoints par la
loi dans l'exercice de ce commandement."[16] Lorsqu'on se rappelle
à quel point la constitution politico-religieuse d'Israël sert
aux anglicans, à Hooker surtout, de référence dans leur querelle avec les presbytériens, on mesure l'importance de ce commentaire. D'ailleurs, comme on l'a montré dans l'introduction,
une première et longue partie du livre VI perdu s'appesantis-
sait sur l'exemple juif pour établir précisément la double nature de la cour suprême des soixante-dix, à la fois cléricale
et laïque. Bref, si l'on veut accorder au roi la suprématie, il
faut admettre que la juridiction n'est pas l'affaire des seuls
clercs. Le dominion n'est en définitive qu'un mode ou qu'un aspect de la juridiction, de ce que Hooker appelle encore en un
autre texte le gouvernement spirituel extérieur du Christ

(<u>Christ's outward spiritual regiment</u>)[17].

Le pouvoir religieux du roi. Généralités

Puisque l'Eglise n'est pas autre chose que le royaume chrétien, les pouvoirs du prince sur son Eglise sont ceux qu'il a sur son royaume. La prérogative religieuse se déduit aisément des règles générales de la prérogative royale.

Rappelons pour commencer la définition de la suprématie: elle est ce pouvoir qui n'est limité ni contrôlé par aucun autre tant à l'extérieur qu'à l'intérieur du royaume. Concrètement, et pour ce qui regarde le domaine religieux, cela veut dire que l'autorité du prince ne saurait être soumise, hors du royaume, à celle du Pape et, dans le royaume, à celle d'aucun dignitaire ou d'aucun corps de l'Eglise. Le propre du pouvoir suprême, dans les limites du royaume, est d'être universel, de s'appliquer à toutes les matières, de s'exercer sur tous les territoires, tous les états, tous les sujets. On ne saurait donc imaginer que le clergé, qui n'est qu'une partie de la nation, puisse lui imposer aucune règle sans l'assentiment du roi: <u>there is not within this realm any ecclesiastical officer, that may by the authority of his own place command universally throughout the king's dominions</u>[18].

Cela ne veut nullement dire que le roi s'arroge la juridiction ecclésiastique dans toute son étendue et supprime à son avantage la distinction traditionnelle du spirituel et du temporel. Encore une fois, pouvoir spirituel et pouvoir temporel constituent deux fonctions dans le corps entier, assumées par deux institutions distinctes. Le roi, personnage laïc, ne peut dépouiller les clercs de leur autorité propre, leur ravir le glaive spirituel. Il ne peut notamment "prescrire à son gré ce qu'il convient de faire pour le service de Dieu, déterminer comment on doit prêcher la parole divine et administrer les sacrements [...] , siéger personnellement aux consistoires épiscopaux, y entendre lui-même les causes qui sont du ressort de

ces consistoires et les juger [...] , trancher de sa propre personne et par décision judiciaire des questions touchant la foi
et la religion [...] , excommunier, bref rien faire de ce qui
relève de l'office et des fonctions d'un juge ecclésiastique."[19]
Calomnie absurde que de prêter aux rois anglais et à leurs
théologiens ces prétentions.

L'agencement des pouvoirs ainsi défini est pourtant
complexe. Le monisme et le dualisme que la théorie anglicane
proclame à la fois sont indéniablement difficiles à concilier.
La conciliation se fait dans la personne du roi. Il est la source de toute justice, d'où dérivent, et la juridiction temporelle
et la juridiction spirituelle. Il est une sorte de personnage
mixte. Sa fonction religieuse est évidente: "C'est une erreur
grossière de croire que le pouvoir royal doive servir au bien
du corps et non pas au bien de l'âme, à la paix temporelle et
non pas au salut éternel, comme si Dieu n'avait institué les
rois que pour engraisser les hommes comme des porcs et veiller
à ce qu'ils reçoivent leur ration de glands."[20] Le ton de cet
autre passage révèle la même indignation: "Le plus grand bonheur qu'ils souhaitent à la nation dans laquelle ils vivent,
c'est qu'elle puisse se maintenir et prospérer [...] que les
rois pourvoient au bien-être de leurs sujets et ne s'enquièrent
point trop de leurs moeurs, que le libertinage, l'excès, le dé-
règlement n'aient pas de frein."[21] Un personnage "mixte". Sans
doute le terme dépasse-t-il la pensée de Hooker; car il ne
l'emploie jamais, alors que Sandys, lui, l'utilise, dans ses
notes sur le livre VI, pour désigner, outre la personne même du
prince, certaines lois du royaume qui participent à la fois du
temporel et du spirituel, et surtout ce qu'il appelle "the positive law of the land", qui règle le partage[22]. Si par cet adjec-
tif "mixte" on suggérait que le roi appartient dans une certaine
mesure au clergé, il faudrait l'exclure. L'idée du caractère
clérical de la fonction royale était assez répandue dans certains milieux, notamment parmi les amis de Hooker ou les théologiens de sa tendance (Saravia)[23]; mais lui-même la repousse:
"Certains n'acceptent pas que les rois ne soient que des laïcs;
ils veulent qu'ils aient part à ce pouvoir sacré dont Dieu a

investi son clergé et soutiennent qu'ils reçoivent l'onction de l'huile à cette fin. Vain et inutile expédient."[24] Hooker n'exalte pas la monarchie autant que le feront les théologiens carolins, nous l'avons dit. Il faudrait ajouter, pour rétablir un équilibre que romprait une insistance trop unilatérale sur la personne du prince, que la réconciliation du spirituel et du temporel se fait aussi dans le Parlement, qui est le corps même de la nation rassemblée, tête et membres, king, lords spiritual, lords temporal and commons[25]. Il en est du Parlement comme du roi; sa fonction est autant religieuse que civile; il représente, bien plus, il est le royaume chrétien: "Le Parlement n'est pas une cour simplement temporelle, qui ne pourrait se mêler que d'affaires de cuir ou de laine."[26] Est-il besoin d'accumuler d'autres citations pour démontrer que Hooker est aux antipodes d'une conception laïque de l'état, au sens moderne du mot? Les principes généraux de sa philosophie, sa vision hiérarchique du monde, sa conception des rapports de la nature et du surnaturel, l'idéal "social" qu'il se fait de la béatitude, son horreur du machiavélisme, toutes ces vérités que nous avons commentées si souvent récusent une séparation qui détruirait l'unité de l'homme.

Un dernier point : Hooker accorde une attention toute particulière à une objection presbytérienne faite à la doctrine anglicane de la suprématie. La critique est intéressante parce qu'elle se fonde sur des considérations trinitaires et nous entraîne sur le terrain de la plus pure théologie politique. Nous avons déjà touché un mot de la question en traitant des pouvoirs du prince; mais il faut la reprendre sous l'angle qui nous importe ici[27]. Tout pouvoir vient du Christ, puisqu'il est Seigneur; anglicans et presbytériens admettent ce lieu commun de la pensée chrétienne. Mais les presbytériens distinguent en Jésus-Christ deux souverainetés: une souveraineté immédiate et particulière sur l'Eglise comme fils de l'homme, une souveraineté sur les royaumes de la terre comme fils de Dieu. Les clercs détiennent leur autorité du Christ-homme, les magistrats la détiennent de sa divinité seule. Fausse distinction, observe Hooker, qui déséquilibre l'économie trinitaire et par contrecoup obscurcit

le problème de l'autorité du roi dans l'Eglise. Le roi tient
son autorité dans l'Eglise tout comme son autorité dans le
royaume de la personne humano-divine du Christ. La théorie presbytérienne, en rattachant la souveraineté royale à la seule divinité du Christ affaiblit, au bout du compte, l'autorité spirituelle du roi. Elle instaure une rupture assez radicale entre
le gouvernement de l'Eglise et celui de l'Etat. La théologie de
Hooker est plus unitaire. Il n'y a qu'une souveraineté dans le
Christ, qu'une seule souveraineté par suite dans le royaume
chrétien. Pour distinguer dans l'Eglise l'autorité qui revient
au roi de celle qui revient au clerc, on devra se référer non
pas aux deux natures dans le Christ, mais aux deux offices dans
son unique personne, à la fois divine et humaine. Le pouvoir
royal se rattache à l'office royal du Christ. Belle théologie
de la souveraineté, qui pourtant ne se concilie peut-être pas
parfaitement avec ce qu'on vient de dire sur la répugnance de
Hooker à "cléricaliser" la fonction royale ni non plus avec sa
théologie du ministère. On a vu que le presbytre assume les
trois fonctions du Christ, l'office royal aussi bien que l'office sacerdotal et l'office prophétique. Le roi, dans la théologie ici proposée (au vrai, pas seulement le roi, mais toute
personne investie d'une autorité quelconque) exercerait le premier des trois offices de la cléricature; mais alors le presbytre ne sera-t-il pas dépouillé de son gouvernement?

Le pouvoir religieux du roi. Prérogatives diverses

Hooker décompose la prérogative religieuse du roi en
cinq prérogatives particulières, qu'il rattache aux règles générales de la prérogative, mais qu'il justifie également, autant qu'il se peut, par la Bible et, surtout, par l'histoire.
Ne nous attardons pas trop sur ces divers points, que les discussions antérieures ont suffisamment éclairés.

1) Le droit de convoquer et de dissoudre les assemblées
publiques est une prérogative de la souveraineté; or, les affaires de l'Eglise sont des affaires publiques; il appartient donc

au roi de convoquer et de dissoudre les assemblées de l'Eglise[28].

2) La prérogative royale en matière de législation
religieuse n'est qu'une application particulière de son pouvoir
législatif. Les lois de l'Eglise sont des lois concernant le
royaume entier[29]. Elles ne peuvent être adoptées en Convocation
par le clergé seul, qui n'est qu'une partie du royaume. C'est
au corps chrétien tout entier, au Parlement par conséquent,
qu'il appartient de légiférer dans ce domaine. Au roi revient,
dans cette législation, la part prééminente qu'on a décrite en
traitant de politique; mais il ne peut, par une simple ordonnance ou proclamation, se substituer au Parlement. Quant au
clergé, son rôle ici est double: rôle de conseil ou d'expert au
stade de la préparation des lois ecclésiastiques; c'est le travail propre de la Convocation; rôle délibératif, au sein du
Parlement; mais alors le clergé n'est qu'un "état" parmi d'autres "états".

3) Il appartient au roi de nommer les évêques[30]; ce qui
ne veut pas dire qu'il les fait tels. On doit distinguer, en
effet, trois choses dans cette question: la consécration, l'élection, l'attribution du siège. Le pouvoir de consacrer, qui est
d'ordre sacramentel, reste, c'est évident, un pouvoir strictement clérical. Quant à l'élection, elle a perdu son importance
au cours de l'histoire. L'élection populaire a disparu assez
tôt dans l'Eglise et l'élection canonique n'est plus qu'une simple formalité depuis les réformes d'Henri VIII. Reste à justifier l'attribution du siège par le roi. Hooker le fait avec un
luxe de preuves historiques, tirées de la chronique de luttes
entre la papauté et l'empereur, puis les divers monarques d'Europe, et qui n'ont pas pour nous d'intérêt.

4) Le quatrième point traite de la prérogative en ce
qui concerne les cours ecclésiastiques[31]. C'est bien ici qu'on
doit parler de "juridiction suprême". Le roi est la source de
toute justice en son royaume, y compris de la justice adminis-
trée par les tribunaux ecclésiastiques: "All courts are the

king's."[32] Par son autorité suprême, il "donne force aux juridictions particulières, il les soutient, il les étaie"[33] ; le
roi "met les synodes ecclésiastiques à l'oeuvre en sorte que,
s'ils sont bien les agents des décisions prises, l'impulsion
vient de lui."[34] Simple présidence, dira-t-on, simple puissance
motrice, qui n'implique pas une intervention directe, un exercice effectif du pouvoir de juger. Cependant, les termes mêmes
des actes de suprématie, termes que commente Hooker, autorisent
une action plus immédiate[35]. Le prince a le pouvoir de remédier
aux déficiences des juridictions particulières (remedy that
which they are not able to help) et de redresser les jugements
erronés (redress that wherein they [...] do otherwise than they
ought to do)[36]. Remedy, redress, deux mots qui ne sont pas simplement du langage administratif redondant, mais qui ont une
valeur technique précise: ils désignent le pouvoir qu'a le roi
de se substituer aux cours ordinaires par le biais de ses juges
commissaires lorsque les cours font défaut pour une raison quelconque (remedy) et de recevoir en appel toute espèce de cause
(redress) . Il y a plus: la suprématie donne au roi le droit de
réformer directement l'Eglise dans la pratique, par l'entremise
encore de ses commissaires, et le droit connexe de visite pastorale: reform and visit[37]. Il est bien certain qu'en se préva-
lant de ces diverses prérogatives, le roi peut intervenir am-
plement dans l'administration des diocèses et empiéter sur la
juridiction ordinaire des évêques. Il est non moins certain
que, ce faisant, il transfère à son propre compte les privilèges qu'au cours des siècles la papauté, au nom précisément de
sa juridiction suprême, s'était arrogés. Hooker le reconnaît
très volontiers: "Ce pouvoir, autrefois exercé par l'évêque de
Rome, qui s'en était emparé par de sombres manoeuvres, a été,
pour de justes motifs et avec le consentement général, annexé
au trône royal et à la couronne."[38] Aucune différence faite
dans tout cela entre Elisabeth et Henri. Au demeurant, c'est le
contenu des divers actes de suprématie que paraphrase Hooker.
Le titre du souverain est désormais différent; mais son pouvoir,
qui est bien un pouvoir juridictionnel, l'ancienne potestas
jurisdictionis des papes, est le même.

5) Le roi ne saurait être passible d'excommunication[39].
Cette règle se déduit évidemment du principe traditionnel selon
lequel le roi, dans sa personne, ne peut être jugé: rex judicat,
non judicatur; there is no writ against the king. Soumettre le
roi à une procédure judiciaire quelconque, c'est en effet nier
qu'il soit dans son propre royaume l'unique source de justice.
Les puritains n'acceptaient pas ce principe cependant; ils objectaient que le roi chrétien, frère parmi ses frères, dans
l'Eglise et non hors de l'Eglise, ne pouvait se soustraire à
l'autorité religieuse du ministre. On sait comme était exigeante
la revendication calviniste du droit incontrôlé de l'Eglise à
rejeter de son sein qui bon lui semblait. L'opposition très générale des puritains, sur cette question précise, à l'usage anglican révélait à quel point leur conception de l'Eglise diffé-
rait de la conception anglicane et combien, s'ils acceptaient
en principe la suprématie royale (les séparatistes exceptés),
ils en affaiblissaient la portée.

Une tension mal résolue

Le commentaire du livre VIII nous a amenés à souligner un aspect de la pensée de Hooker bien différent de celui
qu'on a mis en lumière au chapitre précédent. Cette pensée nous
était apparue très "cléricale"; elle nous semble maintenant
très "laïque" (pas au sens moderne du terme, faut-il encore le
répéter?). Par le jeu de la prérogative et de l'institution parlementaire, la juridiction dans l'Eglise échappe des mains des
clercs pour glisser dans celle des laïques. Certes, Hooker maintient l'indépendance respective des cours spirituelles et temporelles et des deux grands corps de lois qu'elles administrent.
Il n'en reste pas moins que, par l'application des principes de
la suprématie royale et de la souveraineté parlementaire, cette
indépendance est pour ainsi dire mise en échec, la frontière
entre les deux fonctions s'estompe. La juridiction ecclésiastique ou spirituelle est englobée dans la juridiction temporelle
par deux voies: par la substitution des cours royales mixtes,
les commissions, et notamment la High Commission, aux cours

épiscopales; par l'insertion de la législation ecclésiastique
(Canon Law) dans la législation parlementaire (Statute Law),
ou tout au moins la subordination de celle-là à celle-ci. Certes, pour ce qui concerne ce second point, la Reine cherche à
contenir l'extension de la compétence du Parlement et à maintenir la loi ecclésiastique hors du droit commun. Mais, nous
l'avons dit, cette volonté et la théorie qui l'explicite, vont
à l'encontre de l'évolution politique et juridique du royaume[40]:
par ses Actes religieux mêmes, Henri VIII a parachevé l'unifi-
cation politique et juridique de l'Angleterre. Dorénavant, point
d'ordonnance ecclésiastique qu'on puisse opposer aux lois parlementaires; d'autre part la loi ecclésiastique étant désormais
"Statute Law", il revient aux common lawyers d'en contrôler
l'interprétation. Quand, quelque dix ans après la mort de
Hooker, Bancroft voudra combattre cette logique et soustraire
la Haute Commission au contrôle de la Common Law, bref restituer
au droit canon une indépendance perdue, il se verra rétorquer
par Coke: "Les lois du Parlement adoptées par le Roi, les Lords
et les Communes font partie des lois d'Angleterre; elles doivent donc être interprétées par les juges de ces lois et non
par un canoniste ou un juge ecclésiastique."[41] Raisonnement ir-
réprochable, croyons-nous, pleinement fondé sur la constitution
anglaise et le fonctionnement désormais bien établi de ses institutions juridiques. Raisonnement qui, certainement, trouverait
confirmation dans les principes développés par Hooker[42].

On reconnaîtra que le balancier de la discussion nous
a conduits à des conclusions contraires à celles auxquelles
nous étions arrivés jusque-là. La pensée de Hooker, comme celle
des autres théologiens de l'Eglise officielle qui tentent une
synthèse difficile entre le principe épiscopal d'un côté et le
principe royal ou le principe collectif de l'autre, se partage
entre deux pôles; elle ne parvient sans doute pas à résoudre
des tensions internes que ses adversaires ont beau jeu de souligner. Voici la juridiction maintenant rattachée à l'ordre
plus fortement qu'elle ne l'est chez les catholiques ou les puritains, spiritualisée, confiée exclusivement au pasteur par
excellence, l'évêque, mais la voici tout aussitôt jointe à la

couronne ou dissoute dans la nation tout entière, et dépouillée
partiellement dans ce processus de sa qualité pastorale. Car on
n'en peut nier la dimension juridique. Et dès que la réflexion
s'engage dans cette voie, elle se fait prisonnière des exigences d'une pensée cohérente; elle reprend les constructions canoniques de la papauté, mais au profit du roi, ou les théories
conciliaires, mais au profit du Parlement.Comment éviter la logique des choses? Ainsi s'explique cet inévitable va-et-vient
d'une partie de l'oeuvre à l'autre, une tension mal résolue
sans doute entre les livres V, VI, VII d'un côté, le livre VIII
de l'autre, qui n'a pas pour origine une évolution, ni quelque
remords ou quelque inconséquence, mais qui provient de la difficulté même du problème, du caractère ambivalent de cette notion
de juridiction, de gouvernement, de "regiment" dans l'Eglise;
car l'Eglise est réalité pastorale et spirituelle et pourtant
réalité sociale, politique et juridique.

CONCLUSION

UNE COHERENCE FONDAMENTALE

Tout au long de ce travail, nous avons été guidés par
l'hypothèse d'une cohérence fondamentale de la pensée de Hooker;
non pas d'une cohérence facile, qui se contenterait de l'application automatique de quelques principes généraux et emprisonne-
rait une réalité diversifiée dans le carcan du dogmatisme, mais
d'une cohérence exigeante, qui prend la pleine mesure des tensions à résoudre. Nous n'avons eu de cesse que nous n'ayons mis
en lumière ces tensions avant de montrer comment Hooker s'applique à les résoudre. Ce qui nous incitait à prendre ce parti,·
c'était la conviction qu'un grand penseur possède une unité fondamentale de vision, que les variations et les développements
possibles s'inscrivent dans un projet d'ensemble, le modifient
mais en même temps l'approfondissent. Nous nous opposions par-
là aux abus d'une méthode historique qui fait de l'intelligence
une sorte de récipient où s'accumulent les idées l'une après
l'autre, mécaniquement ou presque, selon qu'elles se présentent
au gré des lectures ou à l'occasion des contacts et des conflits
Surtout, notre parti nous était suggéré par l'impression immédiate que produit la lecture des premiers chapitres de l'E.P.,
par cette façon de s'élancer d'un coup au sommet d'une question,
qui est propre à Hooker, qu'on ne retrouve, ni chez ses adversaires, ni chez ses amis; on pressent un esprit habitué à aller
au fondement d'un problème agité, à en reconnaître les aspects
multiples, puis à chercher par quel biais réconcilier les différences. C'est la même impression d'ordre, de richesse et de
profondeur à la fois que donne un examen rapide de l'oeuvre entière, comme aussi bien d'un simple paragraphe où l'on voit
Hooker rassembler dans le mouvement d'une seule période les thèses qu'il discute, les clarifier, les opposer, garder de celle-ci

tel point, rejeter de celle-là tel autre point, dégager un principe, invoquer une autorité s'il est nécessaire, conclure enfin.

Dès l'introduction, examinant dans un survol historique l'ensemble de ses écrits pour en retracer la genèse, nous
avons vu se confirmer cette hypothèse. Nous avons surpris, dans
la querelle avec Travers, le jeu de cet esprit prenant soudain
essor pour tirer la dispute vers les hauteurs de la théologie
spéculative et de la philosophie et pour convier au débat d'autres adversaires et d'autres alliés. Et c'est cette même démarche d'approfondissement et d'élargissement que nous avons re-
trouvée lorsque nous avons décrit les conditions de la composition de l'E.P., puis celles de la révision des derniers livres,
exploré le mystère qui enveloppe encore le livre VI, et analysé
rapidement pour finir l'ébauche de réponse à la Christian Letter.

Il restait à vérifier systématiquement cette hypothèse
de la cohérence. Nous avons alors procédé à une étude synthé-
tique de l'oeuvre de Hooker, sans négliger, certes, les éléments
d'évolution quand ils apparaissaient évidents, sans masquer surtout les antinomies, mais toujours en recherchant les principes
unifiants. D'emblée, dans notre livre II (Principes et méthodes),
nous avons mis à jour les plus explicites de ces principes. Nous
les avons retrouvés au cours de l'analyse du contenu doctrinal
ou philosophique, et nous les avons complétés par d'autres. Ainsi s'est dessiné ce qu'à plusieurs reprises nous avons appelé
un noeud de concepts, ou encore une constellation d'idées fondamentales, articulés les uns aux autres et qui forment une sorte
d'outillage intellectuel avec lequel Hooker aborde chaque problème, ou mieux, une sorte de socle métaphysique et logique qu'il
rencontre dès qu'il creuse une question. C'est cet outillage ou
ce socle qui donne à la pensée son unité profonde. Rassemblons
nos résultats épars pour achever notre description et en affer-
mir le trait.

Loi et raison. Le principe intellectualiste

Nul être qui n'obéisse à une loi. Cet empire, on le trouve en toute chose: en Dieu, encore qu'il se donne à lui-même ou qu'il soit à lui-même sa propre loi; à plus forte raison, dans la création tout entière à ses divers étages; enfin dans la révélation, qui supplée aux déficiences de l'ordre naturel corrompu par le péché. Le premier livre de l'E.P. est consacré à l'évocation rapide de cet immense ensemble articulé de lois, au sein duquel viennent se placer les lois de l'Eglise, the laws of ecclesiastical polity, que veut étudier Hooker. Nous l'avons suivi dans sa description.

Il est plus important de reconnaître la nature rationnelle de la loi que d'affirmer son empire. Elle n'est pas le dictat d'un souverain; elle est la "règle d'une opération en vue d'une fin". Là encore, l'axiome est vrai au niveau même de Dieu, si difficile soit-il alors de le justifier sans nuire à la majesté de la transcendance divine. Il faut donc entendre la primauté de la loi comme la primauté de la fin qu'elle se propose et non comme la primauté du commandement qu'elle impose. C'est ce qu'a fait ressortir tout particulièrement l'enquête sur la loi morale ou naturelle, la loi de raison, dont on a montré qu'elle se définit par rapport au bien en dernière instance. L'analyse politique elle aussi a conduit à des conclusions analogues: l'élément volontaire est plus large en cet ordre, et plus décisif; cependant, l'étude des concepts de justice ou de consentement a mis en relief les mêmes valeurs d'objectivité et de raison. Il n'est guère possible, à moins de solliciter les textes ou d'en privilégier certains, de faire de Hooker l'un des fondateurs du droit naturel moderne ou de la théorie du contrat social. Le simple accord des volontés, pas plus que l'acte nu du prince, ne peut créer de situation de droit. Lex facit regem; à cet axiome traditionnel de la politique médiévale anglaise, on donnera donc toute la portée que lui prête le contexte philosophique où le place Hooker: la loi ou la raison (c'est même chose, on le voit) est antérieure ou supérieure au souverain. On peut encore exprimer cette idée en disant qu'une loi positive, quel que soit l'organe qui la pose, roi, pape, corps politique, communauté partielle ou synode, individu (pour lui-même), doit se rattacher de quelque façon à la loi naturelle ou à la loi divine.

Très évidemment, à cette primauté du principe téléologique inscrit dans l'être des choses, correspond au plan noétique ou épistémologique une primauté de l'intellect sur le vouloir. Ainsi s'explique qu'au seuil de son étude des lois régissant l'homme, Hooker s'attarde sur l'analyse de l'acte humain et de sa double composante, rationnelle et volontaire. En ces pages, les plus fidèles peut-être aux leçons d'Aristote et de saint Thomas, l'intellectualisme de son système ressort très fortement. Mais si c'est à propos de l'acte humain que Hooker marque l'éminence et l'antériorité de la saisie intellectuelle au regard de la détermination du vouloir, il transpose l'analyse ainsi faite à d'autres domaines. A la foi par exemple, qu'il présente, certes, comme un acte de confiance, _trust_, selon l'exigence protestante, mais aussi comme un assentiment à une vérité appréhendée, comme une illumination, et même comme un habitus intellectuel. A la prédestination encore: le vouloir divin, pour transcendant qu'il soit au vouloir humain, lui est analogue, et Dieu ne décide donc rien que ne lui dicte sa Sagesse; la prédestination se fonde sur la prescience. Dans la hiérarchie des vertus, d'ailleurs, la sagesse est première, _queen and sovereign commandress over other virtues_; elle est lumière en Dieu; en l'homme, une réfraction de cette lumière.

Toutefois, l'intellectualisme n'aboutit pas chez Hooker à l'éloge d'un savoir abstrait, ni davantage au dédain des puissances volontaires. La contemplation n'est pas une activité froide et distante; elle engage le tout de l'homme. C'est ce qu'a prouvé l'analyse de cette vertu de sagesse, et celle aussi de la béatitude. La sagesse contient en soi, outre les vertus intellectuelles de la métaphysique et de la science, les vertus pratiques, morales ou politiques, et même l'éloquence, "la sagesse oratoire des Grecs". Et si dans la béatitude la saisie du vrai par l'entendement précède celle du bien et du beau par le vouloir,

elle ne constitue pas à elle seule l'essence de l'état bienheu-
reux. La béatitude concerne ou met en oeuvre l'ensemble des
puissances humaines qu'elle porte à leur perfection. A ce niveau, l'appréhension du vrai ne se distingue pas adéquatement
de la contemplation du beau, ni de la possession du bien. Au
reste, dès ce monde, l'ascension vers la vérité n'est possible
qu'à l'homme vertueux; la méchanceté fausse l'esprit.

D'ailleurs, il est toute une zone où le vouloir peut
librement se déployer: le champ des matières probables, où la
raison ne dicte rien qui soit nécessaire, où la règle, suggérée
par l'opportunité, est souple. L'acte volontaire, ici, détermine en dernier ressort le droit particulier, fixe la norme à
suivre: décision du magistrat, accord réciproque des parties,
voeu par quoi chacun se lie à Dieu. Le droit naturel n'abolit
pas le droit positif; l'objectivité de la loi n'enchaîne pas le
libre vouloir de celui qui la pose concrètement.

Loi et ordre. Le principe hiérarchique

Loi et ordre, ces deux termes sont synonymes. La loi
ordonne les parties d'un ensemble. Il n'est sans doute pas
d'aspect de la pensée de Hooker qui soit plus connu que celui-
là; il n'est peut-être pas d'auteur de la Renaissance anglaise
qui soit plus utilisé que lui pour illustrer comment se prolonge
jusqu'au seuil du dix-septième siècle la vision antique et médiévale d'un cosmos hiérarchisé: hiérarchie des êtres, qui fonde
la hiérarchie des lois ou s'exprime par elle; dans chaque catégorie d'êtres, de nouvelles hiérarchies; d'une hiérarchie à
l'autre, des correspondances.

Le thème trouve une application facile en politique,
et par contrecoup en ecclésiologie. Il n'y a pas de société
imaginable, pas d'Eglise possible donc, sans une structure hié-
rarchisée, aussi élémentaire soit-elle; et la loi fondamentale
d'un corps politique, qui est comme l'âme de ce corps, donne
les règles de l'agencement. Il est vrai qu'au principe hiérarchique

s'oppose en contrepoint le principe collectif, qui fait du corps politique entier, et non pas de sa tête ou de ses organes, le sujet du pouvoir. Mais là encore, il y a complémentarité plus qu'antinomie. A moins de garder présente à l'esprit cette complémentarité, on aura vite fait de trahir Hooker, d'orienter sa politique, soit vers un éloge quasiment moderne du principe démocratique, soit vers une théorie autocratique ou seigneuriale du pouvoir, et son ecclésiologie, soit vers un protestantisme égalitaire, soit vers un épiscopalisme outrancier. Nous allons revenir sur ces tensions, parfois difficiles à concilier.

Il faut se prémunir contre une méprise que pourraient provoquer nos façons modernes de voir. L'idée de hiérarchie nous suggère une distance nécessaire entre les parties ordonnées, une séparation radicale, une contrainte, une oppression peut-être, quelque chose en tout cas de juridique et de froid. Mais, selon l'optique dionysienne qui est celle de Hooker, la hiérarchie seule permet la communication des parties entre elles; elle est nécessaire pour que le courant d'amour, passant des degrés supérieurs aux degrés inférieurs, puis remontant de ceux-ci à ceux-là, puisse animer le corps social entier.

Transcendance divine et don divin. Le principe de participation

Cette idée de communication réciproque nous amène à l'une des plus riches notions de la pensée de Hooker: le principe de participation. Ce principe compense les principes inverses, qui tendraient à disjoindre les réalités l'une de l'autre: le principe hiérarchique lui-même s'il est mal entendu, établit des cloisons étanches entre les étages de la création ou les classes du corps politique; surtout, les principes de la métaphysique et de la physique aristotéliciennes séparent les natures en unités closes, définie chacune par son essence ou sa loi propre. Le premier réflexe de Hooker, devant un problème, est de distinguer. S'il dresse un large tableau des lois à l'entrée de son grand ouvrage, c'est qu'à son avis l'erreur des puritains provient de confusions entre des lois différentes ou

inversement de distinctions trop brutales, qui les entraînent
à mal définir la loi ecclésiastique et à la situer incorrecte-
ment dans le schéma d'ensemble. Soit. Mais à cette démarche qui
reconnaît les différences, il faut en associer une autre qui
établit les relations.

Le principe de participation se dévoile d'abord au niveau philosophique: dans l'analyse du dynamisme moral qui traverse toute action bonne et la rattache au bien suprême. Tout
dans ce monde recherche le bien suprême, c'est-à-dire la participation avec Dieu lui-même. Cette participation est double,
ou plutôt elle a deux aspects joints: elle est imitation de Dieu
par l'être créé; mais elle est aussi présence de Dieu dans sa
créature et de la créature en Dieu, présence de la cause en son
effet et inversement. Il est apparu que la priorité appartient
au second principe, d'où dérive le premier. La participation
n'est participation au bien que parce qu'elle est participation
à l'être. Ces notions permettent à Hooker de rapprocher les divers champs de sa réflexion, notamment de relier sa méditation
philosophique au commentaire théologique, d'expliciter les données du dogme par le langage du penseur. La participation, ainsi
définie comme présence et communication de l'être, est, en effet,
un outil qui permet de prendre une vue d'ensemble des mystères
chrétiens: mystère trinitaire, mystère de la création, mystère
de l'incarnation, mystère du salut; il permet surtout de mettre
en évidence l'efficacité de l'action rédemptrice, l'inhérence
de la grâce donnée, la réelle possession par l'homme du don
divin.

La théologie se voit donc colorée par l'usage d'un concept philosophique. Les principes protestants que Hooker accueille, sont ainsi l'objet d'une élaboration qui leur donne un
sens différent de celui qu'ils ont chez les puritains. Le vocabulaire est le même, ou du moins très proche, et cependant la
valeur des mots est autre: glissements de sens ou transmuta-
tions évidents dans les analyses de la foi, de la justification,
de la grâce. La foi est une vertu infuse, qui peut être présente
à l'âme comme un germe enfoui alors même que le chrétien ne la

perçoit pas: et voilà réinterprétés les principes de l'assurance
et de l'indéfectibilité, voilà rejetées en tout cas les confusions pernicieuses qui peuvent s'y accrocher et nourrir l'orgueil d'un petit nombre. La justice est toujours la justice de
Dieu; mais elle est, en l'âme du baptisé, justice greffée et
non pas imputée seulement; elle est le bien du pécheur sauvé;
elle le pénètre et le fait autre; elle le rend juste. L'étude
de la grâce, que nous avons faite à plusieurs niveaux, en suivant les méandres de la pensée théologique de Hooker, nous a
conduits à des conclusions analogues. La grâce parfait la nature, selon le principe scolastique que Hooker reprend à son
compte. Elle ne se plaque pas sur elle de façon toute externe;
elle la transfigure. Ce mystère trouve son lieu privilégié dans
la personne du Christ, dans les effets sur la nature humaine de
Jésus de ce que Hooker appelle la grâce de l'onction, à quoi il
donne, dans son analyse christologique, une importance primordiale qui n'a pas toujours été suffisamment reconnue.

Bien sûr, il faut éviter le danger d'insister sur l'infusion, l'inhérence ou l'onction au point de naturaliser la grâce, pour ainsi dire. De possesseur, l'homme deviendrait proprié-
taire. Mais l'immanence de l'action divine n'abolit pas sa
transcendance. Difficile synthèse. Précisément, l'approche du
mystère est facilitée par le concept de participation comprise
comme un don de l'être et de la grâce. Logique paradoxale de ce
concept: Dieu est d'autant plus présent aux choses qu'il crée
et aux âmes qu'il sauve qu'il les transcende. Pas de don, en
effet, sans une telle transcendance; mais pas de don non plus
si le donneur feint d'être généreux et garde ses faveurs par-
devers soi. Création et rédemption sont les deux faces ou les
deux temps d'un mystère unique, celui d'un Dieu qui se commu-
nique réellement.

Cette théologie réaliste de la grâce a trois conséquences importantes, évidemment connexes. Elle favorise une
théologie tout aussi réaliste des sacrements; ils sont plus
que des signes; ils confèrent la grâce; cette vertu d'efficâ-
cité réside objectivement dans l'action sacramentelle et non

pas dans l'âme du récipiendaire. Elle encourage parallèlement
une conception sacramentelle de la sanctification; la sanctification, opérée mystérieusement par le moyen des sacrements, ne
se réduit pas au comportement moral effectif et visible; elle
est réelle, mais intérieure et secrète. La troisième conséquence
est de nature ecclésiologique. L'Eglise invisible est à l'Eglise visible ce que la grâce est à la nature. Elles sont distinctes, mais présentes l'une à l'autre; ou encore, l'Eglise visible est le sacrement de l'Eglise invisible.

Le nécessaire et le probable

La distinction est tout droit inspirée d'Aristote: il
existe des raisonnements contraignants, aboutissant à partir
de prémisses sûres à des conclusions nécessaires, et des raisonnements simplement probables. Les raisonnements simplement probables prévalent dans les matières d'action. Rien de plus classique. Pourtant la leçon est vite oubliée, tant l'esprit humain
aime les certitudes et se hâte de voir du nécessaire partout.
Hooker ne cède pas à la tentation: il fait à cette distinction
fondamentale du nécessaire et du probable la plus grande place
possible. Elle lui permet d'assouplir la théorie de la raison
et de nuancer le principe intellectualiste dont on a dit le rôle
qu'il joue dans sa pensée. Les évidences premières et les conclusions qu'on en peut tirer scientifiquement sont peu nombreuses dans cette vaste zone du savoir où se déploie de préférence
l'enquête de Hooker: morale, politique, théologie de l'Eglise.
L'argumentation ne peut guère être là qu'une argumentation de
"convenance": conveniency, fitness, expediency, tels sont les
critères. Les règles que l'entendement doit suivre ne sont pas
celle qu'enseigne la logique pure, mais celles plus souples de
la dialectique, de la rhétorique, de l'histoire. C'est pourquoi
on hésitera à parler d'un "système" pour caractériser la pensée
de Hooker, si par ce terme on désigne un enchaînement déductif
et certain de propositions. Certes, Hooker admet la possibilité
d'une théologie scientifique, c'est-à-dire d'une théologie qui
déduise des conclusions irréfutables d'axiomes immédiatement

clairs tirés de l'Ecriture, mais il réduit à l'extrême le nombre de ces axiomes et de ces conclusions. En fait, la synthèse qu'il propose ne répond pas à cet idéal tout théorique. On parlera plutôt d'une élaboration rationnelle à partir des vérités de l'Ecriture illuminées par des principes philosophiques fermes ou encore d'une construction doctrinale harmonisant des données apparemment disparates. La théologie est architecture plus que science.

On rapprochera la distinction du nécessaire et du probable de la théorie de l'acte volontaire et des rapports, en cet acte, du vouloir et de la raison. Le champ des matières probables est le champ privilégié de la décision libre, où le choix reste ouvert à l'homme entre une multitude de solutions possibles. Bien entendu, ce choix lui-même n'est pas un acte irrationnel; quoique libre, il n'est pas arbitraire. La théorie de la raison, chez Hooker, donne donc, en définitive, une large place au vouloir; inversement, le vouloir n'est jamais dépouillé de sa substance intellectuelle; au contraire, il n'y a de vouloir libre que s'il y a délibération, comparaison raisonnée des moyens.

La raison comprise ainsi ne s'oppose, ni à l'autorité, ni à la tradition. Certes, contre les évidences rationnelles ou contre les principes de la foi, aucun argument d'autorité, aucune décision d'un pouvoir quelconque n'est recevable. Ni la raison nécessaire, ni la foi n'ont d'entraves. Mais dès qu'on quitte les certitudes contraignantes où l'esprit individuel est le seul maître, alors l'autorité peut revendiquer ses droits. Il est bon de s'en remettre au jugement des sages en des questions douteuses et, lorsqu'elles ont une incidence publique, il est légitime que le magistrat impose une solution qui mette fin aux querelles. L'obéissance lui est due. Non pas une obéissance servile et muette, qui s'incline passivement devant l'ordre sans aucun examen, mais l'obéissance d'une raison qui apporte sa contribution au débat, détermine l'espace de sa propre liberté et se soumet donc en plein accord: willing obedience. Quant à la tradition et à la coutume, elles expriment la sagesse

accumulée des siècles; elles sont comme l'aboutissement d'une
délibération immémoriale et constante, renouvelée depuis les
temps les plus anciens et à laquelle les esprits les plus éclairés ont pris la plus grande part.

Et cependant la distinction du nécessaire et du probable encourage aussi une doctrine du changement. Le nécessaire,
c'est ce qui est immuable; le probable, ce qui s'adapte aux
circonstances, change donc. La confrontation de ces deux thèmes,
antithétiques au premier abord, de la tradition et du changement
éclaire le rôle que joue l'histoire dans la pensée de Hooker.
L'histoire constate, et la mobilité des choses humaines, et le
sens de cette mobilité. Elle est désacralisante et respectueuse
à la fois; elle relativise le passé, mais elle le justifie. Elle
justifie surtout l'aboutissement des transformations addition-
nées, donc le dernier état des choses. Mais attention: le dernier état des choses n'est lui-même accepté que s'il est gros
de tout l'apport des siècles qui l'ont produit, que s'il est
reçu de tous et depuis longtemps. L'important c'est le changement insensible qui relie le nouveau à l'ancien, non pas
l'ancien comme tel. D'où l'attitude double de Hooker, qui ne
se laisse pas intimider par l'exemple primitif qu'on lui oppose
et qui néanmoins cherche à le retrouver dans la réalité contem-
poraine, transformé mais présent. D'où son refus de condamner
sans nuance aucune période de l'histoire et surtout pas les
siècles qui ont immédiatement précédé le sien.

Hooker, l'anglicanisme et le puritanisme

Ces quelques principes autour desquels nous avons regroupé les divers thèmes de la pensée de Hooker vont nous aider
à définir sa position dans la grande querelle du temps, c'est-à-
dire à le situer face à ce qu'il est convenu d'appeler l'anglicanisme et le puritanisme. Nous avons conscience, ici, de nous
lancer dans une aventure bien risquée et de le faire avec un
outil intellectuel aujourd'hui déprécié. Les historiens n'ont-
ils pas nié, dans les décennies récentes, qu'il y eût d'opposition

radicale entre anglicans et puritains et, oeuvrant à l'édifice
d'une histoire "totale", n'ont-ils pas dévalorisé toute approche idéologique du problème? Leur offensive a été menée sur plusieurs fronts. Ils ont d'abord montré l'extension considérable
du mouvement puritain et surtout son infinie variété. Le puritanisme, plus qu'un mouvement structuré et plus qu'une théologie,
est une exigence de purification du christianisme, une volonté
de réforme accrue, un "idéalisme" comme on a dit, qui pénètre le
tissu de l'Eglise anglicane entière. Loin d'être marginal, il
est au coeur de la place; il est partout. Et ce qui explique
cette large expansion, c'est qu'il incarne l'idéologie de la
bourgeoisie capitaliste en plein essor ; il est l'expression
théologique (bien peu théologique à vrai dire) de l'éthique
protestante des classes industrielles et marchandes. Quant à
l'anglicanisme, c'est lui qui devient marginal dans cette description. D'ailleurs existait-il, selon ces historiens? L'anglicanisme est une création des tractarians qui, par une lecture tendancieuse des premiers réformateurs anglais et même des
théologiens carolins, ont isolé de leur contexte certaines idées
présentes chez ceux-ci pour les regrouper en une doctrine cohérente, mais peu protestante, dont ils ont voulu abusivement
faire la théologie reçue par l'Eglise anglicane depuis ses origines. La recherche objective ne relève pas chez les théologiens de l'Eglise officielle, au temps des Tudor tout au moins,
de divergences qui les opposent sur le fond aux théologiens
qu'on dénomme puritains. En fait, il n'y a, ni anglicanisme, ni
puritanisme, mais une Eglise anglaise protestante et réformée
au sein de laquelle se heurtent, sur des points secondaires touchant la discipline et la liturgie, deux tendances: ceux qui
sont satisfaits des réformes accomplies, ceux qui veulent aller
plus loin.

Loin de nous l'intention de contester les résultats
positifs qu'ont apportés ces hypothèses à l'histoire. Une masse
impressionnante de travaux savants ont tracé la carte du puritanisme, mesuré sa dissémination à l'intérieur de l'Eglise officielle, décrit le milieu qui le soutient, précisé ses moindres
traits. Inversement, les historiens de la théologie (et souvent

les anglo-catholiques eux-mêmes) ont souligné le protestantisme indéniable des grands fondateurs de l'Eglise anglicane, d'un Cranmer ou d'un Ridley. Cependant ces travaux ne nous ont convaincus qu'à moitié. C'est un tort de vouloir "déthéologiser" le puritanisme sous prétexte d'en saisir l'impact économique, social et politique, et c'est aller un peu vite que de liquider l'anglicanisme en niant son originalité et en réduisant son audience. On émousse l'analyse des théologiens; on ne perçoit plus le contraste des spiritualités; on dilue les idées et les sensibilités pour tout confondre dans ces concepts bien complaisants d'"éthique protestante" et d'"esprit du capitalisme".

Nous avons voulu, après d'autres, "rethéologiser" le problème. Reprenons donc, pour en traiter, les grands principes qu'on vient de dégager. La méthode sera schématique, mais commode.

Calvinistes, les adversaires de Hooker ont une très haute idée de la loi. Mais ils soulignent sa nature impérative et non pas son essence rationnelle. Elle est le bon plaisir du souverain. Aussi s'indignent-ils que Hooker ait l'outrecuidance d'explorer les mystères de la volonté de Dieu, d'y distinguer plusieurs moments, de subordonner le commandement divin à la sagesse divine comme si la sagesse de Dieu était autre chose que son pur vouloir, d'imaginer enfin que la justice selon l'homme et la justice selon Dieu puissent entretenir quelque analogie. Hooker découvre ce désaccord profond dès les premières pages de l'E.P., nous l'avons montré; mais il le retrouve chaque fois qu'il aborde directement ou indirectement le problème du plan divin et de l'économie du salut, notamment dans sa dernière oeuvre, la réponse à la Christian Letter.

Il serait injurieux de dire que les puritains se faisaient les apôtres d'une philosophie obscurantiste; ils ont trop apporté à la culture pour qu'on se rende complice d'un argument aussi vulgaire. Il n'en reste pas moins qu'ils ont une vision peu flatteuse des pouvoirs humains, qu'ils estiment la raison aussi bien que la volonté "du tout" corrompue, comme disait

Calvin, incapable d'atteindre aucune vérité solide dans l'ordre
éthique et métaphysique (et, bien sûr, religieux). Ils ampli-
fient le pessimisme protestant appuyé sur les anathèmes de
saint Paul contre la sagesse des sages, sur les diatribes de
Tertullien, à vrai dire sur une puissante tradition chrétienne.
Hooker diagnostique ce dénigrement de la raison et s'attache à
le combattre. Il réinterprète à son tour saint Paul de façon
bien différente, en se plaçant, lui, dans une tradition tout
aussi puissante, mais délibérément optimiste. Nulle virulence;
et pourtant il détecte dans la doctrine et dans la conduite des
puritains les sources possibles d'un illuminisme qui s'épanouit
déjà chez les plus extrêmes d'entre eux.

Il est vrai que chez Hooker la raison n'est pleinement
raison que transfigurée par la grâce; mais elle reste raison;
la grâce la restitue à elle-même et la parachève dans ses puissances propres. Parachèvement, participation, pénétration réciproque, onction, infusion, toutes ces notions, essentielles
chez Hooker, sont étrangères à l'esprit puritain. Protestantisme
radical, le puritanisme défend une théologie de la rupture et
non pas de la conjonction. La justice divine peut recouvrir de
son manteau l'âme pécheresse, non pas la faire autre, ou la pé-
nétrer vraiment. Les rapports de Dieu à l'homme sont dialectiques. D'où les retournements d'une pensée qui se nourrit de pa-
radoxes: une doctrine de l'assurance qui juxtapose à la conviction du péché radical la certitude inébranlable du salut; une
doctrine de la sanctification persuadée de l'incurable misère
humaine et qui pourtant recherche dans la conduite effective le
signe de la faveur divine; une doctrine ecclésiologique qui voit
dans l'Eglise en réalité spirituelle, mais qui en fait l'assimile aux saints, the godly, dès ce monde. A quoi s'oppose chez
Hooker une théologie de la foi vertu infuse et germe secret,
ignorée peut-être de celui qu'elle habite; une théologie de la
sanctification sacramentelle, c'est-à-dire mystérique et cachée,
jamais équivalente à ses manifestations externes et toutefois
réelle, du pécheur faisant un juste; une théologie de l'Eglise
invisible présente au coeur de l'Eglise visible; au fond de tout
cela, une conception de la transcendance et de son action fort

différente de la conception puritaine.

Quant à la distinction du probable et du nécessaire, du muable et de l'immuable, les puritains ne la nient pas de façon formelle. Qui le ferait sans oublier les leçons de logique élémentaire reçues à l'université et sans s'écarter du bon sens ? Mais elle n'a guère d'emploi dans les choses de Dieu. C'est à l'adiaphorisme anglican que les puritains s'attaquent le plus ouvertement. Il n'est pas dans leur nature d'attacher de prix aux demi-certitudes; ils veulent des partis francs. Ils s'acharnent à diminuer la liberté de l'homme en face de la liberté de Dieu ou au contraire à la poser comme une autre nécessité divine, inviolable, qu'aucune Eglise ne peut limiter. L'objection de conscience ne saurait être repoussée par le raisonnement que lui administre Hooker en la perdant dans le labyrinthe des distinctions entre les degrés de certitude. A cette intransigeance, on attribuera encore une sorte d'impérialisme biblique qui pousse à faire du texte sacré un code parfait, la seule règle des actions humaines; une exégèse rigide que Hooker critique avec sévérité, et notamment un usage abusif de l'argumentation négative, une conception étroite du principe de la suffisance scripturaire, une tendance à attribuer la même autorité aux éléments divers de la Bible et à prendre ses exemples comme autant d'impératifs absolus; une certaine méfiance à l'égard de toute recherche théologique qui ne se contente pas d'être un commentaire direct et terre à terre de la parole divine; une volonté de lier l'Eglise jusque dans le détail à la lettre de l'Ecriture et de lui refuser le plein statut de société. Et peut-être doit-on expliquer par ce motif que les puritains aient adopté si largement la réforme ramiste, condamnée par Hooker avec tant de hauteur. Héritière des réformes humanistes des traités du langage, elle semblait pourtant faire bon accueil aux procédés souples de la rhétorique aux dépens des aridités de la logique traditionnelle; mais en fait elle unifiait les divers modes du discours et abolissait par là la différence entre le raisonnement probable et la démonstration nécessaire. C'est une nouvelle logique, simplifiée et simplifiante, qui se substituait à l'ancienne et, à son tour, se targuait de rigueur scientifique.

A l'éloge du changement qui se marie chez Hooker à l'é-
loge de la tradition, on opposera chez les puritains la vénéra-
tion du primitif; ils critiquent les institutions ecclésiales
ou liturgiques de leur temps par référence au modèle absolu de
l'âge apostolique. Le dépôt de l'histoire n'est qu'addition;
c'est un surajout qu'il faut retrancher. Ils partagent avec
Hooker l'idée, commune à cette date, que l'ancien est la norme,
le nouveau, l'erreur condamnable; mais le sens qu'ils donnent à
cet axiome est tout différent: l'usage ancien n'est pas celui
qui s'est prolongé jusqu'à nous et auquel la réception continue
des siècles a donné une force accrue, c'est celui qui existait
en un temps révolu et qu'il faut faire revivre. L'histoire chez
Hooker confirme, chez les puritains elle corrompt. Paradoxalement, le respect du premier engendre une attitude conservatrice,
la réprobation des seconds provoque un comportement révolution-
naire.

La description qu'on vient de présenter est une épure.
Elle pourrait se voir reprocher les défauts que Hooker impute
à ses adversaires: elle simplifie, durcit les contrastes, divise
les partis en camps trop nets. Poussons le balancier dans l'autre sens. Hooker n'a pas été pour les anglicans le parfait allié
qu'ils espéraient. Dans la troupe des nouveaux défenseurs de
l'Eglise établie qui se ruent dans la bataille théologique des
dernières décennies du siècle, il fait un peu figure à part.
Polémiste, il l'est à l'occasion; analyste profond et critique
des principes que présupposent les thèses puritaines et qui donnent une unité sous-jacente à leurs partis divers, il l'est plus
encore; mais chrétien désireux de convaincre l'adversaire de
son erreur ou de trouver, par-delà les principes repoussés,
d'autres principes plus larges ou plus exacts qui soient la base
d'une entente solide, voilà ce qu'il est surtout. Cela, nous
l'avons décelé dès l'introduction, en retraçant la querelle avec
Travers. Cette première impression s'est confirmée. L'irénisme
est réel chez Hooker; mais c'est un irénisme qui ne se satisfait
pas d'un accord bâclé; c'est un irénisme qui se nourrit de la

certitude que l'adversaire détient une part de vérité, qu'il faut mettre à jour et replacer dans un meilleur contexte. Nous croyons avoir fait la démonstration de cette approche ici ou là, à l'occasion de tel ou tel problème, mais éminemment dans notre chapitre sur l'Eucharistie. L'hésitation à condamner est évidente, évidentes la répugnance à vaincre dans un assaut d'arguments qu'on échange comme des passes d'arme et la volonté d'élargir le débat. On oublie l'adversaire immédiat. "Anglican", Hooker l'est bien, pour les raisons qu'on vient de dire, et, à ce titre, champion d'une théologie, représentant d'un esprit qui s'opposent à la théologie, à l'esprit puritains; néanmoins, c'est un anglican qui ne se sent pas tout à fait mobilisé et qui n'est pas vraiment mobilisable. Son anglicanisme déborde les cadres d'une doctrine de combat, uniquement soucieuse de conserver les institutions ou les formes et de contenir une menace pour l'ordre établi. Il est d'abord théologique et spirituel.

Contradictions, difficultés mal résolues ou tensions irréductibles?

Cette passion unitaire est rarement niée. Mais on a contesté qu'elle ait abouti à une synthèse parfaite. Les difficultés seraient escamotées plus que réduites par le maniement d'un langage habile, et finalement la pensée serait contradictoire. Nous avons pris un parti clair contre certaines interprétations dissociantes. D'autres fois, nous avons reconnu l'embarras de Hooker. Mais là-même, il nous a semblé souvent que l'imperfection de la solution proposée provenait moins d'une contradiction inhérente à la pensée et, pour ainsi dire, coupable que des données traditionnelles acceptées au départ ou du caractère quasiment irréductible du problème. Si bien que les hésitations de Hooker servent encore à mieux dégager les problématiques, comme on dirait aujourd'hui.

On oppose parfois le naturalisme aristotélicien de Hooker à sa doctrine de la grâce. Ce naturalisme se déploie

surtout dans la partie politique de son oeuvre et, par suite,
dans son traitement de l'Eglise comme société. On devine en
arrière fond la figure de Marsile de Padoue. Il semble alors
qu'on puisse pousser Hooker sur la pente de l'érastianisme pur
et simple, voire d'une forme de totalitarisme: confusion de l'E-
glise et de l'Etat, confiscation au profit de ce dernier des
charges spirituelles, bref omnipotence de la cité. Mais cette
analyse se maintient à la surface des textes, qu'elle prend isolément, sans les éclairer par les principes d'ensemble.

Au soutien de Hooker, on rétorquera, par exemple,
qu'elle méconnaît la vocation finalement religieuse de la cité,
qui doit se muer en un corps chrétien, préfigurer dès ici-bas
l'Eglise de gloire. On ajoutera que cette surélévation du politique au surnaturel se fait par l'action du ministère, du "spirituel", qui reste investi dans la société chrétienne d'un pouvoir de gouvernement proprement sacré, inséparable de l'ordre.
Il n'est pas difficile de voir comment, au plan philosophique,
cette conception politico-religieuse s'enracine dans la conviction que l'homme possède une unité fondamentale, un destin unique, la béatitude, en quoi se récapitulent les bonheurs de la
terre, et comment, au plan théologique, elle prend appui sur la
doctrine de la grâce qu'on vient de rappeler, selon laquelle la
grâce parfait la nature. On reconnaîtra pourtant que la théorie
de la suprématie royale, telle que la présente Hooker, théorie
qui place entre les mains du premier laïc du royaume la juridiction suprême (et non pas seulement le dominion) et qui dérive
de cette juridiction l'ensemble des juridictions d'Angleterre,
y compris les juridictions spirituelles, compromet inévitablement l'équilibre. Elle disjoint la juridiction et l'ordre, que
par ailleurs Hooker cherche à conjoindre. Elle confie éminemment
la première aux institutions temporelles. Et alors la doctrine
unitaire du corps chrétien vire à l'érastianisme; l'Eglise se
perd dans la cité; Marsile réapparaît; tout le système bascule
vers l'averroïsme politique. Soit. Mais, à la décharge de Hooker,
on répondra qu'il se heurtait à des exigences que rencontrait
toute ecclésiologie en régime chrétien. Il fallait concilier
l'unité du corps chrétien avec la dualité des pouvoirs dans ce

corps. La séparation moderne entre une Eglise, société des chrétiens, au destin surnaturel, et un Etat sans religion, qui n'a
qu'une finalité terrestre, a simplifié la question, pour l'athée
tout au moins. Mais peut-on reprocher à Hooker de n'avoir pas
devancé son temps et d'être encore pénétré d'un idéal unitaire?
On peut aller plus loin et trouver dans l'ambivalence même de
son analyse de la juridiction la traduction de l'ambiguïté réelle du pouvoir qu'il cherche à décrire. En cela, ses incertitudes
ou ses retournements restent toujours éclairants pour une doctrine de l'Eglise.

C'est une réponse analogue qu'on fera à ceux qui ne
parviennent pas à accorder le "rationalisme" (?) de Hooker à
sa théorie "protestante"(?) de la grâce. Isolez quelques textes,
ceux surtout par lesquels il réprouve le dénigrement puritain
de la raison et les tendances illuministes qui l'accompagnent
et fait, à l'inverse, l'éloge de la lumière naturelle, et vous
avez une sorte d'optimisme qui présage les confiances des
siécles à venir. La raison nue, fonctionnant selon ses mécanis-
mes propres, est l'une des deux voies par quoi l'Esprit s'exprime; l'autre est la révélation directe, qui est l'apanage des
seuls écrivains sacrés. Entre la parole divine, bien circons-
crite, et la raison, libérée de la sorte, point de lieu intermédiaire; et point de transfert de l'une à l'autre. Hooker semble dire cela. Mais il dit autre chose en d'autres textes, par
exemple "qu'il n'y a point de faculté ou de puissance en l'homme ou en toute autre créature qui puisse remplir comme il se
doit ses fonctions propres sans l'aide et le concours perpé-
tuels de la cause suprême de toute chose"[1]. S'il soutient, dans
tel passage, qu'"il n'y a pas de bien en nous qui n'ait pour
soi l'évidence nécessaire quand la raison s'évertue à le découvrir", dans tel autre, il précise que "la grâce de Dieu est
nécessaire pour découvrir l'une et l'autre loi [la loi naturelle et la loi surnaturelle] pour autant qu'elles concourent
au bien éternel de l'âme"[2]. C'est toujours le même principe: le
surnaturel pénètre et parfait la nature.

Ceux qui n'arrivent pas à accorder entre elles les

leçons disparates que donne Hooker sur l'institution épiscopale
sont peut-être plus justifiés. Cette institution est-elle scripturaire, surnaturelle, nécessaire, ou bien canonique, humaine,
simplement souhaitable? Les textes se contredisent, à première
vue tout au moins; et l'on sent Hooker peiner à joindre ensemble des idées qui devraient s'exclure. C'est qu'il découvre,
une fois encore, une série d'exigences antinomiques: le principe corporatif et le principe institutionnel dans l'Eglise, la
double valeur du ministère qui est service et cependant canal
de grâce, fonction dans le corps et pourtant instrument nécessaire à l'édification du corps. Si l'on quitte la scène anglaise
et cette fin du XVIe siècle pour situer la querelle dans l'histoire de l'ecclésiologie, comme on l'a fait, on voit Hooker ici
aux prise avec un problème qui n'était pas nouveau et qui se
pose toujours.

On pourrait allonger la liste des difficultés. Mentionn-
nons encore celles qui traversent la pensée politique de Hooker.
Le roi est régi par la loi, the king is under the law; et pourtant il ne lui est pas soumis, il n'est pas responsable devant
elle, he is unsubject to law. Il est membre du corps politique,
de qui il détient le pouvoir; mais il en est la tête, il en est
le moteur; il est la source de toute justice. La nation tout
entière est le sujet du pouvoir; néanmoins, le pouvoir effectif
appartient au roi. Et si nous abandonnons les rapports du souverain à la nation pour nous pencher sur celle-ci, analyser sa
nature politique et décrire sa genèse, nous trouvons là encore
des principes en conflit: le corps politique naît d'un contrat,
du consentement mutuel des parties, et pourtant sa règle est le
bien. Le consentement va-t-il donc se dissoudre dans son objet
ou dans son résultat, la concorde?

Mais ne reprenons pas des analyses déjà faites. Reconnaissons simplement que, dans toutes les directions où s'aventure la pensée de Hooker, théologie, métaphysique ou politique,
les tensions très vite se révèlent. Nous avons fait jouer ces
forces disruptives autant qu'il était possible. Tâche facile au
demeurant, puisque Hooker, allant à notre devant, ne cherchait

pas à cacher les difficultés. Mais ce serait trahir sa pensée que de le suivre à mi-chemin et de méconnaître l'effort qu'il déploie pour vaincre ces obstacles, saisir les principes unifiants et gagner, par degré, le point ultime d'où l'on voit, au-delà des oppositions, les complémentarités.

Hooker, médiéval attardé ou héraut du rationalisme moderne?

On a longtemps fait de Hooker l'un des premiers représentants du rationalisme moderne en alléguant son éloge de la raison, de la lumière ou de la loi naturelle contre le pessimisme ou l'illuminisme puritain. On n'avait pas de peine à rattacher cette confiance évidente en l'homme à l'optimisme de la première Renaissance d'un côté, à l'esprit rationnel et scientifique du dix-septième siècle et à la philosophie des lumières du dix-huitième de l'autre. On le faisait avec bonne conscience, puisque les modernes eux-mêmes (un Locke par exemple) se réclamaient de Hooker comme d'un maître. On l'enrôlait ainsi dans l'armée des écrivains qui avaient peu à peu libéré l'humanité des obscurités médiévales.

Une lecture aussi naïve n'est guère possible aujourd'hui. Elle s'appuyait sur une ignorance assez grande de la pensée médiévale et sur une reconstruction schématique de la pensée renaissante. D'un côté l'obscurité de la nuit théologique, de l'autre la clarté d'une aube nouvelle. Le renouveau des études sur la scolastique, ainsi qu'une approche plus précise et moins inconsidérément enthousiaste de ce phénomène divers, insaisissable, qu'est la Renaissance, ont favorisé une interprétation neuve de Hooker. Dès 1930, dans un premier article, A. Passerin d'Entrèves démontrait qu'il était anachronique de commenter la politique de Hooker à la lumière de Locke; il reprenait ce point de vue dans ses ouvrages ultérieurs, et notamment dans une étude comparée de Thomas d'Aquin, de Marsile de Padoue et de Hooker, dont le titre, à lui seul, était significatif: The Medieval Contribution to Political Thought: Thomas Aquinas, Marsilius of Padua, Richard Hooker (1939). Quelque vingt ans plus tard, Peter Munz, dans un ouvrage qui fait aussi date, The Place of Hooker in the History of Thought (1952), amplifie cette leçon: c'est toute la pensée de Hooker qu'il rattache à l'aristotélisme médiéval et non pas la pensée politique seulement, et il administre une puissante preuve de sa thèse en offrant, à la fin du livre, une table de concordance entre les passages parallèles de Hooker et de saint Thomas.

Nous avons pris le même parti. Qu'il s'agisse des principes généraux de la démarche intellectuelle, des grandes thèses métaphysiques et morales, des conceptions politiques, de l'analyse théologique, nous avons chaque fois souligné ce que doit Hooker à ses prédécesseurs médiévaux, à saint Thomas surtout, mais aussi à Marsile de Padoue et aux théoriciens de l'aristotélisme politique et, par-delà les médiévaux envers les néoplatoniciens, enfin à Aristote lui-même et à Platon.

Que Hooker soit un aristotélicien, qui le nierait? Cet aristotélisme évident, nous l'avons décelé à chaque instant: dans la fidélité aux canons de l'Organon, dans le rôle joué par la cause finale et la cause efficiente ou motrice, dans les articulations des opérations du vouloir et de l'intellect, dans la définition du bien et du bonheur, dans la conception téléologique de la loi morale, dans la description de la vertu comme habitus et médiété, dans les théories politiques. Mais ne voir qu'Aristote chez Hooker, ignorer l'influence de Platon, ou même la nier, c'est s'aveugler. L'effort constant pour lier ensemble les deux traditions, l'aristotélicienne et la platonicienne (qu'on veut trop souvent opposer) est, en effet, l'un des traits les plus marquants de sa pensée. Nous avons suivi cet effort dans l'analyse morale: nous avons vu le pluralisme éthique d'Aristote se résoudre dans l'unité platonicienne de la Perfection, et celle-ci s'égaler à la transcendance chrétienne du Dieu Un. Mais c'est dans l'usage que fait Hooker du concept de participation que la synthèse est la plus patente. Le concept s'articule, chez Platon, aux concepts d'imitation, de ressemblance ou de reflet. Chez Hooker, il s'articule aussi et d'abord au concept aristotélicien de causalité transitive ou d'efficience.

Rien dans cette fusion qui soit nouveau d'ailleurs. Elle remonte au néoplatonisme de l'époque hellénistique, par l'entremise des théologiens scolastiques du XIIe et du XIIIe siècles, et notamment de saint Thomas, dont on reconnaît aujourd'hui plus que par le passé la dette à l'égard de ce courant d'idées.

Mais la fidélité à la scolastique médiévale exclut-elle nécessairement Hooker de la compagnie des esprits nouveaux? Avant de classer les gens sur une liste de mérite ou de démérite dans la progression vers la modernité, il faudrait tracer avec précision le chemin à parcourir: tâche complexe qui se poursuit et qui n'autorise pas une distribution de prix trop facile. Il faudrait, par exemple, clarifier les rapports de similitude ou de différence entre l'aristotélisme médiéval et l'aristotélisme renaissant ou celui du XVIIe siècle; il faudrait faire le même travail pour Platon. On ne saurait se contenter d'emprunter une arme vieillie à la panoplie polémique de l'humanisme et confronter l'Aristote corrompu de la scolastique à l'Aristote vrai de la philologie, comme si les médiévaux n'avaient rien compris au Philosophe et comme si, dès qu'un humaniste invoquait son patronage, il disait nécessairement tout autre chose qu'un théologien du XIIIe siècle! Quant à Platon, c'est indiscutable, l'essentiel de son oeuvre est enfin révélé pour la première fois à l'orée de la Renaissance. Il est donc certain que le platonisme se renouvelle. L'occident jusque-là n'avait connu Platon qu'a travers les diverses formes du néoplatonisme hellénistique; à travers saint Augustin et Denys depuis le haut Moyen Age et, pour une date plus récente, à travers Proclus. Mais le Platonisme de la Renaissance, ce n'est pas seulement la découverte du vrai Platon, c'est d'abord et surtout un renouveau du néoplatonisme hellénistique lui-même. Marsile Ficin traduit Hermès Trismégiste et Proclus avant de s'attaquer aux Dialogues. Il ne faut pas exagérer les ruptures; les continuités sont évidentes.

Médiéval par certains côtés, Hooker n'en est donc pas moins pleinement de son temps. Il n'est pas difficile de voir ce qui le rattache à l'arminianisme naissant, soit qu'on retienne de cet arminianisme l'esprit libéral, la culture, et qu'on le

rapproche ainsi de son frère hollandais, soit plutôt qu'on s'in
téresse à sa "haute"théologie, à son goût pour la liturgie ou
à sa piété. Ce n'est pas l'un des moindres mérites de cette
école de joindre ensemble la largeur de vue, le savoir philolo-
gique, le sens poétique, la profondeur de pensée et l'ardeur
spirituelle. D'une telle harmonie de qualités diverses, Hooker
donnait déjà l'exemple. H.R. Mc Adoo, dans sa belle étude sur
l'esprit de l'Anglicanisme, The Spirit of Anglicanism, voyait
en lui le premier de cette prestigieuse lignée de théologiens
carolins et non pas un scolastique attardé.

Ainsi, on affronte un paradoxe. Les historiens au fait
de la pensée médiévale et familiers de son langage reconnaissent sans peine la dette de Hooker envers les siècles qui le
précèdent, tandis que les historiens des idées modernes, eux,
fidèles en définitive à l'ancienne lecture, continuent souvent
à voir en lui une lumière nouvelle. Rien à cet égard n'est plus
significatif que les commentaires qu'a livrés H.R. Trevor-Roper
récemment sur Clarendon et le groupe de Great Tew, dans un article du Times Litterary Supplement[3]. Ce groupe réunissait des
esprits curieux et libres, très divers : théologiens d'Oxford
comme Hammond ou Hales, philosophes comme Chillingworth ou
Hobbes, savants comme Boyle, poètes comme Ben Jonson, historiens comme Clarendon lui-même, grands seigneurs cultivés.
"Quant à leurs idées, écrit Trevor-Roper, ceux qui sont prêts
à conclure sans lire leurs oeuvres ont semé la confusion. Mais
il n'y a vraiment aucun mystère. Tous leurs écrits, toutes
leurs discussions révèlent les disciples d'Erasme et de Hooker
et montrent que la philosophie dont ils s'inspiraient pour leur
temps était celle du grand savant et philosophe hollandais contemporain Grotius, héritier conscient d'Erasme." La philosophie
de Grotius était une philosophie qui, dépassant la crise pyrrho-
nienne et la tentation dogmatique des premières années du siècle,
proposait un "scepticisme constructif qui conduisait en matière
religieuse à l'oecuménisme, à une religion qui, dépouillée des
particularités confessionnelles, se justifiait par la raison
naturelle et la continuité historique. Grotius lui-même avait
rêvé d'une religion tolérante qui aurait regroupé catholiques

et protestants modérés sous le contrôle du magistrat laïque."
Trevor-Roper tisse alors un réseau d'affinités entre les représentants de cette tendance, au nombre desquels on voit figurer
à la fois Sandys et Andrewes. "Hyde, membre du groupe de Great
Tew", poursuit-il, partageait certainement les principes philosophiques de ces hommes [...] Il s'entendait avec eux tous pour
vénérer Erasme, Hooker, Grotius." Et encore: "A un niveau plus
élevé, plus philosophique, le modèle de Hyde, c'était Hooker."
Jusque-là tout va bien: on accepte facilement de voir Hooker
invoqué avec Erasme et Grotius comme l'un des pères de cette
philosophie rationnelle, nuancée, tolérante, pénétrée de sens
historique. Mais Trevor-Roper, par l'entremise de Hyde, lui
fait avaliser des propositions qui l'eussent étonné: "Hyde est
essentiellement un moderne, un disciple de Bacon [...] le 'respect stupide de l'autorité des anciens' ('stupid reverence for
Antiquity') l'irrite[...] Comme Bacon, il ne peut souffrir les
scolastiques[...] C'eût été un bien pour la religion et l'Eglise
de Dieu qu'on leur enseignât le métier de charpentier naval,
de serrurier, d'armurier, d'artificier, ou tout autre métier
compliqué de ce genre' et qu'à l'école on leur apprit seulement
à lire et à écrire. Ils n'ont rien apporté au vrai savoir, rien
d'utile à l'humanité." Mépris des autorités, mépris de la scolastique: voilà donc Hooker engagé, une fois de plus et malgré
lui, dans la troupe élargie des pourfendeurs de monstres médiévaux.

On ne saurait suivre Trevor-Roper entièrement dans
cette vigoureuse campagne où trop de gens sont rassemblés sous
la bannière de l'arminianisme contre les dogmatismes anciens
ou nouveaux, ceux révolus de la vieille scolastique, ceux mena-
çants des jésuites ou des puritains. Pourtant, la reconstitu-
tion faite ainsi de tout un milieu qui se réclame à la fois
d'Erasme, de Hooker et de Grotius aide à mieux comprendre Hooker
lui-même. S'il est vrai que Hooker est un scolastique, il est
aussi vrai que c'est un humaniste; s'il faut en faire un disciple de saint Thomas, il faut en faire aussi un héritier d'Erasme.

Est-ce contradictoire? Pas un instant. Evidemment, si

par avance on charge la scolastique de tous les travers, de
toutes les laideurs, de toutes les monstruosités dont l'histoire
allègrement l'affuble encore parfois, Hooker est tout sauf un
scolastique. Si la scolastique est un amas d'arguties sur le
sexe des anges, un dogmatisme abstrait assujetissant le réel
aux catégories d'une logique figée, bref si elle répond du tout
au tout au portrait qu'effectivement les humanistes ont donné
d'elle, alors Hooker est aux antipodes de la scolastique. Certes, les humanistes avaient de bonnes raisons pour dresser ce
portrait, car ils s'attaquaient à la forme épuisée d'une grande
tradition; certainement, ils libéraient l'esprit d'un carcan
qui l'étouffait; ils se débarrassaient, par l'ironie, de complications ridicules, hideuses, mortes, pour aller aux sources,
retrouver la simplicité, la beauté, la vie. Mais le paradoxe
est qu'on se rend soi-même coupable du péché dogmatique à séparer les écoles de façon si nette pour infliger aux uns l'oppro-
bre et couvrir les autres d'éloges. On invente une scolastique
toute noire et un humanisme tout blanc, on dresse l'une contre
l'autre deux visions antinomiques du monde, et l'on exige un
choix! Cette image simplifiée, qui sans doute n'a plus tout à
fait cours, mais qui n'a pas non plus tout à fait disparu, ne
peut qu'apporter des déboires à l'historien de la culture. Il
lui faudra s'apercevoir à la fin que telles idées médiévales
qu'il voudrait désuètes gardent encore vigueur pendant deux
bons siècles et qu'inversement telles autres qu'il déclare nouvelles étaient reçues depuis longtemps. P.O.Kristeller a clari-
fié le débat en montrant que l'humanisme n'est pas à proprement
parler un système de pensée, qu'il est plutôt le refus de tout
système, une horreur de l'abstraction pure, une attitude ou une
sensibilité plus qu'une doctrine. Bien sûr, ne pas vouloir phil-
sopher, c'est encore philosopher. Cependant, l'idée est juste
et fournit un excellent outil d'analyse qui peut permettre d'accorder l'opinion d'un Passerin d'Entrèves ou d'un Munz à celle
d'un Trevor-Roper.

Quels traits de l'humanisme défini selon cet esprit
peut-on retrouver chez Hooker? L'humanisme est une réaction
contre l'abus syllogistique, contre la fausse technicité

scientifique ou philosophique; c'est une sorte de revanche des grammairiens et des rhétoriciens sur les logiciens. L'humaniste est persuadé qu'on n'accède pas au vrai sans la perception des beautés littéraires. Ce trait caractérise évidemment ceux d'entre les humanistes qui sont les plus étrangers à la spéculation abstraite, un Pétrarque, un Erasme, mais aussi les plus philosophes, un Marsile Ficin. Il caractérise Hooker. Nous avons volontairement négligé l'étude de son style, attachés que nous étions à décrire le contenu de ses idées et leur articulation; du moins, nous n'y avons fait que de brèves allusions, dans la mesure seulement où ces écarts servaient notre propos. Pousser l'analyse nous aurait contraints d'amplifier considérablement un travail déjà bien long. Mais on doit reconnaître qu'un tel parti pris laisse dans l'ombre un aspect essentiel de l'oeuvre de Hooker; il faudrait dire: de sa pensée même. Car elle ne peut se saisir comme une somme d'entités abstraites, dépouillées d'une forme qui leur serait accidentelle. Toutefois, dès l'étude des principes logiques mis en oeuvre par Hooker, alors même que nous soulignions sa fidélité à l'Organon et sa dette à l'égard de l'Ecole, nous avons montré qu'en fait l'argumentation procède le plus souvent chez lui par d'autres voies que la voie syllogistique; nous avons indiqué l'importance de méthodes plus libres, la place tenue par la résolution dialectique et par l'argument de convenance, enfin l'habileté du discours qui, s'il est précis, exact, démonstratif autant qu'il se peut, n'en utilise pas moins toutes les richesses d'une rhétorique savante. Surtout, nous avons dit que le détail des preuves est rassemblé dans une vision unique, ou mieux, traversé par cette vision qu'il réfracte ou qu'il suggère. La démarche est englobante toujours, comme la conception de la sagesse qui l'anime. L'effet d'ensemble est donc en définitive bien opposé à celui de la scolastique décadente; on ne voit pas une question se décomposer indéfiniment en questions subsidiaires, qui s'égrènent à leur tour en syllogismes, puis en propositions sans nombre où finalement se perd l'esprit; on voit encore moins s'affronter en lignes ordonnées les arguments adverses d'une sèche dispute; on épouse au contraire le mouvement d'une réflexion nourrie de quelques intuitions fondamentales, qui largement

se déploie sans perdre son point d'attache, entraînant avec
elle objections et réponses, mais encore qui s'adresse à toutes
les puissances de l'âme par les procédés de l'éloquence, et
convainc le coeur autant que la raison. Merveilleuse combinaison de précision intellectuelle et d'art verbal, bel exemple de
"sagesse oratoire", pour reprendre l'expression de Hooker.

Humaniste, Hooker l'est encore par la finesse de l'observation morale, psychologique, sociale; l'on songe ici à la
préface de l'E.P., où il retrace le développement du puritanisme, analyse par quels ressorts il touche les âmes et les retient, explique comment il s'organise, décrit les milieux qui
le reçoivent. Humaniste, il l'est surtout par le sens de l'histoire. Rien qu'il reconnaisse à la raison théologique le droit
de déduire les vérités nécessaires des principes immédiatement
évidents que contient l'Ecriture, en fait son approche des textes n'est pas abstraite. En raison même de sa discrétion dogmatique: les livres saints ne sont pas des recueils de théorèmes,
mais un ensemble hétéroclite de documents de toutes sortes,
qu'il faut restituer dans leur contexte pour en déterminer le
sens. Bien plus, ce sens premier ainsi retrouvé n'est pas la
seule norme: il faut en suivre les transformations, l'enrichis-
sement, à travers l'expérience des siècles. Enquête minutieuse,
où s'allie l'esprit critique au savoir, où l'on doit avancer
avec prudence, se contenter de conclusions modestes, laisser
ouvertes les hypothèses.

On pourra s'étonner que des traits aussi disparates
s'unissent chez Hooker. Il faut s'y résigner: chez lui la rigueur logique et le sens esthétique vont de pair; l'axiome
métaphysique et la notation concrète font bon ménage; l'étude
historique et la démonstration syllogistique se marient fort
bien; la technicité du vocabulaire ne détruit pas les vertus
persuasives de la phrase.

Une si grande diversité explique sans doute le curieux
paradoxe que Hooker n'a guère d'ennemis. Tous s'en réclament
et, par certains côtés, peuvent s'en réclamer. L'étude serait à

faire des accueils multiples qu'a reçus son oeuvre. Comme il
est significatif que les partis adverses, dès sa mort, se
soient prévalus de son patronage! Lectures partielles et par-
tiales, mais jamais absurdes, qui ont permis longtemps d'accuser les uns, puis les autres d'avoir tripoté les manuscrits
laissés. Les érastiens peuvent faire de Hooker un érastien,
les libéraux, un libéral. Les anglo-catholiques sont autorisés
à voir en lui l'un des ancêtres de leur tradition. Il plaît
aux évangéliques par la grande et belle idée qu'il a de la simplicité et de l'assurance de la foi, par la ferveur, par le
souci de la sainteté. Les orthodoxes sont sensibles à sa théologie trinitaire, à sa christologie, à sa conception eucharistique
de l'Eglise, à sa fidélité aux sources patristiques. Les catholiques l'ont toujours aimé; la légende s'est vite répandue de
l'admiration qu'aurait exprimée Clément VIII pour l'E.P., que
Stapleton lui aurait traduit en latin. Ils retrouvent chez
Hooker les intuitions essentielles de saint Thomas, les principes d'une synthèse analogue. L'aristotélicien rangera Hooker
parmi les aristotéliciens, le platonicien, parmi les platoniciens. L'averroiste pourra lire en son oeuvre la leçon d'Aver-
roès, transmise par Marsile de Padoue. Les théoriciens du contrat social invoqueront Hooker en s'appuyant sur les textes qui
décrivent la genèse de l'état et ceux qui proclament la souveraineté du corps politique et la règle de la loi. Mais les par-
tisans de la monarchie absolue n'auront pas de peine à faire de
Hooker l'un de leurs saints patrons en ignorant ces textes ou
en feignant de les croire interpolés pour s'arrêter aux seuls
textes de sens inverse, à ceux qui font du roi la source de
toute justice et le principe moteur du corps politique.

Quoique toutes ces lectures soient possibles, aucune
n'est pleinement fidèle. Elles privilégient, tantôt un aspect,
tantôt un autre; elles déséquilibrent une architecture puissante, menacée pourtant par des tensions internes. La grandeur
de l'oeuvre de Hooker, mais sa vulnérabilité, c'est d'avoir exploré ces tensions, de les avoir exprimées dans toute leur force, puis d'avoir cherché par quelle vision unifiante il était
possible de les résoudre et ainsi de réconcilier les chrétiens

d'Angleterre. Nous avons cru à son irénisme. Nous n'y avons pas
vu seulement un désir du coeur, mais un effort de l'âme, une
quête de l'esprit. C'est par cette "catholicité" que Hooker
nous reste aujourd'hui précieux.

NOTES

ABREVIATIONS

Nous avons désigné dans le corps même du texte l'oeuvre majeure de Hooker <u>Of the Laws of Ecclesiastical Polity</u> par l'abréviation <u>E.P.</u> Dans les notes, les références à l'<u>E.P.</u> sont faites de deux séries de chiffres: les premiers renvoient aux livres, chapitre et paragraphes de l'édition Keble (1836); les deuxièmes renvoient aux volumes et aux pages de cette édition.

Ex. : I, vii, 7 (I, p. 224) = Livre I, chap. iv, § ¹ 1 ¹, Tome I, p. 224.

LIVRE I

LA GENESE DE L'OEUVRE

DE

RICHARD HOOKER

CHAPITRE I

LA QUERELLE AVEC TRAVERS

(pp. 3-20)

1. Selon Walton, Hooker aurait été gratifié de la cure de Drayton Beauchamp dans le Buckinghamshire, le 9 décembre 1584, avant de recevoir celle du Temple (The Life of Mr Richard Hooker, Keble, I, p. 25). Mais, vraisemblablement, la première de ces cures lui a été conférée in absentia (C.J. SISSON, The Judicious Marriage of Mr Hooker, C.U.P., 1940, p. 20), en attendant sa nomination au Temple.

2. W. Speed HILL, "The Evolution of Hooker's Laws of Ecclesiastical Polity", in : Studies in Richard Hooker, ed. W. Speed HILL, Cleveland et Londres, 1972, p. 120.

3. P. COLLINSON, The Elizabethan Puritan Movement, Londres, 1967, p. 87.

4. W. Speed HILL, op. cit., pp. 119, 120, 121.

5. Sur Travers, cf. S.J. KNOX, Walter Travers : Paragon of Elizabethan Puritanism, Londres, 1962.

6. W. Speed HILL, ibid.

7. Ibid., p. 122. Sur les innovations liturgiques de Travers, cf. le témoignage de Hooker lui-même, Answer to Travers, 5 (III, pp. 573, 574).

8. WALTON, Life, additions de J. STRYPE, I, p. 28 sq.

9. W. Speed HILL, p. 123 ; WALTON, I, p. 26.

10. Sur Whitgift, cf. P.M. DAWLEY, John Whitgift and the English Reformation, New York, 1954. Sur ses rapports avec les puritains, notamment Cartwright, cf. A.F. Scott PEARSON, Thomas Cartwright and Elizabethan Puritanism, 1535-1595, Cambridge, 1925 ; également P. COLLINSON, op. cit.

11. P. COLLINSON, op. cit., Part 5,"1584", p. 242 sq.

12. Ibid., p. 273 sq., notamment p. 278 : "The puritans had never before been so strongly placed as they were in the Parliament of 1584-5".

13. Ibid., pp. 273, 274.

14. Ibid., pp. 277, 278.

15. WALTON, additions de STRYPE, I, p. 29.

16. Ibid., pp. 10, 15, 16, 17.

17. Ibid., p. 14.

18. L'autorité sur laquelle s'appuie cette affirmation concernant les cours de logique n'est pas Walton, mais Daniel Featley, cf. W. Speed HILL, p. 154, n. 7. Pour les cours d'hébreu, cf. WALTON, p. 19.

19. WALTON, p. 19.

20. Ibid., p. 18.

21. Answer to Travers, 26 (III, p. 596).

22. C.J. SISSON, The Judicious Marriage of Mr Hooker, C.U.P., 1940.

23. W. Speed HILL, p. 132.

24. Ibid., p. 129 sq. W. Speed HILL développe sa thèse à partir d'idées déjà émises par R.A. HOUK, Hooker's Ecclesiastical Polity : Book VIII, New York, 1931, et surtout par H. CRAIG, "Of the Laws of Ecclesiastical Polity - First Form", Journal of the History of Ideas (5), 1944, pp. 91-104.

25. Cf. supra, n. 21. W.D.J. Cargill THOMPSON, "The Philosopher of the 'Politic Society': Richard Hooker as a political thinker", in : Studies in Richard Hooker, pp. 3-76, ne voit dans ces protestations que procédés rhétoriques (a conscious literary device, p. 14). Il a, certes, raison d'insister sur la vigueur polémique de l'argumentation ; mais, comme nous allons essayer de le montrer, l'irénisme de Hooker n'est, ni complaisance, ni confusion. Le but de Hooker n'est pas plus de concilier que de réfuter, c'est d'aller aux racines des problèmes et d'éclairer les fondements de la théologie chrétienne.

26. W. Speed HILL, pp. 123, 128, 155 n. 24.

27. De ce duel, Walton rapportant un mot de Fuller (Worthies of England) écrit en effet : "The forenoon sermon spake Canterbury, and the afternoon, Geneva", cf. WALTON, p. 52 et la note 18 de Keble, ibid.

28. III, p. 108 sq.

29. WALTON et STRYPE, I, p. 52 sq. ; Travers' Supplication, III, p. 548 sq. ; Hooker's Answer to Travers, III, p. 570 sq. On trouvera un bon résumé de la querelle dans W. Speed HILL, p. 124 sq.

30. Sur ce sermon, cf. WALTON, I, pp. 22-23. La réponse de Hooker à la supplique de Travers laisse entendre de façon claire que le sermon sur la prédestination incriminé est celui de 1581, prêché à Paul's Cross, cf. III, p. 576. Keble pourtant semble croire qu'il s'agit d'un sermon prêché au Temple, cf. Pref., I, xliv. Sans doute s'appuie-t-il sur les affirmations de Travers lui-même, qui sont assez imprécises, cf. III, pp. 558, 559.

31. Cf. Keble, III, p. 550, n. 4, rapportant le récit fait par FULLER, Ch. Hist. b. ix. p. 217.

32. Cf. supra, n. 25.

33. Sermon I, A Learned and Comfortable Sermon of the Certainty and Perpetuity of Faith in the Elect : especially of the Prophet Habakkuk's Faith, III, pp. 469-81 ; sermon II, A Learned Discourse of Justification, Works, and how the Foundation of Faith is overthrown, III, pp. 483-547 ; sermon III, A Learned Sermon of the Nature of Pride, III, pp. 597-642 ; Mr Hooker's Answer to the Supplication that Mr Travers made to the Council, III, pp. 570-96. Selon Keble (Pref., I, p. xliv et III, p. 469, n. 1), ces trois sermons faisaient partie d'un ensemble de commentaires portant sur un texte de Habaquq. Le rapport entre le sermon I et le sermon II est évident. Ils traitent, comme on va le voir, des grands problèmes de la foi agités depuis la Réforme : l'assurance et l'inamissibilité de la foi pour le sermon I, la justification pour le sermon II. Le sermon III sur l'orgueil semble s'éloigner des premiers ; mais il s'y rattache bien par le thème de la justice et de ses liens avec la foi (cf. le texte commenté : His mind swelleth, and is not right in him ; but the just by his faith shall live, Ha ii, 4). Keble a donc certainement raison. Quant à la date de ces sermons, on peut affirmer sans crainte pour les deux premiers qu'ils ont été prononcés entre l'installation de Hooker au Temple (mars 1585) et l'interdiction de prêcher intimée à Travers (printemps 1586). Ces trois sermons

ont été publiés pour la première fois après la mort de
Hooker par Jackson, en 1612, chez l'imprimeur Joseph Barnes,
cf. W. Speed HILL, Richard Hooker, A Descriptive Bibliography of the Early Editions : 1593-1724, Cleveland/Londres,
1970, items 5, 6, 7, 8, pp. ⌈18-23⌉. La supplique de Travers
et la réponse de Hooker ont circulé en ms. avant cette pu-
blication, cf. W. Speed HILL, ibid., p. ⌈19⌉ et p. ⌈25⌉.
Nous ne tenons pas compte des autres sermons dans cette rapide analyse historique, à savoir du sermon IV (A Remedy
against Sorrow and Fear, 1re éd. 1612, III, pp. 643-53),
des sermons V et VI (Two Sermons upon Part of St Jude's
Epistle, 1re éd. 1614, III, pp. 659-99) et du sermon VII
(A Sermon found among the Papers of Bishop Andrews, III,
pp. 700-709), dont on ignore la date. L'authenticité des
sermons sur l'Epître de St Jude est mise en doute par Keble,
Pref., I, xlvii, xlviii ; Sisson, lui, la maintient, The
Judicious Marriage, pp. 109-11. Nous prendrions volontiers
parti pour Keble ; aux arguments qu'il donne et qui nous
semblent convaincants, on pourrait ajouter d'autres raisons.
Celle-ci par exemple : les deux dernières pages du sermon VI,
qui attaquent la déchéance épiscopale et l'insuffisance du
clergé par comparaison avec l'état de choses aux temps apostoliques, semblent d'une veine bien étrangère à celle des
livres V et VII de l'E. P. Elles rappellent davantage les
critiques des adversaires de Hooker que sa défense coutu-
mière et parfois complaisante de l'Eglise officielle.

34. Travers' Supplication, III, p. 566.

35. Answer to Travers, 16, III, pp. 585, 586.

36. Ibid., 23, p. 593 : "When I saw that Mr Travers carped at
these things, only because they lay not open, I promised at
some convenient moment to make them clear as light both to
him and to all others."

37. Ibid., 13 et 14, p. 579 sq.

38. Ibid., 9, p. 577 ; cf. infra, p. 413 sq.

39. Ibid., 23, 24, pp. 593-595 ; cf. infra pp. 135-136, 184-185.

40. Ibid., 14, p. 585.

41. Ibid., 16, pp. 585, 586.

42. Juin 1584, assassinat de Guillaume d'Orange ; fin 1584,
    Parme a reconquis une large partie des Pays-Bas ; janvier
    1585, Guise signe avec Philippe d'Espagne le traité secret
    de Joinville ; décembre 1585, Leicester est envoyé aux
    Pays-Bas avec des troupes ; février 1586, Walsingham inter-
    cepte la correspondance secrète de Marie Stuart et révèle
    le complot (the Babington Plot) qui conduira la Reine
    d'Ecosse à sa perte.

43. Nous avons indiqué déjà (cf. supra, n. 25) qu'en reconnais-
    sant le caractère irénique de l'oeuvre de Hooker, nous nous
    opposions à W.D.J. Cargill THOMPSON, cf. op. cit., p. 13 :
    "It is, as Christopher Morris has rightly said, a livre de
    circonstance, which has its roots in the controversies of
    the Elizabethan church. As such, it is primarily a work of
    polemic, designed to serve the same purpose as Whitgift's
    writings against Cartwright and the Admonitioners in the
    1570s and the writings of Bridges, Bancroft, and a succes-
    sion of Anglican divines in the 1580s and 1590s, whose aim
    was the refutation of Puritanism and the defense of the
    Elizabethan Settlement." Qui a jamais douté que l'E. P. fût
    au départ un livre de circonstance ? De là à conclure qu'il
    n'est que cela, il y a une marge. La différence entre Hooker
    d'une part, Whitgift, Bridges et Bancroft de l'autre, est
    que le premier dépasse très vite le propos polémique pour
    aller à la racine des problèmes. Il est irénique parce qu'il
    est profond. Il est vrai que cette volonté de systématisa-
    tion philosophique est pour W.D.J. Cargill Thompson un ar-
    gument de plus prouvant l'esprit polémique. En somme, les
    mêmes prémisses (l'hypothèse de la cohérence de la pensée

et de l'approfondissement du débat) nous conduisent, W.D.J.
Cargill Thompson et nous-même, à des conclusions opposées.

CHAPITRE II

LA MONTEE DU PURITANISME

(pp. 21-48)

1. WALTON, I, p. 35.

2. Cf. Keble, I, p. 35, n. 68. Egalement V. Norskov OLSEN, John Foxe and the Elizabethan Church, Univ. of California, 1973, p. 9 : "In March 1564, some of the clergy petitioned Archbishop Parker for indulgence toward their refusal to wear vestments. John Foxe was one of the twenty who signed this formal request."

3. I, p. 35 : "So that those very men, that began with tender and meek petitions, proceeded to admonitions, then to satirical remonstrances."

4. Il est paru, depuis bientôt trente ans, une énorme littérature sur le puritanisme. Voici les livres qui, plus que d'autres, nous ont guidé : P. COLLINSON, The Elizabethan Puritan Movement, Londres, 1967 ; A.F. Scott PEARSON, Thomas Cartwright and Elizabethan Puritanism, Londres, 1925 ; M.M. KNAPPEN, Tudor Puritanism, Chicago, 1939 ; L.J. TRINTERUD, Elizabethan Puritanism, New York, 1971. Les pages qui suivent montreront que nous restons fidèle à la distinction traditionnelle entre "puritains" et "anglicans", sans ignorer qu'il est anachronique d'employer ces termes pour notre période ni qu'ils prêtent à confusion. Si par "anglican" l'on désigne tout membre de l'Eglise d'Angleterre, il va de soi que les "puritains" (sauf peut-être les sépara-

tistes, et encore !) sont "anglicans". Cette évidence (pour
ne pas dire cette lapalissade) rappelée, il reste à décrire
les groupes politico-religieux qui s'affrontent à l'intérieur de l'Eglise officielle. En dépit de nuances multiples
et de variations individuelles qui viennent compliquer la
description, ces groupes présentent des traits généraux
suffisamment précis pour qu'on puisse conserver la dichotomie usuelle. Nous l'utilisons d'ailleurs dans le cadre
d'une période limitée (les dernières décennies du règne
d'Elisabeth). Sur cette question controversée, nous accep-
tons largement les conclusions du petit livre pénétrant de
J.F.H. NEW, Anglican and Puritan : The Basis of Their Opposition, 1558-1604, Londres, 1964. Cf. également l'excellente étude bibliographique de D. LITTLE, Religion, Order, and
Law : A Study in Pre-Revolutionary England, New York,
pp. 250-259.

5. Sur l'histoire de ce terme, cf. L.J. TRINTERUD, op. cit.,
   pp. 3-10, et, plus récemment, V. Norskov OLSEN, qui reprend
   tout le problème dans l'introduction de son livre, John
   Foxe and the Elizabethan Church, p. 5 sq.

6. P. COLLINSON, op. cit., Part I, chap. 2 & 3, pp. 29-55.

7. Ibid., pp. 65, 66 ; W.P. HAUGAARD, Elizabeth and the
   English Reformation, C.U.P., 1968, pp. 64-65, 119-127.

8. P. COLLINSON, p. 69 sq. ; L.J. TRINTERUD, p. 73 sq ;
   V.J.K. BROOK, A Life of Archbishop Parker, Oxford, 1962,
   pp. 162-179, 183-205. Le rôle exact joué par la Reine,
   Cecil et Parker dans cette affaire n'est pas entièrement
   clair, cf. P. COLLINSON, p. 69 : "It remains an open question whether Parker himself or Cecil or the queen launched
   the general and less fraternal assault on nonconformity
   which started in January 1565."

9. P. COLLINSON, pp. 71, 72.

10. Ibid., Part III, p. 99 sq.

11. A.F. Scott PEARSON, pp. 25-43 ; P. COLLINSON, pp. 112, 113, 122 sq. ; P.M. DAWLEY, John Whitgift and the English Reformation, pp. 81-84 ; H.C. PORTER, Reformation and Reaction in Tudor Cambridge, Cambridge, 1958, pp. 163-168.

12. P. 117.

13. Texte cité dans J.B. BLACK, The Reign of Elizabeth, O.U.P., 1936, p. 159.

14. Cité dans S.T. BINDOFF, Tudor England, Penguin Books, ed. 1971, pp. 231, 232.

15. P. COLLINSON, p. 119.

16. Cité par P. COLLINSON, p. 119.

17. P. COLLINSON, p. 120, p. 131 sq. Pour le texte de l'Admonition, cf. l'édition de W.H. FRERE and C.E. DOUGLAS, Puritan Manifestoes, Londres, 1907 ; A.F. Scott PEARSON en donne une courte analyse, p. 60 ; cf. également F. PAGET, Introduction to the Fifth Book of Hooker's Treatise of the Laws of Ecclesiastical Polity, O.U.P., 1907, pp. 47-57.

18. Cité par P. COLLINSON, p. 137.

19. Pour l'analyse de cette querelle, cf. A.F. Scott PEARSON, chap. ii et iii ; P. COLLINSON, pp. 137, 139, 149, 153, 413 ; M.M. KNAPPEN, pp. 234 sq., 247 sq.

20. P. COLLINSON, pp. 152, 153.

21. P. COLLINSON, pp. 195-197 ; M.M. KNAPPEN, pp. 256-57 ; L.J. TRINTERUD, pp. 193-97.

22. P. COLLINSON, pp. 208-239 ; M.M. KNAPPEN, pp. 262-63.

23. Quelques titres pour les années 1584-89 et pour les presby-
    tériens seulement (nous parlons un peu plus loin des sépa-
    ratistes et des martinistes) :

1584   - Anonyme, An Abstract of Certain Acts of Parlia-
         ment [..] ; ce pamphlet, mi-juridique, mi-religieux,
         provoque une réponse de l'anglican Richard Cosin,
         An Answer to [..] An Abstract (cf. infra, p. 39),
         qui entraîne la publication d'une réponse par le
         puritain Dudley Fenner, A Counterpoison, la même
         année.
       - William Fulke, A Learned Discourse of Ecclesiasti-
         cal Government, édité par John Field sous le titre
         A Brief and Plain Declaration [..] Ce livre est à
         l'origine des réponses du Dr Bridges, et notamment
         de son gros livre A Defence of Government Establish-
         ed, qui déclenchera toute une polémique : des ré-
         ponses de Fenner et de Travers (?) et surtout les
         attaques virulentes de Martin Marprelate (cf. infra,
         pp. 37, 38, 41, 42).

1586   - Dudley Fenner, A Defence of the Reasons of the
         Counterpoison [..]
       - Dudley Fenner, A Defence of the Godly Ministers [..]
         (réponse au Dr Bridges).
       - Anonyme (Travers ?) : A Defence of the Ecclesiasti-
         cal Discipline (également réponse au Dr Bridges).

1588   - John Udall, The State of the Church of England [..]
         (Diotrephes), publié anonymement ; A Demonstration
         of the Truth of that Discipline [..] publié anonyme-
         ment.

        Hooker se réfère, dans l'Ecclesiastical Polity, à
certains de ces ouvrages, notamment à : An Abstract, A
Counterpoison, A Defence of the Godly Ministers, A Defence
of the Ecclesiastical Discipline, A Demonstration of the
Truth of that Discipline.

24. P. COLLINSON, pp. 291-302 ; M.M. KNAPPEN, pp. 285, 286.
On a fait de Travers l'auteur ou l'un des auteurs du livre ;
Collinson en attribue la rédaction plutôt à Cartwright,
cf. pp. 294-95.

25. P. COLLINSON, pp. 303-316, notamment pp. 307, 308 : "The
bill which Cope and his friends had in hand was perhaps
the most immoderate measure ever to come before the House
of Commons. It was deliberately revolutionary, etc." ;
concernant le discours de Peter Wentworth, cf. p. 311 :
"In the rhetoric of his ringing, prophetic questions, Parliament was entrenched in the fundamental constitution of
the country with prerogatives of its own, a deadly threat
to the Tudor conception of Kingship. On this showing,
Elizabeth was more than justified in regarding puritanism
as a more insidious enemy than popery." ; cf. également
L.J. TRINTERUD, p. 170, G.E. ELTON, The Tudor Constitution,
3e éd. Cambridge, 1965, p. 265, M.M. KNAPPEN, pp. 292-93

26. Concernant le discours de Hatton et la collaboration des
trois hommes, Hatton lui-même, Whitgift et Bancroft, cf.
P. COLLINSON, pp. 313-14 ; également M.M. KNAPPEN, pp. 292,
296.

27. P. COLLINSON, pp. 386-87.

28. Ibid., p. 388.

29. Cf. A. PEEL and L.H. CARLSON, eds., The Writings of Robert
Harrison and Robert Browne, Londres, 1953.

30. Sur les rapports entre Cartwright, Browne et Harrison,
cf. A.F. Scott PEARSON, pp. 211-223.

31. Ibid.

32. Henry BARROWE, A Brief Discovery of the False Church, 1590,

710

cité par D.J. Mc GINN, John Penry and the Marprelate Controversy, Rutgers, 1966, p. 183.

33. Ibid., pp. 184-85.

34. Ibid., p. 186.

35. P. COLLINSON, pp. 347, 348. Hooker ne s'adresse aux separa tistes qu'exceptionnellement. Ici ou là, dans l'Ecclesiastical Polity, il laisse entrevoir que les principes presby tériens peuvent avoir des prolongements séparatistes ; cf. notamment le chap. viii de la Preface (I, p. 173 sq.), san doute ajouté par Hooker aux autres, après coup et sur la demande de ses protecteurs, Sandys et Cranmer (cf. infra, pp. 52, 58). L'amalgame n'est jamais grossier ; les différences sont soulignées tout autant que les parentés (cf. infra, chap. iii, n. 29).

36. Sur les Marprelate Tracts, cf. D.J. Mc GINN, op. cit. ; P. COLLINSON, pp. 391-96 ; M.M. KNAPPEN, p. 295 ; égalemen C.S. LEWIS, English Literature in XVIth Century excluding Drama, O.U.P., 1954, pp. 405-407.

37. P. COLLINSON, p. 391. Hooker cite à plusieurs reprises les tracts de Martin, ou fait allusion aux martinistes. Voici le passage le plus violent, tiré de la dédicace du livre V de l'Ecclesiastical Polity à Whitgift (V, Ded., 7 ; II, p. 6) : "Yet is not their grossness so intolerable, as on the contrary side the scurrilous and more than satirical immodesty of Martinism ; the first published schedules whereof being brought to the hands of a grave and very honourable knight, with signification given that the book would refresh his spirits, he took it, saw what the title was, read over an unsavoury sentence or two, and delivered back the libel with this answer : 'I am sorry you are of the mind to be solaced with these sports, and sorrier you have herein thought mine affection to be like your own'." Le grave and honourable knight auquel fait allusion Hooker

serait Walsingham selon Keble. L'anecdote rapportée, vraie ou fausse, montre à quel point les tracts ont desservi la cause presbytérienne auprès de ses protecteurs.

38. P. COLLINSON, p. 396.

39. D.J. Mc GINN, p. 41 ; également P. COLLINSON, p. 274 et M.M. KNAPPEN, p. 289.

40. A.F. Scott PEARSON, pp. 272, 273 ; sur l'ouvrage de W. Fulke, cf. également P. COLLINSON, p. 274, M.M. KNAPPEN, p. 290, D.J. Mc GINN, pp. 42-43, surtout L.J. TRINTERUD, pp. 231-301, qui réédite le texte.

41. D.J. Mc GINN, pp. 43-45 ; P. COLLINSON, p. 392 ; M.M. KNAPPEN, p. 290 ; A.F. Scott PEARSON, p. 273 ; également Norman SYKES, Old Priest and New Presbyter, C.U.P., éd., 1957, p. 61.

42. P. COLLINSON, p. 397 ; également M.M. KNAPPEN, p. 296 ; D.J. Mc GINN, p. 177 ; N. SYKES, p. 25.

43. Nous paraphrasons ici M.M. KNAPPEN, p. 497 ; cf. également D.J. Mc GINN, pp. 174-76, P. COLLINSON, p. 392.

44. D.J. Mc GINN, pp. 177-81 ; P. COLLINSON, p. 392 ; C.S. LEWIS, pp. 407-409.

45. N. SYKES, p. 25.

46. Ibid., p. 11.

47. Ibid., chap. i & ii, pp. 1-57.

48. Ibid., p. 62, n. 1 : "Quod me attinet Episcopos Ecclesiae necessarios arbitror" ; n. 2 : "In hac tertia parte non parva inter eos invenitur inaequalitas propter diversos

authoritatis gradus, quos primo Dominus statim ab initio
et postea Apostoli constituerunt."

49. Ibid., p. 63 ; M.M. KNAPPEN, p. 300.

50. N. SYKES, pp. 63-66. Pour toute cette question, cf. également Keble, Pref., I, p. lxv sq.

51. N. SYKES, pp. 8, 9.

52. Rien de plus clair, à cet égard, que le début de l'Admonition to Parliament : "The outwarde markes wherby a true
christian church is knowne, are preaching of the word pure-
ly, ministring of the sacraments sincerely, and ecclesiastical discipline which consisteth in admonition and correc-
tion of faults severelie." W.H. FRERE and C.E. DOUGLAS,
eds., Puritan Manifestoes, p. 9.

53. Cf. les textes de Barrowe cités supra, pp. 36, 37.

54. Cf. supra, pp. 39-41.

55. Cf. supra, pp. 42-44.

56. P. COLLINSON, p. 407.

57. P. COLLINSON, pp. 409-31 ; A.F. Scott PEARSON, p. 315 sq.

58. W. Speed HILL, Evolution, pp. 140, 141 ; G.R. ELTON, The
Tudor Constitution, Cambridge, éd. 1965, pp. 447-50.

59. D.J. Mc GINN, p. 182. Presbytérien extrême dès le début,
Penry est passé peu à peu au séparatisme ; c'est en outre
très probablement l'un des rédacteurs des tracts de Martin,
cf. D.J. Mc GINN, op. cit. Hooker cite à plusieurs reprises
certains de ses ouvrages, sans connaître évidemment l'identité de leur auteur, notamment : A Brief Discovery of the

Untruths and Slanders, 1590, An Humble Motion, 1590,
M. Some laid open in his colours, 1590.

60. W. Speed HILL, p. 140 sq.

C H A P I T R E   I I I

L'ECCLESIASTICAL POLITY. COMPOSITION ET PARUTION

(pp. 49-62)

1. WALTON, Life, Keble, I, p. 65.

2. W. Speed HILL, Evolution, pp. 123, 128, 156 n. 24.

3. Keble, I, p. 66.

4. Ibid., pp. 66-68.

5. C.J. SISSON, The Judicious Marriage, p. 52 et p. 134,
   item 14 : "... because books of that argument and on that
   part were not salable as they alledged".

6. Une autre déposition (celle de N. Eveleigh, l'agent de
   Sandys) est plus précise que celle de Spenser : elle explique la crainte des imprimeurs par la mévente de livres
   "de cet ordre" (in that kind) publiés récemment (for that
   the bookes of a reverent man being then newly printed were
   badly soulde), ibid., p. 138, item 2. Sisson a vu dans ce
   Révérend le Dr Henry Smith, p. 51. Il n'en reste pas moins
   que les imprimeurs ont accepté d'imprimer les livres qu'on
   vient de nommer cette même année 1593 et après la publica-
   tion de l'E. P. vraisemblablement. Ni la mévente des livres
   de Smith, ni celle des livres de Hooker ne les ont fait hé-
   siter.

7. I, ii, 1 (I, p. 200).

8. C.J. SISSON, p. 70 sq.

9. Ibid., p. 52 sq. ; W. Speed HILL, p. 132.

10. Pour tout cela et ce qui suit, cf. W. Speed HILL, op. cit.
    notamment pp. 129-45, qui, après R. BAYNE (Of the Laws of
    Ecclesiastical Polity : The Fifth Book, Londres, 1902),
    R.A. HOUK (Hooker's Ecclesiastical Polity : Book VIII,
    New York, 1931), C.J. SISSON (op. cit., 1940), H. CRAIG
    ("Of the Laws of Ecclesiastical Polity - First Form",
    Journal of the History of Ideas, (5),1944 , reprend le pro-
    blème entièrement.

11. 29 Januarij [1593] John|windet. Entred for his copie. The
    laws of ecclesiasticall| policie Eight bookes by RICHARD
    HOOKER. Cf. W. Speed HILL, Richard Hooker: A Descriptive
    Bibliography of the Early Editions, Cleveland/Londres,
    1970, p. [3].

12. Pref. vii, 2-6 (I, pp. 171-73) ; et à la fin de la préface
    "What things are handled in the books following" (I, p. 19

13. Pref. viii, 2 (I, p. 177) : "First concerning the supreme
    power of the Highest, they are no small prerogatives, whic
    now thereunto belonging the form of your discipline will
    constrain it to resign ; as in the last book of this treat
    ise we have shewed at large."

14. Keble, III, pp. 108-139.

15. II, pp. 598-610.

16. W. Speed HILL, p. 137.

17. Ibid., pp. 140-45.

18. Keble, II, p. 598, n. 1.

19. Ibid., pp. 602-605 (Here come the Brownists in the first rank, their lineal descendants [..] For if the positions of the reformers be true, I cannot see how the main and general conclusions of Brownism should be false).

20. Ibid., pp. 605-608.

21. Ibid., p. 608.

22. Pref. vii, 5 & 6 (I, pp. 172-73).

23. W. Speed HILL, p. 136 ; E. P., II, i, 3 (I, p. 288) : "In all parts of knowledge rightly so termed things most general are most strong."

24. Ibid. p. 134.

25. Chap. i-x ; chap. xviii-xxii (surtout xxi et xxii) ; chap. xxiii-xxv ; chap. xlviii, xlix ; chap. l-lvii,etc.

26. V, iii (II, p. 23 sq.) ; Pref., iii, 10 (I, pp. 150-51) ; III, viii (I, p. 364 sq.).

27. V, v (II, p. 28).

28. V, xxi, 2 (II, p. 84).

29. Si Hooker a cédé aux pressions de ses amis, il ne l'a pas fait au prix d'un sacrifice trop lourd. S'il a suggéré les filiations, il a cependant marqué les différences et il a gardé la même urbanité : "These men's hastiness the warier sort of you doth not commend ; ye wish they had held themselves longer in, and not so dangerously flown abroad before the feathers of the cause had been grown ; their error with merciful terms ye reprove, naming them, in great commiseration of mind, your 'poor brethren'. They on the contrary side more bitterly accuse you as their 'false brethren' (I, p. 174). On peut trouver là de l'ironie ; mais

elle est légère et, finalement, justifiée. Bien plus, si
l'on examine les germes de schisme ou de subversion que
Hooker découvre dans le presbytérianisme, on voit qu'il a
choisi de bons exemples. Il est exact de dire que les presbytériens s'opposent à la suprématie religieuse du roi comme l'entend la doctrine officielle. Il est tout aussi exact
de prétendre que leurs principes s'accordent mal à l'institution universitaire telle qu'elle existe. Assurément,
lorsque Hooker insinue que les presbytériens finiront par
s'en prendre à la Common Law, il va loin. On sait qu'une
bonne partie de leurs adeptes se recrutent dans le milieu
des common-lawyers et que, dès cette date, la défense de
la "réforme" et de la Common Law vont souvent de pair. Cependant, à juste titre, Hooker suggère le danger que recè-
le, pour les institutions juridiques du royaume, le cléricalisme de la doctrine presbytérienne ; il laisse imaginer
le territoire que peut revendiquer la "discipline", il cite
un texte inquiétant. Cf. infra, ce que nous disons à propos
du livre VI, pp. 63-76.

30. Par ex. V, xii (II, p. 44 sq.).

31. VIII, i, 2 (III, p. 328 sq.).

32. Ibid., p. 328, n. 3.

33. Ibid., p. 331, p. 334.

34. Ibid., p. 335.

35. "Richard Hooker : A reconstruction", The Cambridge Journal
    ⑤, 1952 , p. 307.

36. Londres, 1952, réimpression New York, 1970.

37. Lunds Universitets Årsskrift, n. s. I, vol. 54, n° 7,
    Lund, 1962.

719

38. C.U.P., 1956, réimpression 1957.

39. W.D.J. Cargill THOMPSON, "The Philosopher of the 'Politic Society'", in : W. Speed HILL (ed.), Studies in Richard Hooker, pp. 3-76. Cf. également Arthur S. Mc GRADE, "The Coherence of Hooker's Polity : The Books on Power", Journal of the History of Ideas (24), 1963, pp. 163-82.

40. W. Speed HILL, A Descriptive Bibliography, pp. [6], [7]. Pour la thèse de Sisson ici résumée, cf. C.J. SISSON, pp. 88-91.

C H A P I T R E   I V

LE PROBLEME DU LIVRE VI

(pp. 63-78)

1. W. Speed HILL, "Hooker's Polity, The Problem of the 'Three Last Books'", The Huntington Library Quaterly, vol. 34, 1971, pp. 317-336.

2. C.J. SISSON, op. cit., pp. 92-95 ; déposition de Spenser, article 8, p. 133 et articles 21-24, pp. 151-153.

3. Ibid., déposition de Spenser, articles 23 & 24, pp. 152 et 153.

4. Ibid., interrogatoire, article 24, p. 144 et déposition de Spenser, article 24, p. 153 ; W. Speed HILL, "Hooker's Polity", pp. 321-322.

5. C.J. SISSON, interrogatoire, article 25, p. 144.

6. W. Speed HILL, A Descriptive Bibliography, pp. [80], [81], et "Hooker's Polity", pp. 322-23.

7. "Hooker's Polity", p. 324 : "It was Andrewes' insistence that the tract be 'inserted' that led to the impasse."

8. Keble, I, pp. xxvi, xxvii.

9. "Hooker's Polity", p. 323.

10. C.J. SISSON, pp. 105-106.

11. VI, ii et iii (III, pp. 3-6).

12. VI, iii, 1 (III, p. 5).

13. Ibid., n. 15.

14. Keble l'a fait schématiquement dans sa préface, I, p. xxviii. Nous étoffons cette analyse.

15. I, p. 173 et p. 196.

16. VI, App.(III, p. 130).

17. Ibid., p. 139.

18. "Hooker's Polity", p. 324, n. 17, et p. 330.

19. V, Dedication, 3 (II, p. 3) : "So these [conflicts] which have lastly sprung up for complements, rites, and ceremonies of church actions, are in truth for the greatest part such silly things, that very easiness doth make them hard to be disputed of in serious manner".

20. V, lxxvii, 1 (II, p. 456).

21. Ibid., 2, pp. 456-57.

22. P.A. WELSBY, Lancelot Andrewes, Londres, 1958, p. 33.

23. Ibid., p. 41.

24. Ibid., p. 22 sq.

25. M.M. KNAPPEN, "The Early Puritanism of Lancelot Andrewes", Church History (2), 1933 , pp. 95-104 et Tudor Puritanism, p. 449 sq.

26. Cité dans P.A. WELSBY, p. 29.

27. Ibid., p. 32.

28. Ibid., p. 60.

29. Ibid., pp. 69 et 70.

C H A P I T R E V

LE DERNIER ECRIT DE HOOKER

(pp. 79-92)

1. A.F. Scott PEARSON, chap. vii ; en 1596, Cartwright publie A Brief Apology of Thomas Cartwright, cf. ibid. p. 365.

2. Cf. D.J. Mc GINN, op. cit., p. 194 sq. et 251 ; An Answer to a Certain Libel (1593), An Answer unto Job Throckmorton's Letter (1595), The Examination of M. Thomas Cartwright's Late Apology (1596).

3. F.L. CROSS, ed., Oxford Dictionary of the Christian Church.

4. Cf. surtout Christopher HILL, Society and Puritanism in Pre-Revolutionary England, Londres, 1964 ; Puritanism and Revolution, Londres, 1958 ; W. HALLER, The Rise of Puritanism, 1570-1643, New York, 1938 ; P. COLLINSON, op. cit., pp. 432-447 ; cf. l'excellente bibliographie commentée à la fin du livre de D. LITTLE, Religion, Order, and Law : A Study in Pre-Revolutionary England, New York, 1969.

5. P. COLLINSON, p. 433.

6. Ibid., p. 434.

7. M.M. KNAPPEN, op. cit., pp. 374-75.

8. Ibid., pp. 442-50 ; P. COLLINSON, p. 436.

9. H.C. PORTER, Reformation and Reaction in Tudor Cambridge,
   pp. 323-413 ; P. COLLINSON, p. 434 ; J.F.H. NEW, Anglican
   and Puritan, p. 14.

10. P.A. WELSBY, op. cit., chap. 1 et 2, pp. 3-72.

11. Op. cit., pp. 82, 83.

12. La querelle est assez longuement racontée par Ph. HUGHES,
    The Reformation of England, Londres, 1950, vol. III,
    pp. 232-34 ; cf. également M.M. KNAPPEN, pp. 369-70 ;
    P.A. WELSBY, pp. 42-45 ; H.C. PORTER, pp. 323-390.

13. J. LECLERC, Histoire de la Tolérance au siècle de la Réfor-
    me, Paris, Aubier, 1955, Tome II, p. 257 sq.

14. Ph. HUGHES, III, p. 233.

15. P. COLLINSON, p. 236.

16. Ph. HUGHES, p. 234.

17. M.M. KNAPPEN, p. 370.

18. Keble, I, p. 69.

19. Ibid., p. 74.

20. Cf. supra, p. 41.

21. Cf. Keble, I, p. 76, n. 52 (The Masterly paper on Barret's
    recantation).

22. Ibid., p. 85.

23. Sur la Christian Letter, cf. Keble, I, pp. ix-xvii.

24. Ces notes ont été publiées pour la première fois par Keble,
cf. I, p. xvii. Keble les a insérées, en grande partie,
dans ses propres notes, aux endroits qui lui semblaient le
plus approprié, et, pour le reste, à la fin de sa préface,
p. cx sq.

25. V. App.n° 1 (II, pp. 537-97) ; cf. le commentaire de Keble,
I, pp. xvii-xix.

26. Ibid., pp. 537-50.

27. Ibid., p. 543. Keble, dans la note 21, renvoie aux passages
incriminés.

28. Pp. 537-38.

29. P. 539 : "Grace contained under the purpose of predestinat-
ing may perfect, but cannot possibly destroy man's will".

30. P. 548.

31. Pp. 550-56, Natura et Numerus Sacramentorum.

32. Pp. 556-97, The Tenth Article touching Predestination.

33. P. 556 ; le passage incriminé se trouve au livre V, xlix,
3 (II, pp. 215-16), cf. Keble,n. 61.

34. C'est pourquoi Keble y voit un petit traité rédigé lors
de la querelle avec Travers et pour remplir la promesse
de revenir sur le débat, cf. I, p. xviii. Les arguments
de Keble ne nous semblent pas très convaincants, cf. notre
note, infra, p.433,n. 3.

35. II, p. 572.

36. P. 585.

37. I, p. xviii.

38. Dr Spenser's preface : "To the Reader", I, p. 123.

39. WALTON, Life, I, p. 84.

L I V R E   I I

LE SYSTEME DES LOIS. PRINCIPES ET METHODES

C H A P I T R E   I

LA NOTION DE LOI

(pp. 95-100)

1. <u>E. P.</u>, I, i. 3 (I, p. 200).

2. I, i, 1 (I, p. 200).

3. I, iii, 1 (I, p. 205) ; cf. également I, viii, 4 (I,
   p. 228) : "A law therefore generally taken, is a directive
   rule unto goodness of operation."

4. I, ii, 2 (I, p. 200).

5. <u>Ibid.</u>, 3, p. 201.

6. Il va de soi que nous entendons ici le terme positivisme
   au sens où les juristes l'emploient, et non les savants.
   Il s'agit de cette conception selon laquelle une loi n'est
   qu'une règle <u>posée</u> par une volonté, ou plus généralement
   par l'esprit humain, et n'a pas de rapport essentiel au
   "juste", à la nature ou à l'ordre des choses. Cf. les ouvrages de M. VILLEY, <u>Leçons d'histoire de la philosophie
   du droit</u>, Dalloz, Paris, 1962, <u>La formation de la pensée
   juridique moderne</u>, Montchrestien, Paris, 1968, <u>Seize essais
   de philosophie du droit</u>, Dalloz, Paris, 1969 ; cf. notamment <u>Leçons,</u> p. 70 sq.

7. <u>Sum. Theol.</u>, I^a II^{ae}, Q. 90, a.4.

8. Le concept de <u>promulgatio</u>, qui figure dans la définition
générique que nous avons donnée, perd tout caractère de
positivité quand on l'applique à la loi naturelle. Cf.
<u>Sum. Theol.</u>, I^a II^{ae}, Q. 90, a.4 : Promulgatio legis na-
turalis est ex hoc ipso quod Deus eam mentibus hominum
inseruit naturaliter cognoscendam". Sur tout cela, voir
O. LOTTIN, "La valeur des formules de saint Thomas concernant la loi naturelle", dans <u>Mélanges Joseph Maréchal II</u>,
Bruxelles, Ed. Universelle, Paris, Desclée de Brouwer, 1950.
Dans un sens opposé, cf. B. ROLAND-GOSSELIN, <u>La doctrine</u>
<u>politique de saint Thomas d'Aquin</u>, Paris, 1923, p. 69 sq.
(l'auteur, commentant la définition donnée, s'attache à
valoriser les éléments qui soulignent le caractère impératif de la loi, autorité, promulgation, sanction, etc.). Sur
les rapports essentiels entre loi et raison, cf. également
E. GILSON, <u>Le Thomisme</u>, Paris, éd. 1942, p. 364. Nous aurons souvent l'occasion, au long de ce travail, de rapprocher certaines analyses ou certaines formules de Hooker
d'analyses ou de formules analogues chez saint Thomas. Cela
ne signifie nullement pour nous que Hooker soit un thomiste
étroit et doctrinaire, ou qu'il ait écrit son ouvrage avec
la <u>Somme</u> sous les yeux. Une étude serait à faire pour déterminer la nature de son thomisme. Nous nous contenterons
de quelques remarques. La plupart des thèses "thomistes" de
Hooker relèvent en fait d'une synthèse large, commune à un
grand nombre de théologiens ou de philosophes du Moyen Age
et de la Renaissance. Saint Thomas a sans doute été l'ou-
vrier le plus prestigieux de cette synthèse ; mais il faut
envisager son oeuvre moins comme le produit d'une indivi-
dualité solitaire que comme l'expression d'un courant, voire même d'une mentalité. Qu'il s'agisse des concepts de loi
de création, de bien, de justice, de béatitude, des rapports de l'intellect et du vouloir dans l'acte humain, des
relations du naturel et du surnaturel, de la participation
ou d'autres problèmes, on retrouve effectivement chez
Hooker, comme la suite de ce travail le montrera, des op-
tions philosophiques qui le rattachent à cette lignée ou à
cette famille. On retrouve notamment (c'est l'une de nos

thèses essentielles) une synthèse analogue chez Hooker et
chez saint Thomas entre les principes d'Aristote et ceux
de Platon, par l'entremise des néo-platoniciens. Mais cette
fidélité philosophique fondamentale n'empêche pas Hooker de
se séparer, à l'occasion, de saint Thomas, de se réclamer,
ici ou là, en théologie surtout, d'auteurs ou de traditions
différents : de Pierre de Lombard, d'Alexandre de Hales, de
saint Bonaventure, de Duns Scot, des conciliaristes, de
bien d'autres encore, et très évidemment des réformateurs.
Qu'il soit donc bien entendu que si nous comparons, sur tel
ou tel point, l'approche de Hooker de celle de saint Thomas,
ce n'est pas pour établir une filiation servile, mais pour
mieux dégager les traits d'une pensée par le jeu de la confrontation. Sur la dette de Hooker à saint Thomas, cf.
A.P. D'ENTREVES, Ricardo Hooker ; Contributo alla teoria
e alla storia del diritto naturale, Turin, 1932, et The
Medieval Contribution to Political Thought : Thomas Aquinas,
Marsilius of Padua, Richard Hooker, Oxford, 1939 ; cf. également Peter MUNZ, The Place of Hooker in the History of
Thought, Londres, 1952. Munz dresse une table de concordan-
ces entre la philosophie de Hooker et celle de saint Thomas ;
mais, les considérant l'un et l'autre comme d'incondition-
nels aristotéliciens, il les situe mal, à notre avis,
dans l'histoire de la pensée.

9. I, ii, 5 (I, p. 203).

10. III, ix, 2 (I, pp. 381, 382).

11. H.R. Mc ADOO, The Spirit of Anglicanism, Londres, 1965,
    p. 6 : "an inner principle expressing itself by the fulfil-
    ment of proper ends" ; p. 7 : "Law is not so much a series
    of promulgations as a pattern of characteristic behaviour".

(pp. 101-128)

1. I, i, 3 (I, p. 200).

2. I, ii, 1 (I, p. 200), titre du chapitre.

3. I, iii, 1 (I, p. 205), n. 21.

4. I, iii, 1 (I, p. 205).

5. Ibid.

6. I, v, 3 (I, p. 216).

7. I, v, 2 (I, p. 215).

8. F. PAGET, Introduction to the Fifth Book of Hooker's Treatise of the Laws of Ecclesiastical Polity, 2e éd., Oxford,
   1907, p. 124.

9. Nous centrerons notre étude sur une comparaison entre
   Hooker et saint Thomas dans l'esprit que nous avons indiqué supra, chap. I, n. 8. Citons ici ce qu'écrit très justement W.D.J. Cargill THOMPSON, op. cit., p. 26 : "although
   Hooker undoubtedly made extensive use of St. Thomas,
   Aquinas' views on natural law were hardly unique, and his
   ideas were largely an elaboration of the official teaching
   of the medieval church" ; p. 29 : "The sixteenth century

Reformers did not, as one school of modern historians has
maintained, either reject or even substantially modify the
traditional medieval concept of natural law. On the contrary, as J.W. Allen rightly pointed out in his chapter on the
Laws (p. 188), the theory of natural law was held just as
strongly, if perhaps not always so consistently, by Protestants as by Catholics in the sixteenth century, and it is a
mistake to assume that it had no place in Protestant teaching."

10. Cf. supra, pp. 101-102.

11. I, iii, 1 (I, p. 205).

12. Ibid.

13. On peut ajouter qu'en insistant sur une loi en Dieu qui
n'est pas seulement la loi de sa Sagesse gouvernant l'univers, mais la loi de son être propre, Hooker prend position
dans la polémique contre la potentia absoluta des nomina-
listes,généralement acceptée par la Réforme. Cf. L. BOUYER,
Du protestantisme à l'Eglise, Paris, 1954, chap. vii, notamment p. 166 sq., et la discussion de ce problème à propos de Calvin dans F. WENDEL, Calvin, sources et évolution
de sa pensée religieuse, Paris, 1950, pp. 92-94 ; cf. également ce que nous disons infra, pp. 209, 210.

14. I, i, 3 (I, p. 200).

15. I, iii, 1 (I, p. 205).

16. I, iii, 2 (I, p. 206).

17. Cf. encore I, viii, 9 (I, pp. 233, 234) : "Law rational
therefore, which men commonly use to call the Law of Nature,
meaning thereby the law which human Nature knoweth itself
in reason universally bound unto, which also for that cause
may be termed most fitly the Law of Reason" ; également

I, viii, 8 (I, p. 233) : "The Law of Reason or human Nature
is that which men by discourse of natural Reason have
rightly found out themselves to be all for ever bound unto
in their actions."

18. I, x, 5 (I, p. 243) ; également I, xii (I, p. 262 sq.).

19. Cf. les ouvrages cités supra, chap. i, n. 6.

20. Nous résumons ici les thèses de M. VILLEY, cf. notamment
La formation de la pensée juridique moderne, IV, "l'humanisme et le droit", pp. 397-552 ; également Seize essais,
chap. iv, "l'humanisme et le droit", pp. 60-73. Pour une
approche analogue, cf. Leo STRAUSS, Droit naturel et histoire, trad. Monique Nathan et Eric de Dampierre, Paris,
1954 (Strauss dissocie explicitement Hooker du droit naturel moderne en le comparant à Locke, cf. p. 232 sq.) ;
cf. également H. ROMMEN, Le droit naturel, trad. E. Marmy,
Paris, 1945.

21. Cf. S.B. CHRIMES, English Constitutional Ideas in the
XVth Century, O.U.P., 1947, p. 196 : "This law of nature
or of reason, as the English wisely preferred to call it".
Sur Saint Germain, cf. ibid., p. 204 sq. Cf. également
E. LEWIS, Medieval Political Ideas, Londres, 1954, T. I,
pp. 15, 16 : "A distate for canonist terminology induced
the English framers of the Common Law before the Reformation to avoid references to the law of Nature, but as
Pollock points out, the Common Law concept of reasonable-
ness played the same role and was part of the same structure of ideas."

22. I, x, 13 (I, p. 251) : les lois de la raison "direct each
particular person in all his affairs and duties" ; dans ce
passage Hooker les oppose aux lois civiles ou politiques et
aux lois des nations qui, seules, ont un caractère proprement social et donc juridique. Cf. encore I, viii, 11

(I, p. 235), où la loi de raison est explicitement assimilée à la loi morale.

23. I, vii, 4 (I, p. 222).

24. I, viii, 1 (I, p. 225).

25. I, vii, 4 (I, p. 222).

26. I, viii, 3 (I, p. 227).

27. Ibid., 9, p. 233.

28. I, xii, 2 (I, p. 263).

29. I, viii, 7 (I, p. 231) ; x, 12 (I, p. 250).

30. I, viii, 7 (I, p. 232).

31. Cf. I, viii, 11 (I, p. 236) : "Within the compass of which laws we do not only comprehend whatsoever may be easily known to belong to the duty of all men, but even whatsoever may possibly be known to be of that quality, so that the same be by necessary consequence deduced out of clear and manifest principles."

32. Cf. M. VILLEY, La formation de la pensée juridique moderne, p. 524, sq.

33. Ibid., p. 406.

34. La même idée est exprimée par Roscoe POUND dans An Introduction to the Philosophy of Law, Yale University Press, 11e éd., 1971, p. 38 : "Transition to the newer way of thinking may be seen in the Spanish jurist-theologians of the 16th century. Their juristic theory [...] differs significantly from the idea of antiquity although it goes by the old name."

35. M. Villey ne l'ignore pas et le dit fort bien, cf. ibid.,
    p. 127 : "Saint Thomas a seulement repris, pour atteindre
    ces résultats, l'anthropologie d'Aristote et peut-être sur-
    tout stoïcienne ; le De Officiis est sans doute sa source
    principale."

36. S. T., I^a II^{ae}, Q. 91, a. 1, Resp.

37. Ibid., Q. 95, a. 2, Resp.

38. Ibid., Q. 90, a. 1, ad 2m.

39. S. T., ibid. ; également Q. 95, a. 2, Resp. : "Primus
    [modus] est similis ei quo in scientiis ex principiis con-
    clusiones demonstrativae producuntur." M. Villey refuse,
    semble-t-il, de voir dans ces "conclusiones" quoi que ce
    soit de déductif (cf. Leçons, p. 146) ; mais ce dernier
    texte est fort clair et montre bien que le mot "conclusio"
    peut impliquer l'idée d'un raisonnement déductif ou syllo-
    gistique ; qu'on se reporte à l'article entier. La recher-
    che empirique, souple, libre, chère à M. Villey, est expri-
    mée bien plutôt par les termes dispositiones adinventae
    (Q. 91, a. 3), determinationes, (Q. 95, a. 2), principia
    per industriam hominum excogitata (In Ethic. V, 12). Le
    langage de Hooker est très proche de celui de saint Thomas.
    Adinventum est rendu par found out ; à demonstrativae con-
    clusiones correspond necessarily conclude, deduce by ne-
    cessary consequence, etc. Cf. ce que nous disons un peu
    plus loin. Le parallélisme de Q. 95, a. 2 et de la fin de
    I, viii, 11 (I, p. 236) est frappant.

40. Vernon J. BOURKE, History of Ethics, Image Books, N. Y.,
    1970, vol. 1, p. 127 sq. Sur l'histoire générale du concept
    de raison droite et, plus particulièrement, sur son histoi-
    re à l'époque de la Renaissance anglaise, cf. Robert HOOPES,
    Right Reason in the English Renaissance, H.U.P., Cambridge,
    Massachusetts, 1962.

41. Les exemples abondent. Cf. le début du chap. viii, p. 225 :
"as everything naturally and necessarily doth desire the
utmost good and greatest perfection, etc." ; de même,
viii, 9, p. 233 : "Laws of Reason have these marks to be
known by. Such as keep them resemble most lively in their
voluntary actions that very manner of working which Nature
herself doth necessarily observe in the course of the whole
word." ; de même, ix, 1, p. 237 : "Now the due observation
of this Law which Reason teaches us cannot be but effectual
unto their great good that observe the same. For we see the
whole world, etc."

42. I, vii (I, p. 219 sq.). C'est dans ce chapitre (4, p. 222)
que figure la phrase stoïcienne de ton que nous avons citée : "The Laws of well doing are the dictates of right
Reason" ; mais elle est précédée d'une autre phrase qui met
l'accent, non sur l'ordre impératif (dictate), mais sur la
recherche (discovery) ; "Where understanding therefore needeth, in those things Reason is the director of man's Will
by discovering in action what is good". Il serait facile
également de montrer comment le verbe direct et ses dérivés
sont généralement associés, dans le langage de Hooker, avec
l'idée d'enquête ou de délibération rationnelle, cf. par
ex. III, ix, 1 (I, pp. 380, 381) : "And a number of things
there are for which the Scripture hath not provided by any
law, but left them unto the careful discretion of the
Church ; we are to search how the Church in these cases may
be well directed to make that provision by laws which is
most convenient and fit (c'est nous qui soulignons)."

43. Cf. I, viii, 11 (I, p. 236) in fine ; cf. supra, n. 37.

44. Cf. infra, Exégèse et interprétation juridique, p. 165 sq.
et Principes logiques, chap. v , p. 177 sq.

45. On a finalement, chez Hooker comme chez saint Thomas, trois
plans échelonnés : le plan des premiers principes (principia per se nota ; principles apparent in themselves), le

plan des principes seconds ou proches, ou des règles dédui-
tes, (principia propinqua, conclusiones demonstrativae ;
laws by necessary consequence deduced), le plan des décisions concrètes, des règles découvertes (dispositiones
adinventae, excogitatae per industriam rationis determina-
tiones ; probable collections, free determinations). Ces
trois plans se retrouvent en théologie, cf. infra, pp. 142,
143. Ils correspondent aux grandes articulations de la logique aristotélicienne, cf. infra, p. 184 sq.

46. A la vérité, une analyse détaillée des sources montrerait
l'influence très grande aussi du platonisme. Platon lui-
même bien sûr, Denys sont cités au livre I, mais encore
Hermes Trismégiste, Nicolas de Cuse, Marsile Ficin. Cette
influence accentue l'aspect cosmique de la pensée. Noter,
par exemple, l'allusion à la correspondance du macrocosme
et du microcosme, I, ix, 1 (I, p. 237) ; elle illustre l'in-
tégration de l'homme à l'univers. C'est l'un des propos de
ce travail que de montrer la fusion des thèmes platoniciens
aux thèmes aristotéliciens chez Hooker. Pour une conception
contraire à celle que nous avons développée au long de ces
dernières pages, cf. W. Speed HILL, The Doctrinal Background
of Richard Hooker's Laws of Ecclesiastical Polity, Ph. Dissertation, Harvard University, 1964, que nous n'avons pas
pu consulter, mais dont Egil GRISLIS donne la substance
dans Studies in Richard Hooker, "The Hermeneutical Problem
in Hooker", p. 165 : "W. Speed Hill develops a major pre-
sentation in distinctively modern categories. He also
brings to light several Kantian presuppositions. Hill de-
fines reason as 'essentially an instrument of moral choice'
and distinguishes 'ethical reason' from 'scientific reason'.
It is the former which experiences reality in a total way,
and it can only do this on the basis of 'self-esteem',
defined as 'the character of the assumptions he instincti-
vely makes as to the worth of his own existence as a human
creature' (pp. 179-80) [...] Hill sees the continuing
relevance of Hooker's thought in its concern with 'inward
values', which are 'peculiar to man as a sentient and a

subjective being' and which cannot be supplied from without
by scientific reason (p. 193)." Il nous semble difficile
d'affirmer plus radicalement la séparation, chez Hooker,
du monde moral de la Nature, de l'ordre universel.

47. E. TROELTSCH, The Social Teachings of the Christian
Churches, trad. par Olive Wyon, 2 vol., Londres, 1931.

48. Op. cit., p. 150 sq., et p. 257 sq.

49. A.P. D'ENTREVES, Natural Law, Harper Torchbooks, éd. 1965,
p. 37, n. 1.

50. I, x, 13 (I, p. 251).

51. Ibid.

52. Sum. Theol., I^a, Q. 96, a. 4, Resp.

53. I, iii, 5 (I, p. 211).

54. I, iv, 2 (I, p. 213).

55. Ibid.

56. I, x, 10 (I, p. 248).

57. I, x, 12 (I, p. 250).

58. I, x 11 (I, p. 249).

59. I, x, 14 (I, p. 252).

60. I, xv, 2 (I, p. 273).

61. Ibid.

62. *Ibid.*, p. 274.

63. I, xv, 1 (I, p. 273) ; également I, x, 7 (I, p. 244).

64. I, iii, 1 (I, p. 205).

65. V, App. n°1 (II, p. 543) : "inasmuch as the only command-
ment of God did make it necessary, and not the necessity
thereof procure it to be commanded, as in natural laws it
doth."

66. I, xv, 1 (I, pp. 272, 273) : "Laws natural do always bind ;
laws positive not so, but only after they have been expressly and wittingly imposed."

67. I, x, 7 (I, p. 245) : "Laws do not only teach what is good,
but they enjoin it, they have in them a certain constraining force." ; 8, *ibid.* : "Howbeit laws do not take their
constraining force from the quality of such as devise them,
but from that power which doth give them the strength of
laws."

68. I, ix, 2 (I, pp. 238, 239) : "He is the only rewarder and
revenger of all such actions."

69. III, ix, 1 (I, p. 381).

70. *Sermon III* (III, p. 618).

71. *Ibid.*, p. 619.

72. I, xv, 1 (I, p. 273) : "Positive laws are either permanent
or else changeable, according as the matter itself is concerning which they were first made. Whether God or man be
the maker of them, alteration they so far forth admit, as
the matter doth exact."

73. <u>Sermon III</u> (III, p. 619). Le critère permettant de distinguer adéquatement le permanent du variable est donc bien
établi dès le sermon. L'évolution de Hooker n'a consisté
qu'à abandonner l'équation positif = variable.

74. V, lxxxi, 4 (II, p. 513) : "which matter <u>indefinitely</u> considered in laws of common right is in privileges considered <u>as beset and limited</u> with <u>special circumstances</u>" (c'est
Hooker qui souligne).

75. III, x, 3 (I, p. 387) : "The end wherefore laws were made
may be permanent, and those laws nevertheless require some
alteration, if there be any unfitness in the means which
they prescribe as tending unto that end and purpose."

76. <u>Ibid.</u>, p. 386 : Laws "are not only to be framed according
to the general end for which they are provided, but even
according unto that very particular end, which riseth out
of the matter whereon they have to work".

77. <u>Ibid.</u>, 4, p. 387 : "the end for which and the matter whereunto God maketh his laws".

78. V, lxxxi, 4 (II, p. 514) : "He that will therefore judge
rightly of things done must join with his forms and conceits
of general speculation the matter wherein our actions are
conversant."

79. III, x, 4 (I, p. 387).

80. <u>Pref</u>. iii, 3 (I, p. 145) : "If it be granted a thing unlawful for private men, not called unto public consultation,
to dispute which is the best state of civil polity $\lceil .. \rceil$ if
it be a thing confessed, that of such questions they cannot
determine without rashness, inasmuch as a great part of
them consisteth in special circumstances, etc." Cf. également I, xvi, 5 (I, p. 282) : "Because except our own private and but probable resolutions be by law of public de-

terminations overruled, we take away all possibility of sociable life in the world." Cf. encore I, x, 8 (I, p. 245), cité supra, n. 67.

81. III, xi, 1 (I, p. 391).

82. II, iv, 4 (I, p. 296).

83. Ibid., p. 297.

84. III, iii, 3, 4 (I, pp. 355, 356). Cf. infra, p.399 sq.

85. III, x, 7 (I, p. 389) : "The matter contrariwise of action daily changeable, especially the matter of action belonging unto church polity". Hooker, bien sûr, ne fait que répéter ici un principe aristotélicien.

C H A P I T R E   I I I

ECRITURE, RAISON, AUTORITE

(pp. 129-147)

1. Déjà Whitgift s'était indigné contre cette atteinte à la
   liberté humaine : "a great bondage to conscience", Works,
   éd. Parker Society, T. I, p. 194.

2. Cf. II, i, 4 (I, p. 289).

3. I, xii (I, p. 262 sq.) : "The cause why so many natural laws
   are set down in Holy Scriptures". Cf. également II, i, 2
   (I, p. 288) ; III, ix, 1 (I, p. 381), etc. Il s'agit d'un
   lieu commun de la théologie, que les puritains ne nient
   pas. Cf. Ch. and K. GEORGE, The Protestant Mind of the
   English Reformation, Princeton, 1961, p. 39 sq. Calvin lui-
   même consacre les premiers chapitres de l'Institution à
   cette connaissance naturelle pour la réduire, il est vrai,
   à bien peu de chose. Si Hooker revient si souvent sur ce
   point, c'est que, selon lui, le biblicisme de ses adversaires déprécie cette évidence. Cf. sur cette question l'analyse de la position thomiste dans E. GILSON, Reason and
   Revelation, New York/Londres, 1954, p. 82. Cf. également
   du même, Christianisme et Philosophie, Paris, 1949. Egil
   GRISLIS,"The Hermeneutical Problem in Hooker",in : Studies
   in Richard Hooker, pp. 186, 187, souligne bien ici les
   sources thomistes de Hooker. Nous allons revenir sur ce
   point dans un instant.

4. Cf. supra, p. 102 ; I, iii, 1 (p. 205) ; I, xi, 6
   (pp. 260, 261).

5. I, xv (I, p. 272 sq.) et III, x (I, p. 384 sq.) ; cf. supra,
   p. 122 sq.

6. I, xiv, 1 (I, p. 268).

7. V, xxii, 5 (II, p. 92) : "Whatsoever we may learn by them
   ⌊by the contemplation of heaven and earth⌋, the same we can
   only attain to know according to the manner of natural
   sciences, which mere discourse of wit and reason findeth
   out, whereas the things which we properly believe by only
   such as are received upon the credit of divine testimony."
   Cf. ce que nous disons sur l'"objet de la foi", infra,
   pp. 396-99 .

8. Sur le christocentrisme de l'herméneutique de Hooker, cf.
   Egil GRISLIS, op. cit., pp. 191, 192 ; cf. également notre
   prochain chapitre, "Principes d'exégèse" et notre chapitre
   "L'objet de la foi", pp. 395-401.

9. Cf. II, viii, 6 (I, p. 335) ; cf. également Egil GRISLIS,
   op. cit., p. 185.

10. Sermon I (III, pp. 476, 477) : "The simplicity of faith
    which is in Christ taketh the naked promise of God, his
    bare word, and on that it resteth."

11. Concernant l'effet du péché sur la raison, cf. entre autres
    passages : I, vii, 7 (I, p. 224) ; I, viii, 11 (I, pp. 235,
    236 sq.) ; I, xii (I, p. 262 sq.) ; V, App. n° 1 (II,
    p. 543) ; cf. infra, "Principes logiques", p. 177 sq. ; éga-
    lement "Intelligence et Volonté",p. 229 sq., surtout "Natu-
    re et Surnaturel", p. 353 sq.

12. III, viii, 13, 14, 15 (I, p. 375 sq.).

13. Est-il nécessaire d'indiquer que Hooker ici essaie de se situer entre une théologie catholique de l'Ecriture (Ecriture et Tradition) et une théologie protestante radicale (Ecriture et Esprit). Il faut bien voir qu'il ne récuse ni l'une ni l'autre entièrement. Il récuse leur exclusivisme et les conséquences qu'il peut avoir sur le statut théologique de la raison. Il reconnaît le témoignage de la Tradition ; mais suffit-il ? Il admet la nécessité d'une grâce spéciale de l'Esprit ; mais cette grâce est-elle tout ? Nous avons ici paraphrasé le texte en le suivant d'aussi près que possible.

14. Ibid., 15, p. 377 : "that even to our ownselves it needeth caution and explication how the testimony of the Spirit may be discerned, by what means it may be known".

15. Ibid., 16, p. 378 : "Exclude the use of natural reasoning about the sense of Holy Scripture concerning the articles of our faith, and then that the Scripture doth concern the articles of our faith who can assure us ? That, which by right exposition buildeth up Christian faith, being misconstrued breedeth error : between true and false construction, the difference reason must shew."

16. Answer to Travers, 24 (III, p. 594).

17. Cf. E. GILSON, Reason and Revelation, p. 76 : "In its own way theology itself is a science, whose conclusions necessarily follow from their principles ; but those principles are articles of faith". Cf. surtout M.D. CHENU, La Théologie comme science au XIIIe siècle, Paris, 1957, notamment chap. v,"La science théologique", p. 67 sq., et plus particulièrement encore p. 85 sq., "La raison théologique".

18. Cf. supra, p. 135.

19. I, xiv, 5 (I, p. 271) : "and therefore they which add traditions, as part of supernatural necessary truth" ; II,

viii, 5 (I, p. 334) : "they are induced [..] dangerously
to add to the word of God uncertain tradition".

20. Cf. G. TAVARD, Holy Writ and Holy Church, Londres, 1959,
passim, notamment chap. xii.

21. Cf. supra, p. 131 sq.

22. I, xiv, 5 (I, p. 271) : "And therefore they which add traditions, as part of supernatural necessary truth, have not
the truth, but are in error."

23. V, xxi, 2 (II, p. 85) : "We therefore have no word of God
but the Scripture [..] we are when we name the word of God
always to mean the Scripture only (c'est Hooker qui souligne)."

24. I, xiv, 5 (I, p. 272).

25. Whitaker est généralement classé parmi les "puritan divines". C'était un théologien de grand renom, calviniste de
strict obédience, violemment anti-romain, le plus grand
adversaire, à cette date, des apologistes catholiques, notamment de Bellarmin et de Stapleton ; il joua un rôle décisif dans la querelle autour de Baro et de Barret et dans
la rédaction des Lambeth Articles, cf. supra, p. 83 sq.

26. V, lxv, 2 (II, p. 318) : "Lest therefore the name of tradition, should be offensive to any, considering how far by
some it hath been and is abused, we mean by traditions,
ordinances made in the prime Christian religion, establish-
ed with that authority which Christ hath left to his Church
for matters indifferent, and in that consideration requisite to be observed, till like authority see just and reasonable cause to alter them. So that traditions ecclesiastical are not rudely and in gross to be shaken off, because
the inventors of them were men."

27. Ibid.

28. V, vii, 2 (II, p. 31). ARIST, Eth. VI, 12, 1143 b 10-15.

29. II, vii, 2 (I, p. 319). Il est bien évident que, par cette allusion aux droits privés, Hooker se réfère à l'autorité jurisprudentielle des juges, au système des précédents, cf. notre analyse de ces problèmes, infra, p. 165 sq.

30. Ibid.

31. II, vii, 4 (I, pp. 321, 322). Cf. également, Pref. iii, 2 (I, pp. 143, 144) : "Other things also there are belonging (though in a lower degree of importance) unto the offices of Christian men : which, because they are more obscure, more intricate and hard to be judged of, therefore God hath appointed some to spend their whole time principally in the things divine, to the end that in these more doubtful cases their understanding might be a light to direct others [..] In our doubtful cases of law, what man is there who seeth not how requisite it is that professors of skill in that faculty be our directors ? So it is in all other kinds of knowledge. And even in this kind likewise the Lord hath himself appointed, that 'the priest's lips should preserve knowledge, and that other men should seek the truth at his mouth, because he is the messenger of the Lord of hosts'."

32. II, vii, 5 (I, pp. 323, 324).

33. Et par "ordre théologique" nous entendons la doctrine aussi bien que la "polity", aussi bien que les "matières indifférentes". La citation suivante justifiera suffisamment cette assertion, II, vii, 5 (I, p. 324) : "Surely if a question concerning matter of doctrine were proposed, and on the one side no kind of proof appearing, there should on the other, be alleged and shewed that so a number of the learnedest divines in the world have ever thought ; although it did not appear what reason or what Scripture led them to be of

that judgment, yet to their very bare judgment somewhat a
reasonable man would attribute, notwithstanding the common
imbecilities which are incident into our nature". Cf. également I, x, 14 (I, pp. 252, 253), concernant l'autorité
des conciles oecuméniques. Cette affirmation claire de
l'autorité doctrinale de l'Eglise est parfaitement conforme aux Trente-neuf Articles. Il n'y a pas plus de contradiction chez Hooker affirmant cette autorité d'un côté et
de l'autre reconnaissant l'Ecriture comme seule et unique
règle de foi qu'il n'y en a entre l'article vi (Holy Scripture containeth all things necessary to salvation, etc.) et
l'article xx (The Church hath power to decree Rites and Ceremonies and authority in controversy of Faith, etc.). Il
ne s'agit pas d'un compromis illégitime, mais d'une mesure
fine des choses, d'un étagement délicat des distinctions.
En un mot, et ceci apparaîtra plus clairement par la suite,
l'autorité doctrinale de l'Eglise s'exerce dans l'ordre infiniment vaste du probable.

34. V, vii, 3 (II, p. 32).

35. Hooker rejoint ici les théoriciens de la Common Law, cf.
infra, pp. 173, 175. Voir J.D. EUSDEN, Puritans, Lawyers,
and Politics in Early Seventeenth Century England, Yale,
1958, notamment chap. 6. Sur la coutume et son rapport à
la raison et au consentement, cf. encore infra, pp. 284-
287.

36. I, xvi, 5 (I, p. 282).

37. V, viii, 2 (II, p. 34).

38. Cf. également II, vii, 5 (I, p. 323), notamment : "Now it
is not required nor can be exacted at our hands, that we
should yield unto any thing other assent, than such as doth
answer the evidence which is to be had of that we assent
unto. For which cause even in matters divine, concerning
some things we may lawfully doubt and suspend our judgment

[..] Such as the evidence is which the truth either in itself our through proof, such is the heart's assent thereunto". Cf. infra, "Certitude et indéfectibilité de la foi"
p.413 sq.

39. Notre formulation est, ici, un peu protestante ! On ne peut
    vraiment dire que l'Eglise catholique "assimile vérité
    scripturaire et formule dogmatique". Cf. Vatican I, De Re-
    velatione. L'Ecriture seule est texte inspiré ; les défini-
    tions conciliaires ou papales ne sont qu'assistées, pour
    être préservées d'erreurs positives. L'inspiration seule
    est source de vérité ; l'interprétation est simplement ga-
    rantie négativement. Dire qu'une formule dogmatique est de
    foi, ne veut donc pas dire qu'elle est inspirée ; cela veut
    dire qu'elle est infaillible d'une infaillibilité négative.
    L'adhésion donnée ne va pas à une formule inspirée. L'in-
    terprétation de l'Eglise est, certes, norme immédiate ;
    mais elle est norma normata ; seul le texte inspiré est
    norma normans. Nous devons ces précisions au Père Louis
    Bouyer.

40. Cf. ce que G. TAVARD écrit du "primitivisme" comme marque
    de la catholicité chez Cranmer, La poursuite de la catho-
    licité, Paris, éd. du Cerf, 1965, p. 22 sq.

41. I, vi (I, p. 217 sq.).

42. I, xiv, 2 (I, pp. 268,269), cf. infra, p. 150. Au plan des
    lois positives, la légitimité et même le bienfait du chan-
    gement sont évidents, comme il ressort de ce qu'on a dit au
    chapitre précédent sur le caractère muable de ces lois ;
    aux références données, on pourra ajouter celle-ci, VII,
    xiv, 3 (III, pp. 222, 223) : "Now forasmuch as corporations
    are perpetual, the laws of the ancienter Church cannot
    choose but bind the latter, while they are in force. But we
    must note withal, that because the body of the Church con-
    tinueth the same, it hath the same authority still, and may
    abrogate old laws, or make new, as need shall require.

Wherefore vainly are the ancient canons and constitutions objected as laws, when once they are either let secretly to die by disusage, or are openly abrogated by contrary laws." Cf. également nos remarques sur la coutume, décrite comme un facteur de transformation continue et non pas seulement de conservation, dans notre chapitre "Contrat social et consentement", cf. infra, p. 284 sq.

43. TYNDALE, Works, éd. Parker Society, I, p. 88 ; cité dans P.E. HUGHES, Theology of the English Reformers, Londres, 1965, pp. 24, 25.

44. Cf. Whitaker, cité par P.E. HUGHES, op. cit., p. 26 : "These previous testimonies may indeed urge and constrain us : but this (I mean the internal testimony of the Holy Spirit) is the only argument which can persuade us."

45. Préface de l'E. P., iii, 10 (I, p. 151) : "It is not therefore the fervent earnestness of their persuasion, but the soundness of those reasons whereupon the same is built, which must declare their opinions in these things to have been by the Holy Ghost".

46. III, viii, 15 (I, p. 378).

47. Ces points seront clairs lorsque nous aurons traité des rapports de la grâce et de la nature ; cf. supra, n. 9, les références données et les renvois faits.

48. V, xxiv, 1 (II, p. 117). Cf. infra, "L'Eglise société des chrétiens et corps mystique du Christ", p. 543 sq.

C H A P I T R E   I V

PRINCIPES D'EXEGESE

(pp. 149-175)

1. V, xxi, 3 (II, p. 85) ; cf. également V, xxii, 14 (II, pp. 106, 107).

2. "Holy Scripture containeth all things necessary to salvation : so that whatsoever is not read therein nor may be proved thereby is not to be required of any man that it should be believed as an article of faith or thought to be requisite or necessary to salvation.

3. I, xiv, 2 (I, pp. 268, 269). Les expressions soulignées le sont par Hooker lui-même.

4. H. de LUBAC, Exégèse Médiévale : Les quatre sens de l'Ecriture, Paris, 1959 - 1964 ; et l'Ecriture dans la Tradition, Paris, 1966.

5. H. de LUBAC, Exégèse Médiévale, T. IV, p. 427 sq. Bien qu'il s'efforce de prouver la parfaite orthodoxie exégétique d'Erasme et d'en faire le continuateur fidèle de la tradition patristique, le P. de Lubac note lui-même que "le rapport de la lettre à l'esprit dans l'Ecriture paraît n'être pour l'auteur de l'Enchiridion qu'un cas particulier du symbolisme universel. Il invite en effet son lecteur à s'élever, sur les ailes dont parle Platon [...] l'allégorie qu'il préconise ne semble pas différer beaucoup non plus de

l'interprétation des mythes et des poèmes antiques"
(p. 440).

6. H. de LUBAC, l'Ecriture dans la Tradition, p. 102 : "Par
   sa manière unilatérale de mettre en contraste l'Evangile
   et la Loi, ce génie excessif rompt l'équilibre de la pensée traditionnelle. Par là s'explique peut-être, au moins
   en partie, une tendance, plusieurs fois renaissante au sein
   de la confession luthérienne, à rejeter l'ancienne Ecriture
   comme 'un poids crucifiant'."

7. Ibid. : "Loin d'évacuer plus ou moins l'Ancien Testament,
   la tendance calviniste irait au contraire à la revaloriser,
   ainsi que le montre l'expérience de la Vieille Eglise, et
   plus tard l'histoire du puritanisme. Calvin s'est montré
   sévère à l'égard d'Origène et de plusieurs autres, qu'il
   accuse de plier l'Ecriture à leurs arguties [...] Certes, un
   rappel à la sobriété s'imposait [...] Mais sa réaction l'em-
   porte trop loin. Pour lui, tout ce qui n'est pas sens littéral immédiat est 'fiction', toute exégèse qui dépasse la
   lettre est 'invention de Satan'."

8. Cf. T. Cartwright, in:WHITGIFT's Works, éd. Parker Society,
   T. I, p. 270.

9. I, xiv, 3 (I, p. 269).

10. Ibid. Vérités étrangères, foreign truths : Hooker renvoie
    explicitement, pour ce mot, à Tt 1 , 12, qui parle des
    vices des Crétois. Les "vérités historiques" sont les faits
    de l'histoire juive, les "vérités étrangères" les faits de
    l'histoire païenne. Elles n'ont pas évidemment le même sta-
    tut scripturaire que les vérités de l'histoire sainte.

11. Cité par Hooker, IV, xi, 10 (I, p. 459), note 8.

12. Ibid., pp. 459, 460.

13. Au texte cité supra, p. 153, n. 9 et 10, on ajoutera celui-
    ci, Serm. V, 5 (III, p. 663) : "Which prophecies, although
    they contain nothing which is not profitable for our ins-
    truction, yet as one star differeth from another in glory,
    so every word of prophecy hath a treasure of matter in it,
    but all matters are not of like importance, as all treasures
    are not of equal price. The chief and principal matter of
    prophecy is the promise of righteousness, peace, holiness,
    glory, victory, immortality, unto 'every soul which be-
    lieveth that Jesus is Christ, of the Jew first, and of the
    Gentile'". Sur cette sélectivité christocentrique, mais non
    exclusive, cf. Egil GRISLIS, op. cit., pp. 191, 192.

14. Egil GRISLIS, op. cit., pp. 188-90, a rassemblé les textes
    qui, chez Hooker, soutiennent le principe de l'inspiration
    verbale ; cf. notamment, I, xiii, 1 (I, p. 265) et Serm. V,
    4 (III, pp. 661, 662). Mais, aussitôt, et à juste titre,
    E. GRISLIS cherche à montrer comment Hooker a, en fait,
    nuancé le principe posé dans ces textes.

15. III, viii, 10 (I, pp. 371, 372).

16. Cf. notamment II, v (l'argumentation négative chez les
    Pères de l'Eglise) ; V, xx (les livres apocryphes) ; V,
    xxxix (le chant alterné des psaumes) ; V, xli (les lita-
    nies) ; V, xlii (le Credo d'Athanase) ; V, lxxii (le jeûne) ;
    V, lxxix (la dîme) ; VI, iv (la pénitence) ; VII reprend,
    au long de plusieurs chapitres consécutifs, l'histoire de
    l'épiscopat, etc. A vrai dire il n'est guère de questions
    importantes, liturgiques, institutionnelles ou théologiques,
    que Hooker ne traite en les situant dans leur contexte his-
    torique. Concernant·le souci du contexte pour l'explication
    d'un passage de l'Ecriture, voir encore V, xxii, 9 (II,
    p. 95 sq.) l'interprétation de I, Co. 1, 21. Sur le sens
    historique chez Hooker, cf. P. MUNZ, The Place of Hooker
    in the History of Thought, Westport, Connecticut, éd. 1971,
    App. B, p. 195 sq.

17. J. WHITGIFT, Works, éd. P.S. T. I, p. 60 sq.

18. Ibid., p. 63.

19. Ibid., p. 65.

20. II, v (I, p. 300 sq.). Whitgift lui-même reprenait là une accusation lancée par Zwingle. Il se référait explicitement à Zwingle.

21. II, v, 5 (I, pp. 303, 304).

22. II, vi, 4, n. 65 (I, pp. 313, 314).

23. Ibid., p. 316.

24. Ibid., p. 317.

25. II, vi, 2 (I, p. 312) : "In those actions therefore the whole form whereof God hath of purpose set down to be observed, we may not otherwise do than exactly as he hath prescribed ; in such things negative arguments are strong."

26. II, vi, 2 (I, p. 311).

27. Works, T. I, p. 178 : "For not in Aristotle only, Lib. iii, Top. and Lib. ii. Rhet. ad Theod., but in every 'halfpeny logic' (as you term them) the place ab auctoritate is expressed, and the arguments taken out of the same [of the authority of man] said to hold affirmatively, and not otherwise" ; p. 179 : "Affirmatively the argument is always good of the authority of Scripture [..] But negatively it holdeth not, except in matters of salvation and damnation". Cf. également pp. 61 et 63.

28. Works, T. I, pp. 65, 316. Ici encore Whitgift reprenait les reproches que Zwingli avait adressés aux anabaptistes.

29. V, lxv, 13 (II, pp. 328, 329).

30. V, lxv, 14 (II, p. 329) : "But whosoever doth persuade by example must as well respect the fitness as the goodness of that he allegeth".

31. V, lxv, 19 (II, p. 334) : "In all persuasions which ground themselves upon examples, we are not so much to respect what is done, as the causes and secret inducements leading thereunto".

32. V, xvii, 5 (II, p. 60).

33. Cf. notre Livre I.

34. III, x, 3 (I, p. 386), cf. supra, pp. 123, 124.

35. Cf. supra, pp. 121, 122. Il faut nuancer cet axiome. En effet l'application du principe d'équité, dont on va dire un mot, peut amener le juge à élargir l'extension d'une loi et non pas à la restreindre. Mais dans l'un et l'autre cas il s'agit toujours, à partir d'un cas d'espèce, de découvrir le sens vrai de la loi, au-delà de sa formulation générale imparfaite de saisir son universalité réelle. Cf. infra, ce que nous disons, et de l'équité, et de l'interprétation des précédents, p. 167 sq.

36. V, lxii, 3 (II, p. 282).

37. V, ix, 2 (II, p. 38).

38. V, ix, 3 (II, p. 39).

39. Ibid., pp. 39, 40.

40. Eth. Nic., V, 10 sq., trad. R.A. Gauthier et J.Y. Jolif, Louvain/ Paris, 1958, pp. 156-158.

41. Cité dans C.K. ALLEN, Law in the making, Oxford, 7e éd.,
1964, p. 405.

42. Ibid.

43. William HOLDSWORTH, Some makers of English Law, C.U.P.
Paperback éd. 1966, Lect. V, p. 91 sq. Cf. également
C.K. ALLEN, op. cit., p. 406 sq.

44. Cité par W. HOLDSWORTH, op. cit., p. 96.

45. Cité par C.K. ALLEN, op. cit., p. 408.

46. Op. cit., p. 97.

47. W. HOLDSWORTH, op. cit., p. 112.

48. F.W. MAITLAND, English Law and the Renaissance, C.U.P.,
1901, pp. 3-5, cité par W. HOLDSWORTH, op. cit., p. 113.

49. Ibid.

50. Sur tout cela, cf. C.K. ALLEN, op. cit., p. 399 ; également
W. HOLDSWORTH, op. cit., Lect. V, p. 92 sq.

51. C.D. CREMEANS, The Reception of Calvinistic Thought in
England, Urbana, Ill., University of Illinois Press, 1949,
p. 11.

52. Cf. J.D. EUSDEN, op. cit.; J.D. Eusden rapproche Coke non
pas de Hooker, mais des puritains. Nous nous accordons cependant avec ses analyses. 1) Les puritains dont il étudie
l'action et la philosophie politiques forment un large
groupe qu'on ne peut assimiler aux seuls presbytériens de
l'époque élisabéthaine. J.D. Eusden marque lui-même les
points qui apparentent Hooker au groupe qu'il étudie
(pp. 16-18). 2) Dans le "puritanisme" auquel Hooker s'attaque nous isolons, avec lui, une conception de la loi et

de son interprétation qui n'apparaît jamais pure ; mais
c'est un fait que positivisme juridique et interprétation
légaliste sont deux exagérations en germe dans les principes de ses adversaires. 3) Par contre dans la mesure où,
face à l'absolutisme d'un prince, le puritain soutient la
souveraineté d'une loi suprême (la Bible), les alliances se
renversent, et Hooker passe de leur bord, si je puis dire.
Le positivisme devient anglican avec les Stuarts dans la
mesure où la philosophie politique officielle s'inspire outre mesure des principes absolutistes. Les confusions pro-
viennent de la rupture qu'on peut déceler dans l'histoire
de la pensée anglaise à partir du XVIIe siècle. La raison
devient un principe abstrait, la loi naturelle "a rational
model, a cognizable pattern on which good societies must be
constructed [..] a kind of Platonic form", (ibid. p. 133).
A quoi les puritains opposent la souveraineté de la Loi divine, les lawyers la souveraineté de la Common Law. Les
liens philosophiques tissés au cours du Moyen Age et du
XVIe siècle entre Reason et Antiquity semblent se rompre.
A la vérité, s'ils se rompent dans les milieux scientifiques ou philosophiques (Hobbes), ils ne se rompront jamais
tout à fait, croyons-nous, dans milieux théologiques, ni
non plus dans les milieux juridiques. Pour un profane, le
beau livre de C.K. ALLEN est une illustration convaincante
de cette continuité à travers l'histoire juridique anglaise.
Sur les rapports entre Coke et les puritains d'une part,
Coke et Hooker de l'autre, on consultera encore le livre
très suggestif de D. LITTLE, Reason, Order, and Law : A Study
in Pre-Revolutionary England, N. Y., 1969.

53. Cf. W. HOLDSWORTH, op. cit., p. 102 : "He [Francis Bacon]
consolidated the victory which Lord Ellesmere had won, and
gave to equity a great impulse along that path of definition, and coordination with the rules of the common law,
which, since the advent of the lawyers chancellors and un-
til the late controversy, had been silently proceeding
through the greater part of the sixteenth century".

54. Cf. C.K. ALLEN, op. cit., p. 206. Citation tirée des
Reports de Hobart (1603-25) ; cf. également Croke's Reports
"Presidents are founded upon great reason and are to be ob-
served", ibid.

55. Ibid., p. 207.

56. Citation également tirée de Coke, cf. ibid., pp. 207, 208.

57. Nous avons commenté la différence que fait Hooker entre
exemple et loi. Mais pour bien saisir toutes les nuances de
sa pensée, à la citation que nous avons donnée (cf. supra,
p. 165,"Examples have not generally the force of laws which
all men ought to keep, but of counsels only and persuasions
not amiss to be followed") il faut joindre cette autre,
II, vii, 2 (I, p. 319) : "The strength of man's authority
is affirmatively such that the weightiest affairs in the
world depend thereon. In judgment and justice are not here-
upon proceedings grounded ?" Cette phrase est une allusion
claire aux précédents. Elle fait écho à l'axiome latin de
Coke, argumentum ab auctoritate fortissimum in lege. D'ailleurs, en un autre endroit, Hooker lui-même utilise le mot
"precedents" pour déterminer la valeur des exemples, III,
ix, 1 (I, p. 381) : "Examples there neither are for all
cases which require laws to be made, and when there are,
they can but direct as precedents only". Encore une fois,
dans le précédent comme dans la loi, le juge recherche un
principe. Cf. C.K. ALLEN, op. cit., passim, notamment
p. 285 ; "Let us remind ourselves of Sir George Jessel's
simple principle, that precedents are employed in order to
establish principles. Throughout the whole application of
the law, the principles are primary, and the precedents are
secondary".

58. Cf. F.W. MAITLAND, The Constitutional History of England,
C.U.P. éd. 1968, pp. 268, 269. Est-il besoin de dire que
le mot artificiel a un sens bien précis, qui n'a rien à
voir avec le sens moderne. L'artificiel,c'est ce qui se

rapporte à l'art, à la τέχνη de l'expert. La notion est
grecque, comme aussi le couple nature-art, qu'on retrouve
constamment chez Hooker et chez ses contemporains. Cette
phrase de Coke est en harmonie parfaite avec la conception
aristotélicienne de l'autorité qui revient à l'expert, à
cause précisément de la jonction qu'il est à même d'opérer
immédiatement, de par son expérience, entre la raison et
la spécificité des cas concrets. Sur les rapports entre
exégèse biblique, logique et interprétation juridique en
Angleterre à l'époque qui nous intéresse on pourra consulter H.J. JAEGER, "Introduction aux rapports de la pensée
juridique et de l'histoire des idées en Angleterre, depuis
la Réforme jusqu'au XVIIIe siècle", Les Archives de Philosophie du Droit (15), 1970, pp. 13-70. Du même auteur,
Origine et destinées de la notion d'herméneutique (Au carrefour de la philologie, de l'exégèse et du droit), conférence donnée au Centre de la Philosophie du Droit, Paris II,
le 19 janvier 1971. Plus généralement, cf. encore M.P.
GILMORE, Humanists and jurists : Six Studies in the Renaissance, H.U.P., 1963, notamment le chap. vi, où, à travers
Boniface Amerbach, l'auteur étudie comment certains hommes
de loi , érasmiens et pourtant respectueux des commenta-
teurs médiévaux, cherchaient à joindre les méthodes nouvelles de la philologie aux modes traditionnels d'interprétation juridique ; cf. p. 174 : "He [Boniface] maintains,
in effect, that we cannot have historical understanding by
skipping over the centuries intervening between the present
and antiquity whether classic or Christian [...] Texts like
the code of the civil law and the Bible, which had been in-
extricably intertwined with the history of human institutions, could not be understood by neglecting history, that
is to say, neglecting the series of commentators and con-
centrating on the grammatical meaning alone [...] Amerbach's
view of history was closely connected with his conception
of the principle of equity, etc.". On avait là un effort de
synthèse analogue à celui que nous croyons voir chez Hooker
et les grands juristes anglais de la Renaissance.

C H A P I T R E   V

PRINCIPES LOGIQUES

1. Cf. W.S. HOWELL, Logic and Rhetoric in England, 1500-1700,
   Princeton, 1956. Cf. également l'exposé lumineux de Lisa
   JARDINE, dans Francis Bacon : Discovery and the Art of Dis-
   course, C.U.P., 1974, pp. 1-65.

2. A la vérité dialectique et rhétorique sont à rapprocher.
   Cf. Joseph MOREAU, Aristote et son école, P.U.F., 1962,
   p. 249 : "Ramenée, comme le veut Aristote, à l'art de l'argumentation, la rhétorique manifeste sa parenté avec la
   dialectique ; elle en est une application, une branche col-
   latérale (ἀντίστροφος), la forme que revêt la dialectique
   lorsque, sortant des écoles et du champ des discussions
   théoriques, elle s'exerce devant les tribunaux et dans les
   assemblées politiques".

3. Sur le ramisme, cf. Perry MILLER, The New England Mind :
   The XVIIth Century, H.U.P. Cambridge, Massachusetts, 1954,
   chap. v, p. 111 sq. ; W.S. HOWELL, op. cit. ; W.J. ONG,
   Ramus and the decay of Dialogue, Harvard University Press,
   Cambridge, Massachusetts, 1958 ; Lisa JARDINE, op. cit.,
   pp. 1-65.

4. Cf. W.J. ONG, op. cit., Bk IV, p. 302 sq. ; W.S. HOWELL,
   op. cit., chap. 4, p.   . Il ne faut pas exagérer cependant, selon W.J. ONG, l'influence du ramisme sur la théologie britannique (cf. p. 304). C'est vers les puritains

d'Amérique qu'il faut se tourner, si l'on veut trouver une
utilisation systématique du ramisme, cf. Perry MILLER,
op. cit., chap. v, p. 111 sq. C'est également parmi ceux
qu'il appelle les "pre-war independents" et qui pour la
plupart quitteront l'Angleterre pour la Hollande et
l'Amérique que J.D. EUSDEN, op. cit., p. 14, détecte une
forte influence ramiste. Sur la querelle entre Temple et
Digby, cf. plus particulièrement, Lisa JARDINE, op. cit.,
chap. 2, "An English dialectical controversy", pp. 59-65
et chap. 3, pp. 68-69.

5. I, vi, 3 et 4 (I, pp. 217-19).

6. De Aug. Sc., vi, 2, cité par Keble, I, p. 219, n. 61.

7. Cf. l'analyse de l'Ecclesiastical Discipline que donne
F. PAGET, Introduction, p. 76 sq. Pour le traité de Browne,
cf. A. PEEL & H. Leland CARLSON, The Writings of Robert
Harrison and Robert Browne, Londres, 1953, pp. 221-395.
Nous n'ignorons pas que dans A Treatise upon the 23 of
Matthew, paru la même année (1582), Browne se livre à une
diatribe virulente contre les subtilités de la logique et
les artifices de la rhétorique, qu'il oppose à la simplicité du discours évangélique, et nous croyons voir qu'il vise,
par cette double attaque, les ramistes de Cambridge, plus
particulièrement (their curious Methodes and Diuisions,
p. 189 sq.). Mais il emploie les armes qu'il déprécie quand
il s'adresse aux doctes (en l'occurence aux ministres presbytériens qu'il attaque, ramistes eux-mêmes très souvent),
cf. sa Preface, p. 223 : "As for the learned, which seek
deepnes, and stand on their methodes and curious diuisions,
we haue for their cause, takē some paines. Not that we tye
Religion or Diuinitie vnto such Diuisions, or Definitions,
or Logicall demōstrations, or cōdemne all which bring not
such learning : But we leaue thē without excuse, which
refuse the trueth, except it be hidden with curious art,
and handled after the manner of their Schooles [...] For such

peuish truoblers ⌈sic⌉ haue I troubled myself if it might
be to beate them with their own weapons, etc."

On peut rapprocher les griefs que fait Hooker, à mots
couverts, au ramisme de ceux présentés systématiquement par
Périon en France, quand la bataille contre Ramus bat son
plein. Cf. A. STEGMANN, "Les observations sur Aristote du
bénédictin J. Périon", in : Platon et Aristote à la Renaissance, XVIe colloque international de Tours, Paris, J. Vrin,
1976. Périon est, comme Hooker, à la fois un humaniste qui
n'a pas assez d'admiration pour Cicéron, un grand connais-
seur des Pères et un ardent défenseur d'Aristote ; tous
deux représentent une même école de pensée, à la fois conservatrice et très ouverte. Voici quelques-uns des griefs
de Périon, pp. 380, 381 : "Chacun, dupé par les promesses
de Ramus, croit surpasser Aristote en six mois de philosophie et porter des jugements de pseudo-savant dans tous les
domaines scientifiques, qui exigent tant de patience et de
modestie... Et en effet que d'erreurs graves dans la dialectique de Ramus ! Et déjà sur les principes. La dialectique n'est pas l'ensemble de la logique, encore moins d'une
logique élargie jusqu'à englober l'ensemble des connaissan-
ces, la grammaire et la rhétorique (Orat. I, p. 431-33).
C'est une partie distincte de la logique, l'art de disser-
ter avec probabilité en deux sens opposés sur tout problème
posé (De Dial. 1). Périon répétera inlassablement ce pro-
babiliter, qui est toute la question ⌈...⌉ Surtout Ramus, en
contestant la méthode elle-même -c'est-à-dire l'indispensable base pédagogique- laisse croire que l'esprit moyen, naturellement bien fait, n'a besoin que de guide, non de doctrine et que cet 'art' du maître consiste à donner confiance au disciple sur ses seules vertus naturelles : bonne intention et louable optimisme, mais dangeureux et illusoire
pour les esprits mal faits et trop peu armés de la patience
nécessaire."

8. II, viii, 2 (I, p. 226).

9. Concernant les effets du péché sur la raison ou sur le rapport des facultés, cf. supra, chap. iii, n. 11.

10. I, xii (I, p. 262 sq.) ; cf. supra, p. 134.

11. Cf. supra, pp. 139-145.

12. I, xvi, 1 (I, pp. 277-278). Hooker renvoie ici à ARIST. Phys. Lib. I cap. i.

13. I, vii, 5 (I, p. 228).

14. I, lxiii, 1 (II, p. 304). Sur l'alternation des sciences, cf. M.D. CHENU, La Théologie comme science au XIIIe siècle, Paris, 1957, p. 71 sq.

15. I, viii, 5 (I, p. 228). L'effort de Hooker pour ramener le principe premier de la raison pratique à une sorte de tautologie, réplique elle-même d'une tautologie similaire dans l'ordre spéculatif (la partie est plus grande que le tout), a son analogue chez saint Thomas. Cf. R.P. SERTILLANGES, La philosophie morale de saint Thomas d'Aquin, Paris, 1942, p. 102 : "Or, la volonté étant naturellement intellectuelle (volontas est in ratione), la forme intellectuelle que prend sa première impulsion est l'évidence de cette proposition : Le bien est à faire [..] Ce principe tout premier est une sorte de tautologie comme son pendant spéculatif : Ce que est,est."

16. I, viii, 5 (I, p. 229). Cf. R.P. SERTILLANGES, op. cit., p. 102 : "Ainsi le premier principe pratique est l'origine d'autres principes qui l'épanouissent en des formes plus explicites."

17. I, viii, 3 (I, p. 227).

18. V, v, 1 (II, p. 27). Pour les principes, Hooker emploie indifféremment les mots "principes" ou "axiomes", cf. I, viii,

5 (II, p. 228). Pour les postulats, il utilise le mot
"demand", "petition", "proposition", II, pp. 27, 30, 33, etc.

19. M.D. CHENU, Introduction à l'étude de saint Thomas d'Aquin,
Paris, 1950, p. 158.

20. Ibid., p. 159.

21. I, v, 1 (I, p. 215).

22. Ibid.

23. I, v, 2 (I, p. 216).

24. V, lv, 2 (II pp. 238, 239).

25. V, lvi, 1 (II, p. 246).

26. Op. cit., p. 159.

27. VIII, vi, 8 (III, p. 404).

28. VIII, ii, 7 (III, p. 347). Cf. encore VIII, ii, 13 (III,
p. 353) : "The axioms of our regal government are these :
'Lex facit regem' ; the king's grant of any favour made
contrary to the law is void ; 'Rex nihil potest nisi quod
de jure potest'." Il s'agit ici d'axiomes politiques propres au Royaume d'Angleterre, et non d'axiomes universaux,
comme le souligne Hooker.

29. VIII, ii, 1 (III, p. 341).

30. V, lviii, 3 (II, pp. 260, 261).

31. VIII, i, 2 (III, p. 329).

32. V, lviii, 2 (II, p. 260).

33. Sermon II, 21 (III, p. 507).

34. VI, ii, 2 (III, p. 5).

35. Pour le ministère, cf. V, lxxvi, 1 (II, p. 444) ; pour la juridiction, VI, ii, 2 (III, p. 5).

36. V, xiv (II, 51) et xvi, 1 (II, p. 57).

37. V, lxxvii, 2 (II, p. 456).

38. V, lxiii, 1, 2 (II, pp. 305, 306).

39. M.D. CHENU, op. cit., p. 138.

40. Cf. supra, chap. ii, pp. 101-104.

41. V, ii et iii (II, p. 19 sq.).

42. III, iii, 1 (I, p. 355). Cf. également Answer to Travers, 16 (III, pp. 585, 586) : "Of what nature soever the question were, I could do no less than there explain myself to them, unto whom I was accused of unsound doctrine ; wherein if to shew what had been through ambiguity mistaken in my words, or misapplied by him in this cause against me, I used the distinctions and helps of schools, I trust that herein I have committed no unlawful thing. These school-implements are acknowledged by grave and wise men not unprofitable to have been invented. The most approved for learning and judgment do use them without blame ; the use of them hath been well liked in some that have taught even in this very place before me ; the quality of my hearers is such, that I could not but think them of capacity very sufficient for the most part to conceive harder than I used any ; the cause I had in hand did in my judgment necessarily require them which were then used ; when my words spoken generally without distinctions had been perverted, what other way was there for me, but by distinctions to lay them open in their right meaning,

that it might appear to all men whether they were consonant
to truth or no ?" L'expression "grave and wise men" désigne
Calvin, cité en note. On remarquera cet appel à l'autorité
de Calvin pour défendre la méthode scolastique.

43. VII, xxii, 2 (III, p. 283) : "We must beware lest simply we
understand this which comparatively is meant." Hooker fait
un grand usage de ce simply : cf. I, xi, 3 (I, pp. 255 et
256) ; I, xiv, 1 (I, pp. 267 et 268) ; V, xlviii, 9 (II,
p. 207) ; V, App. (II, p. 564), etc.

44. V, xxi (II, p. 84 sq.).

45. Sermon II (III, p. 483 sq.).

46. V, xix, 3 (II, p. 66).

47. Rappelons que pour Aristote l'éthique ne procède pas des
premiers principes, mais remonte aux premiers principes.
Cf. Sir David ROSS, Aristotle, Londres, éd. 1968, p. 189 :
"Ethics reasons not from but to first principles ; it
starts not with what is intelligible in itself, but with
what is familiar to us, i. e. with the bare facts, and
works back from them to the underlying reasons [...] If
ethics is not demonstrative, is it then (to use a distinction frequently drawn in Aristotle's logic)dialectical ?
In a sense it is ; one of the uses of dialectic is just
this, to lead us to first principles". Concernant le caractère dialectique de la logique juridique, cf. M. VILLEY,
Seize essais, "La méthode du droit naturel", p. 263 sq.

48. I, ii, 2 (I, p. 201).

49. I, v, 1 (I, p. 215). Il est intéressant de noter que pour
fonder ce principe Hooker s'appuie non sur l'autorité de

Platon, mais sur celle d'Aristote. Paradoxe ! Faut-il y voir
cette sorte d'habileté qui l'amène à se réclamer de Calvin
quand il défend les scolastiques (cf. supra, n. 42) ou
quand il plaide en faveur de Rome (cf. Sermon II, 27 (III,
p. 525) ? Peut-être ; mais il y a plus. L'aristotélisme de
Hooker n'exclut pas l'apport platonicien. Hooker, une fois
encore, prolonge ici l'effort de synthèse de la pensée médiévale et notamment, sur cette question de la participation, celui de saint Thomas, cf. infra, pp. 371-379.

50. Op. cit., pp. 153, 154.

51. Op. cit., p. 158.

52. V, liv, 2 (II, p. 232) : "For every beginning is a Father
    unto that which cometh of it, and every offspring is a Son
    unto that out of which it groweth. Seeing therefore the
    Father is originally that Deity which Christ originally is
    not (for Christ is God by being of God, light by issuing
    out of light,) it followeth hereupon that whatsoever Christ
    hath common unto him with his heavenly Father, the same of
    necessity must be given him, but naturally and eternally
    given, not bestowed by way of benevolence and favour".

53. V, lvi, (II, p. 245 sq.).

54. Cf. Sermon II, 21 (III, p. 507). Faut-il souligner les
    liens qui unissent la théologie de la sanctification et la
    philosophie morale ? Il n'est pas difficile de voir comment
    les matières qui font l'objet essentiel des investigations
    de Hooker, c'est-à-dire le champ des actions morales dans
    l'ordre philosophique, la vie de la grâce dans l'ordre
    théologique, lui permettent d'unir les méthodes de Platon
    et d'Aristote. Elles s'apparentent ici. Cette zone de re-
    cherche est la zone privilégiée de la dialectique.

55. V, xlviii (II, p. 200 sq.).

56. Ibid., p. 201.

57. Nous ébauchons ici, sans vouloir nous étendre, une analyse
    du style de Hooker en fonction de sa pensée. Dans cet ordre
    de choses, on consultera le très bel article de W. Speed
    HILL, "The Authority of Hooker's Style, Studies in Philo-
    logy (67), 1970, pp. 328-38. Cf. également Georges EDELEN,
    "Hooker's Style", in : Studies in Richard Hooker, pp. 241-
    77.

LIVRE III

DIEU CREATEUR ET L'ORDRE DE LA CREATION

lère PARTIE : DIEU ET LA CREATION

C H A P I T R E I

DIEU, L'ETRE ET L'AGIR DE DIEU

(pp. 205-215)

1. I, ii, 2 (I, p. 201) ; cf. également I, xi, 5 (I, p. 259).

2. V, xli, 3, n. 61 (II, p. 216) : "The booke of that law I
   presume no farther to looke into, then all men may and
   ought thereof to take notise. I have $\lceil$not$\rceil$ adventured to
   ransack to bosome of God, and to search out what is there
   to be read concerning every particular man, as some have
   done."

3. I, viii, 7 (I, p. 230).

4. I, ii, 3 (I, p. 201).

5. I, ii, 2 (I, p. 201).

6. I, v, 1 (I, p. 215).

7. V, lxix, 1 (II, p. 381).

8. I, v, 3 (I, p. 216).

9. V, lv, 3 (II, p. 239).

10. Cf. supra, texte cité n. 4 ; également I, v, 2 (I, p. 215).

11. I, v, 2 (I, p. 215).

12. I, iii, 4 (I, p. 211).

13. I, ii, 1 (I, p. 200).

14. Ibid., 3 (I, p. 202).

15. Ibid., pp. 202, 203.

16. Cf. infra, pp. 229-233.

17. I, ii, 5 (I, p. 203) : "They err therefore who think that of the will of God to do this or that there is no reason beside his will. Many times no reason known to us ; but that there is no reason thereof I judge it most unreasonable to imagine, inasmuch as he worketh all things κατὰ τὴν βουλὴν τοῦ θελήματος αὐτοῦ , not only according to his own will, but 'the Counsel of his own will'."

18. Aux textes cités, ajoutons encore celui-ci, qui montre bien qu'en Dieu même raison et vouloir se distinguent l'un de l'autre et que le deuxième est subordonné à la première, 3, p. 202 : "All those things which are done by him have some end for which they are done ; and the end for which they are done is a reason of his will to do them (C'est nous qui soulignons)."

19. I, ii, 2 (I, p. 200) : "The being of God is a kind of law to his working : for that perfection which God is, gives perfection to that he doth."

20. Ibid., 2, p. 200. Voluntary ici s'oppose à necessary. Cf. saint THOMAS, S. T., Iᵃ, Q. 25, a. 5, Resp. : "Ostendimus Deum non agere quasi ex necessitate naturae, sed voluntatem eius esse omnium rerum causam". On a donc deux

principes antithétiques à première vue, mais qu'il faut tenir ensemble : 1) God worketh nothing without a cause [...] and the end for which [things done by him] are done is a reason of his will to do them, 3, p. 202 ; 2) Nor is the freedom of his will any whit abated, let, or hindered, by means of this ; because the imposition of this law upon himself is a free and voluntary act, 6, p. 204.

21. Ibid., 3, p. 202.

22. Pas d'opération extérieure, faudrait-il dire. En tout cela, Hooker parle de God's external working. Les opérations internes de Dieu, au sein de la Trinité, sont une autre affaire, dont il ne veut pas traiter ici, cf. I, ii, 2 (I, p. 200).

23. Cf. F. WENDEL, Calvin, p. 92.

24. I, ii, 3 (I, p. 202).

25. Cf. infra, p. 431 sq. ; cf. V, App. n° 1 (II, p. 563) : "So there is in God an incomprehensible wisdom, according to the reasonable disposition whereof his natural or general will restraineth itself as touching particular effects. So that God doth determine of nothing that it shall come to pass, otherwise than only in such manner as the law of his own wisdom hath set down within itself".

26. Cf. infra, pp. 443-44 . Sur l'opposition entre la conception anglicane de la loi et de l'ordre et la conception puritaine, cf. D. LITTLE, Religion, Order, and Law : A Study in Pre-Revolutionary England, New York, 1969. Aux textes de l'E.P. que nous venons de commenter on ajoutera ceux que l'on trouve dans le Sermon III (III, pp. 624-26).

27. I, iii, 4 (I, p. 210) : "as long as they keep those forms which give them their being".

28. I, iii, 2 (I, p. 207) : "His commanding those things to be which are, and to be in such sort as they are".

29. _Ibid._ : "His commanding those things to be which are $\left[\dots\right]$ to keep that tenure and course which they do".

30. Cf. E. GILSON, _Le Thomisme_, éd. 1942, p. 247 sq., notamment p. 249 : "Ainsi donc, le premier effet de. la providence exercée par Dieu sur les choses est l'influence immédiate et permanente par laquelle il assure leur conservation. Cette influence n'est, en quelque sorte, que la continuation de l'action créatrice et toute interruption de la création continuée, par laquelle Dieu soutient les choses dans l'être, les renverrait instantanément au néant".

31. I, iii, 4 (I, p. 210).

32. I, iii, 2 (I, p. 207).

33. I, iii, 4 (I, p. 210). Cf. saint THOMAS, _S. T._, I^a, II^{ae}, Q. I, a. 2, Resp. : "Tota irrationalis natura comparatur ad Deum sicut instrumentum".

34. Cité par F. WENDEL, _op. cit._, p. 132 et p. 133.

35. I, ii, 4 (I, p. 203).

36. I, iii, 1 (I, p. 205).

37. V, App. n° 1 (II, p. 565).

38. Cf. Le _Timée_, 29, 30.

39. I, ii, 3 (I, p. 202) : "That and nothing else is done by God, which to leave undone were not so good".

40. V, lvi, 5 (II, p. 248).

41. _Ibid._

42. Cf. _infra_, p. 371 sq.

C H A P I T R E   I I

L'UNIVERS CREE

(pp. 217-227)

1. I, ii, 4 (I, p. 203) : "Which abundance doth show itself in
   variety and for that cause this variety is oftentimes in
   Scripture exprest by the name of riches." Cf. également
   V, App. n° 1 (II, p. 565) : "the end which his [God's]
   will proposeth [...] is to exercise his goodness of his own
   nature, by producing effects wherein the riches of the
   glory thereof may appear".

2. I, iv, 1 (I, p. 212).

3. Cf. supra, pp. 211, 212.

4. V, App. n° 1 (II, p. 566).

5. Op. cit., pp. 26, 27.

6. I, vi, 2 (I, p. 217).

7. Pour les anges, cf. I, iv, 2 (I, p. 213) : "Consider the
   angels of God associated, and their law is that which dis-
   poseth them as an army, one in order and degree above another." Pour les hommes, le principe hiérarchique qui gouverne leur société va de soi, cf. notamment : VII, ii, 3
   (III, p. 148) ; cf. également l'éloge du principe nobiliaire
   VII, xviii, 10 (III, p. 271).

8. I, xvi, 7 et 8 (I, p. 285).

9. I, iii, 2 (I, p. 206) ; cf. également I, viii, 4
   (I, p. 228) : "The rule of natural agents that work by
   simple necessity, is the determination of the wisdom of
   God, known to God himself the principal Director of them,
   but not unto them that are directed to execute the same" ;
   également Sermon III (III, pp. 598, 599).

10. I, vi, 2 (I, p. 217).

11. V, App. n° 1 (II, p. 566). Il n'y a, bien sûr, rien d'ori-
    ginal dans toute cette psychologie ; c'était celle de
    l'Ecole.

12. Cf. supra, p. 212 ; I, iii, 4 (I, p. 210).

13. I, iii, 4 (I, p. 209).

14. Op. cit., p. 42.

15. I, v, 2 (I, p. 215).

16. Cf. supra, pp. 211-212 et p. 220.

17. I, iii, 5 (I, pp. 211, 212) par ex. : "when things natural
    [...] forget their ordinary natural wont ; that which is
    heavy mounting sometime upwards of its own accord, and
    forsaking the centre of the earth [...] even as if it did
    hear itself commanded to let go the good it privately
    wisheth, and to relieve the present distress of nature in
    common."

18. Cf. les passages cités à la note précédente et à la note 15.

19. I, iv, 1 (I, p. 212).

20. Ainsi le veut l'orthodoxie thomiste, cf. E. GILSON, Le Thomisme, p. 227.

21. I, vi, 1 (I, p. 217).

22. I, viii, 4 (I, p. 228).

23. I, iv, 1 (I, p. 212).

24. E. GILSON, Le Thomisme, p. 222.

25. E.M.W. TILLYARD, op. cit., p. 38. Toutefois, E. GILSON, op. cit., p. 224, nous met en garde : "A priori, ce rapprochement ne s'imposait nullement [..] Il faut en venir aux philosophes orientaux pour le voir définitivement effectué [..] Il s'en faut de beaucoup cependant que la scolastique ait accepté purement et simplement leurs conclusions. Albert le Grand, par exemple, refuse catégoriquement d'identifier les Anges aux intelligences ; Bonaventure et Thomas d'Aquin n'acceptent pas non plus cette assimilation."

26. V, lxix, 2 (II, p. 381).

27. V, xxiii, 1 (II , p. 115).

28. Cf. supra, p. 224.

29. I, xvi, 4 (I, pp. 279, 280) : "Neither are the Angels themselves so far severed from us in their kind and manner of working, but that between the law of their heavenly operations and the actions of men in this our state of mortality such correspondence there is, as maketh it expedient to know in some sort the one for the other's more perfect direction [..] there must be some kind of law which is one and the same to both, whereunto their obedience being perfecter is to our weaker both a pattern and a spur [..] Angels, who best like us when we are most like unto them in all parts of decent demeanour."

30. I, iv, 2 (I, p. 213) et I, xv, 2 (I, p. 273), cf. <u>supra</u>, pp. 117, 119, 120.

31. I, xvi, 4 (I, pp. 279, 280) : "Would Angels acknowledge themselves 'fellow-servants' with the son of men, but that both having one Lord, there must be some kind of law which is one and the same to both ?"

2e PARTIE : L'HOMME EN TANT QU'ETRE DOUE DE RAISON

C H A P I T R E I

INTELLIGENCE ET VOLONTE

(pp. 229-233)

1. I, vi, 1 (I, p. 217) : "men [...] are at the first without
   understanding or knowledge at all."

2. Ibid.

3. I, vi, 3 (I, p. 217).

4. Ibid., p. 218

5. Ibid., cf. supra, p. 180 sq.

6. I, vii, 2 (I, p. 220) : "whatsoever we work as men, the
   same we do wittingly and freely".

7. I, vii, 6 (I, p. 224) : "Reason therefore may rightly
   discern the thing which is good, and yet the Will of man
   not incline itself thereunto".

8. I, vii, 3 (I, p. 221).

9. I, vii, 6 (I, p. 223).

10. Ibid., "there is no particular object so good, but it may have the show of some difficulty or unpleasant quality annexed unto it, in respect whereof the will may shrink and decline it".

11. I, vii, 2 (I, p. 220).

12. I, vii, 6 (I, p. 223) ; cf. également V, App. n° 1 (II, p. 544) : "That which moveth man's will is the object or thing desired. That which causeth it to be desired, is either true or apparent goodness".

13. I, vii, 6 (I, p. 223).

14. Cf. ARIST., Mét. Λ,7, 27 sq. éd. Tricot, p. 676 ; S. TH. Com. in Ethic. I, 10.

15. I, vii, 6 (I, pp. 222, 223) : "There is in the Will of man naturally that freedom whereby it is apt to take or refuse any particular object whatsoever being presented unto it. Whereupon it followeth, that there is no particular object so good but it may have the show of some difficulty or unpleasant quality annexed to it, in respect whereof the Will may shrink and decline it ; contrariwise (for so things are blended) there is no particular evil which hath not some appearance of goodness whereby to insinuate itself." C'est nous qui soulignons.

16. I, vii, 6 (I, p. 224).

17. I, viii, 7 (I, p. 225).

18. Cf. supra, p. 193 sq.

19. I, vii, 6 (I, p. 223).

20. I, vii, 7 (I, p. 224).

21. ARISTOTE, Ethique à Nic., VI, 13, 1144 a 35, éd. Tricot,
p. 310 ; saint THOMAS, S. T., I^a, II^{ae}, Q. 4, a. 4 :
la contemplation de la vérité ne donne la béatitude que
si elle procède de l'amour du vrai, c'est-à-dire d'une volonté droite. Cf. encore sur ce point le livre de R. HOOPES,
Right Reason in the English Renaissance, H.U.P., 1962.

22. I, vii, 7 (I, p. 224).

23. Ibid.

CHAPITRE II

BIEN, LOI MORALE ET VERTUS

(pp. 235-258)

1. I, vii, 4 (I, p. 222). Cf. également, un peu plus loin :
   "In the rest there is that light of Reason, whereby good
   may be known from evil, and which discovering the same
   rightly is termed right."

2. I, v, 1 (I, p. 215) ; cf. également I, xi, 1 (I, p. 253) :
   "And whatsoever such perfection there is which our nature
   may acquire, the same we properly term our Good".

3. I, xi, 3 (I, p. 255).

4. I, viii, 1 (I, p. 225).

5. I, xi, 3 (I, p. 256).

6. I, xi (I, pp. 253, 254) ; ARISTOTE, Ethique à Nic.
   I, 1, 1094 a 18 sq.,éd. Tricot, p. 33 sq.

7. Cf. également cet autre texte de Hooker : V, lxxvi, 3
   (II, p. 445).

8. Ethique à Nic., I, 4, 1096 a 10 sq., éd. Tricot, p. 45 sq.

9. Cf. supra, p. 236, I, v, 1 (I, p. 215).

10. I, v, 2 (I, p. 215). Ici, Hooker cite lui-même Aristote,
    de An. lib. ii, cap. 4, Πάντα γαρ ἐκείνου ὀρέγεται,
    "tout le recherche" ; mais cette phrase d'Aristote ne rend
    compte que de seek the highest et non pas de covet the
    participation of God himself. On voit l'infidèle fidélité,
    le passage discret du concept de finalité, aristotélicien
    certes, à celui de participation qui ne l'est pas. Cf.
    infra, pp. 371-379.

11. Ethique à Nic., VI, 2, 1139 a 36 ; cf. éd. Tricot, p. 278.

12. Cf. Joseph MOREAU, Aristote et son école, Paris, 1962,
    pp. 193, 194.

13. Cf. pour tout cela les remarquables analyses de Jacques
    MARITAIN, dans La philosophie morale, Paris, 1960,
    p. 39 sq. ; notamment p. 40 : "D'un autre côté le bien est
    synonyme de valeur. Ici nous avons la direction de la 'cau-
    salité formelle'. Si le bien nous apparaît comme bien,
    c'est parce qu'il nous apparaît comme une certaine pléni-
    tude d'être, un certain achèvement qualitatif intrinsèque
    dont la propriété est d'être aimable ou désirable ; ce qui
    est bon est digne d'amour, vaut d'être aimé désiré, a une
    valeur en soi et pour soi [...] Tel était clairement le point
    de vue de Platon."

14. I, viii, 1 (I, pp. 225, 226).

15. I, xi, 3 (I, pp. 255, 256).

16. Ibid., 6, p. 261.

17. Cité dans The Philosophy of Marsilio Ficino, de P.O.
    KRISTELLER, New York, 1943, p. 263. Sur le platonisme es-
    thétique de la Renaissance et la théorie de l'amour, on
    consultera R. ELLRODT, Neoplatonism in the Poetry of
    Spenser, Genève, 1960, surtout le chap. ii, pp. 25-45 ;

cf. notamment p. 25 : "In the wider view of Christian tradition, they did not innovate when they defined beauty as 'the splendour of the face of God', 'the radiance of divine Goodness', 'an influence of heavenly bountifulness' [..] Yet their insistence on beauty, the attention they lavished on the subject proved distinctive, even in comparison with the early Church Fathers."

18. Ibid.

19. Ibid., p. 269.

20. Ibid., p. 270.

21. I, xi, 3 (I, pp. 255, 256).

22. I, viii, 1 (I, p. 225), cité supra, p. 240, et Serm. III (III, p. 599) : "To make this somewhat more plain, we must note, that as they, which travail from city to city, inquire ever for the straightest way, because the straightest is that which soonest bringeth them unto their journey's end, etc."

23. Serm. III (III, p. 598) : "Right, by an apt conformity of all parts with that end which is outwardly proposed for each thing to tend unto."

24. Ibid., p. 599.

25. Ibid.

26. Ibid., p. 600.

27. Ibid., pp. 599, 600.

28. La raison droite selon Hooker, c'est donc finalement l'ὀρθὸς λόγος d'Aristote plus que la recta ratio des stoïciens. Cf. notamment Eth. à Nic., II, 2, 1103 b 30, éd. Tricot,

p. 91 ; III, 8, 1115 a 26-30, p. 146 ; VI, 1, 1138 b 20 sq.,
p. 273 ; VI, 13, 1144 b 20 sq., p. 312.

29. Cf. le titre du chap. viii : "Of the natural way of finding
out Laws by Reason to guide the will unto that which is
good" ; également ibid., 7, p. 230 : "Touching the several
grand mandates, which being imposed by the will of Man,
they are by the same method found out". Cf. supra, p. 114,
p. 121.

30. I, viii, 2 (I, p. 226).

31. Ibid., 3, pp. 226, 227.

32. Ibid., 2, p. 226.

33. Ibid., 5, pp. 228, 229.

34. Ibid., 6, p. 230.

35. Ibid., 7, p. 230.

36. Ibid., p. 232.

37. I, xii, 1 (I, p. 262). Pour cette identification du droit
naturel au décalogue et à la loi évangélique, cf. l'étude
très précise des sources et de la constitution de cette
synthèse chez VILLEY, Leçons, p. 189 sq.

38. Sur l'anglicanisme, le principe du juste milieu et les différents thèmes auxquels les théologiens anglicans appliquent
ce principe au XVIe siècle, cf. H.C. PORTER, "Hooker, the
Tudor Constitution, and the Via Media", in : Studies in
Richard Hooker, 1972, p. 89 sq. H.C. PORTER, à juste titre,
attribue une source érasmienne à cette modération. Mais
Hooker, dès qu'il veut lui donner une forme philosophique,
se rabat, comme on peut s'y attendre sur Aristote. D'où une
certaine technicité dans la manière dont il traite du prin-

cipe et des réminiscences aristotéliennes évidentes ;
cf. <u>Serm. III</u> (III, pp. 599, 600), cité plus haut ; V, lxv,
20 (II, p. 336), paraphrasé un peu plus bas ; également
V, lv, 2 (II, p. 239) : "Measure is that which perfecteth
all things, because everything is for some end, neither
can that thing be available to any end which is not pro-
portionable thereunto, and to proportion as well excesses
as defects are opposite".

39. <u>Serm. IV</u> (III, p. 643 sq.).

40. <u>Ibid.</u>, pp. 644, 645.

41. <u>Ibid.</u>, p. 647.

42. <u>Ibid.</u>

43. <u>Serm. III</u> (III, p. 597 sq.).

44. V, i, ii, iii (II, p. 13 sq.).

45. V, lxv, 20 (II, p. 336).

46. V, lxx, 5 (II, p. 387) et V, lxxii, 15 (II, p. 423).

47. V, lxxvi, 5 (II, p. 449).

48. V, i, 2 (II, p. 13 sq.).

49. <u>Serm. III</u> (III, p. 616 sq.).

50. <u>Ibid.</u>, p. 617.

51. <u>Ibid.</u>, p. 618.

52. <u>Ibid.</u>

53. Ibid. pp. 619, 620.

54. Cf. supra, p. 106 sq. et les livres cités de M. Villey pour la conception philosophique du droit naturel impliquée par cette formule.

55. Cf. supra, pp. 243, 244.

56. S. T., II^a, II^{ae}, Q. 58, a. 1 : "Justitia est constans et perpetua voluntas jus suum unicuique tribuens". Saint Thomas ne fait d'ailleurs ici que reprendre et discuter un article du Digeste : Dig. I, I, de Justit. et Jure, 10.

57. Serm. III (III, p. 620).

58. V, i, 2 (II, p. 15).

59. V, vii, 1 (II, pp. 30, 31).

60. I, vi, 4 (I, p. 218), cf. supra, p. 181.

61. I, vii, 7 (I, p. 224), cf. supra, p. 233.

62. V, viii, 1 (II, p. 33) : "To prescribe the order of doing in all things is a peculiar prerogative which Wisdom hath, as queen or sovereign commandress over other virtues".

63. III, viii (I, p. 364 sq.). Pour la conception que les réformateurs et ceux que nous appelons ici les humanistes mystiques (John Colet, par ex.) se font de la sagesse, cf. E.F. RICE, The Renaissance Idea of Wisdom, Cambridge, Massachusetts, H.U.P., 1958, chap. 5, "Sapientia Nostra".

64. Cf. H. CHADWICK, Early Christian Thought and Classical Tradition, O.U.P., éd. 1971.

65. III, viii, 7 (I, p. 367) : "that philosophy, which to bolster heresy or error casteth a fraudulent show of

reason upon things which are indeed unreasonable".

66. Ibid., 7, 8, pp. 367, 368.

67. Ibid., 9, pp. 370, 371 ; cf. également 8, p. 370 :
    "Instead of framing their wills to maintain that which
    reason taught, they bent their wits to find how reason
    might seem to teach that which their wills were set to
    maintain".

68. Ibid., 7, p. 367.

69. Ibid., 9, p. 370.

70. Cf. également II, i, 4 (I, p. 290) ; l'image utilisée est
    encore celle d'une fontaine ou d'une source, mais non plus
    d'une source de lumière : "Whatsoever either men on earth
    or the Angels of heaven do know, it is a drop of that un-
    emptiable fountain of wisdom ; which wisdom hath diverse-
    ly imparted her treasures unto the world." Sur cette con-
    ception encyclopédique de la sagesse, cf. E.F. RICE,
    op. cit., chap. 4, "The Wisdom of Prometheus".

71. Cf. RICE, op. cit., chap. 2,"Active and Contemplative
    Ideals of Wisdom in Italian Humanism".

72. Ibid., chap. 7,"Pierre Charron and the Triumph of Wisdom
    as a Moral Virtue".

73. II, i, 4 (I, p. 290) : "To teach men therefore wisdom
    professeth, and to teach them every good way ; but not
    every good way by one way of teaching. Whatsoever either
    men on earth or the Angels of heaven do know, it is a drop
    of that unemptiable fountain of wisdom ; which wisdom hath
    diversely imparted her treasures unto the world. As her
    ways are of sundry kinds, so her manner of teaching is not
    merely one and the same. Some things she openeth by the
    sacred books of Scripture ; some things by the glorious

works of Nature : with some things she inspireth them from
above by spiritual influence ; in some things she leadeth
and traineth them only by worldly experience and practice.
We may not so in any one special kind admire her, that we
disgrace her in any other ; but let all her ways be according unto their place and degree adored."

3e PARTIE : L'HOMME EN TANT QU'ANIMAL POLITIQUE

C H A P I T R E I

ETAT DE NATURE, ETAT SOCIAL

(pp. 259-277)

1. I, x, 1 (I, pp. 239, 240).

2. Cf. H. ROMMEN, Die ewige Wiederkehr des Naturrechts,
   trad. fr. Le Droit Naturel, Fribourg/Paris, 1945,
   trad. par Emile Marmy, chap. i.

3. I, x, 2 (I, pp. 240, 241).

4. Ibid. Cf. ARIST. Pol. I, 2, éd. Tricot, p. 24 sq.

5. Ibid. 3 (p. 241).

6. Ibid.

7. Ibid. 4 (p. 243).

8. Ibid. 4 (pp. 241, 242).

9. Cf. W. ULLMANN, A History of Political Thought : The Middle
   Ages, Penguin Books, 1965 ; E. LEWIS, Medieval Political
   Ideas, Londres, 1954. On consultera également toujours avec
   fruit les livres classiques de O. GIERKE, Political Theories

of the Middle Ages, trad. par F.W. Maitland, Cambridge,
1900, de R.W. & A.J. CARLYLE, A History of Medieval Political Theory in the West, Edimbourg/Londres, 1903-1936,
de C.H. Mc ILWAIN, The Growth of Political Thought in the
West, New York, 1932.

10. On invoque le livre III de la Politique surtout, cf.
A. BLACK, Monarchy and Community, Cambridge, 1970, passim ;
notamment les passages où Aristote affirme que le citoyen
tour à tour commande et est commandé, qu'il doit participer
aux fonctions politiques, qu'une collectivité est meilleure
juge qu'un individu, que le dernier mot doit appartenir au
corps des citoyens, non pas à un seul homme, etc.

11. Pour tout cela, cf. W. ULLMANN, op. cit. chap. 6 sq., notamment p. 168 : "Consequently, nature working through the
vehicle of human will and reasoning not only brought forth
the State, but also determined its path" ; cf. également
GIERKE, op. cit. p. 89.

12. Cf. saint THOMAS, S. T., I^a, II^{ae}, Q. 90, a. 3, Resp.
"Ordinare autem aliquid in bonum commune est vel totius
multitudinis, vel alicujus gerentis vicem totius multitudinis. Et ideo condere legem vel pertinet ad totam multi-
tudinem, vel pertinet ad personam publicam quae totius
multitudinis curam habet. Quia et in omnibus aliis ordinare
in finem est ejus cujus est proprius ille finis" ; A. BLACK,
op. cit., pp. 32, 33 : "Segovia, working within the school
of Baslean Conciliarism, was also giving the (mainly Tho-
mist) appeal for reason as the criterion of good government
a certain constitutional reality. He assumed (as did
Marsiglio) that the sovereign decision of the whole people
will express their spontaneous recognition of what is in
fact in their own interest".

13. Inst. I, 2.

14. Inst., I, 3, 2 : "Sed et quod principi placuit, legis habet vigorem, cum lege regia quae de imperio ejus lata est, populus ei et in eum omne suum imperium et potestatem concessit".

15. Cod. Just., 5, 59, 5, par. 3 ; cf. également Dig., 39, 3, 8 ; cf. sur le Quod omnes l'art. de Y. CONGAR, Rev. hist. droit franç. et étr. (36), 1958, pp. 210-259.

16. Nous nous sommes inspirés, pour ce résumé, de P.E. SIGMUND, Nicholas of Cusa and Medieval Political Thought, H.U.P., 1963, chap. iv ; cf. également les ouvrages de B. TIERNEY, notamment Foundations of the Conciliar Theory, Cambridge, 1955 ; également A. BLACK, op. cit. Il peut sembler abusif de se référer à tous ces textes ou concepts médiévaux pour introduire la pensée politique de Hooker ; mais lui-même s'y réfère explicitement : pour la lex regia, cf. VIII, vi, 11 (III, p. 411) ; pour le quod omnes, cf. VIII, vi, 8 (III, p. 404) ; pour le concept d'universitas, cf. VIII, ii, 7 (III, p. 347) et notre prochain chapitre.

17. Cf. B. TIERNEY, A. BLACK, P.E. SIGMUND, op. cit.

18. Le terme de pactum, pour désigner un tel contrat de sujétion, apparaît, dès le XIe siècle, dans les écrits de Manegold de Lautenbach : "Nonne clarum est, merito illum a concessa dignitate cadere, populum ab eius dominio liberum existere, cum pactum pro quo constitutus est constat illum prius irrupisse ?", cité dans O. GIERKE, op. cit., p. 146, note 138. Autres références, note 143.

19. Cf. O. GIERKE, op. cit., p. 88 sq. ; J.W. GOUGH, The Social Contract, Oxford, éd. 1957, chap. iv.

20. O. GIERKE, op. cit. pp. 88, 89.

21. Cf. S.B. CHRIMES, édition de "De Laudibus Legum Anglie" par Sir John Fortescue, 1942, chap. xiii ; R. LERNER &

M. MAHDI (eds), Medieval Political Philosophy, 1963,
p. 520 sq. ; cf. également l'étude que fait S.B. CHRIMES
du texte de Fortescue, dans English Constitutional Ideas
in the Fifteenth Century, Oxford, 1936, chap. iv, p. 307 sq.

22. Les ouvrages sur la pensée politique au XVIe siècle sont
très nombreux ; cf. entre autres : J.N. FIGGIS, Political
Thought from Gerson to Grotius, Cambridge, 1907 ; J.W. ALLEN
Political Thought in the XVIth C., Londres, 1928 ;
P. MESNARD, l'Essor de la philosophie politique au XVIe
siècle, Paris, 1935 ; R.W. & A.J. CARLYLE, Medieval Poli-
tical Theory in the West, vol. VI, 1300 - 1600, Edimbourg/
Londres, 1936 ; Christopher MORRIS, Political Thought in
England : Tyndale to Hooker, O.U.P., 1953. Cf. également
certains ouvrages généraux : G.H. SABINE, A History of
Political Theory, Londres, 1937 ; J. IMBERT, H. MOREL,
R.J. DUPUY, La pensée politique des origines à nos jours,
Paris, 1969. Pour l'aspect plus particulièrement juridique
de cette pensée et notamment pour la notion de contrat so-
cial, cf. J.W. GOUGH, The Social Contract, et O. GIERKE,
Natural Law and the Theory of Society, trad. E. Barker,
Cambridge, 1934.

23. Monarchomaques : cette appellation leur vient d'un ouvrage
de William Barclay, l'un des théoriciens de la monarchie
absolue : De Regno et Regali Potestate adversus Buchananum,
Brutum et reliquos Monarchomachos, libri VI, paru à Paris
en 1600. Il est aujourd'hui assez courant d'utiliser ce
terme pour désigner, de façon un peu lâche mais commode,
les écrivains politiques tant protestants que catholiques
(ceux de France surtout, c'est-à-dire les huguenots d'un
côté, les ligueurs de l'autre) qui, vers la fin du siècle,
développent contre l'absolutisme royal les thèmes de la
souveraineté populaire, du contrat, du droit ou du devoir
de résistance ; cf. J.N. FIGGIS, J.W. GOUGH, J. IMBERT,
op. cit.

24. Sur les rapports entre Buchanan et Hooker, l'influence possible de l'un sur l'autre et, surtout, ce qui les séparent,
cf. W.D.J. Cargill THOMPSON, "The Philosopher of the 'Politic Society': Richard Hooker as a Political Thinker", in :
St. in R. H., pp. 44, 45 : "It is, therefore, scarcely sur-
prising that Buchanan's name is never mentioned in the Laws.
If Hooker was influenced by Buchanan, as seems probable, he
would hardly have been prepared to acknowledge that some of
his leading ideas were derived from such a notorious expo-
nent of the doctrine of the right of resistance (p. 45)."
Hooker, par contre, cite le Vindiciae (VIII, ii, 8 ; III,
pp. 347, 348), pour se désolidariser explicitement de la
doctrine contractuelle qui y est défendue ; cf. infra,
chap. ii,"The Body Politic", p.324 . A propos du Vindiciae,
J.W. ALLEN, op. cit., p. 331, écrit : "In England the book
had become fairly well known before 1600 and Whitgift refers
to is as dangerous". Il convient enfin de mentionner que
les écrits des monarchomaques protestants avaient été précédés par les pamphlets politiques de certains exilés
d'Angleterre ou d'Ecosse, au temps de Mary. On citera notamment A Short Treatise of Politic Power (1556) de Ponet,
dont Ch. MORRIS, op. cit. pp. 151, 152, écrit : "In his
little book can be found implicitly the Original Contract
[...]Governors are the only agents men employ to carry out
the laws. Their position is one of trust and it may be for-
feited, for 'all laws do agree that men revoke their proxies
and letters of attorney when it pleaseth them'".

25. C'est le cas par exemple chez Daneau, Rose, Molina ; au
contraire chez Buchanan, l'homme naturel mène une vie solitaire et sauvage. Cf. J.W. GOUGH, op. cit., chap. v et vi.

26. Cf. par exemple les descriptions de Buchanan, Rose, Mariana,
J.W. GOUGH, ibid. ; cf. également P. MESNARD pour Mariana,
op. cit., p. 553.

27. Suarez par exemple (cf. P. MESNARD, op. cit., p. 627), mais
aussi bien Buchanan et même Mariana, qui pourtant fait de

la violence l'un des premiers motifs du contrat, cf. J.W.
GOUGH, ibid.

28. C'est le cas pour un Suarez, cf. P. MESNARD, op. cit.,
p. 626 : "Le fait que le corps politique est organique
explique clairement l'indépendance de la nature sociale
par rapport aux volontés composantes".

29. J.W. GOUGH, ibid. Les deux contrats sont cependant nettement distingués par Marius Salamonius dès le début du siècle, ibid., chap. iv. La distinction est très ferme, chez
Suarez, ibid., chap. vi ; également P. MESNARD, op. cit.,
pp. 628, 631.

30. P. MESNARD, op. cit., chap. vi, notamment p. 343 sq. ;
cf. également J.W. GOUGH, op. cit., chap. vi.

31. J.W. GOUGH, op. cit., chap. v ; c'est le cas notamment pour
Daneau, pour Boucher, ibid.

32. Par exemple chez Brutus, cf. P. MESNARD, op. cit., p. 344
("que tous se laisseront gouverner par lui s'il se laisse
gouverner par les lois") ; cf. également Bèze, ibid.,
p. 352 ; Buchanan, ibid., p. 357 (on lui adjoint du même
coup "la loi pour collègue ou pour mieux dire comme frein
de ses passions").

33. Cf. par exemple Mariana, J.W. GOUGH, op. cit., chap. vi.
Dans cette solution, nous avons, en fait, non pas véritablement un contrat de sujétion, mais pour reprendre l'expression de GOUGH, a social contract with features of a
contract of subjection.

34. C'est la solution que propose Suarez, cf. P. MESNARD,
op. cit., p. 633 ; mais la distinction est plus théorique
que pratique, car cette délégation est introduite dès le
principe : " [Suarez] accorde au droit constitutionnel une
importance capitale. Ce sont ces premiers principes, par

où se trouve fixée la forme du régime, qui constituent par
la suite la structure inébranlable de tout l'édifice."

35. C'est le cas pour Althusius chez qui l'Etat obéit aux règles
des communautés de droit. Or, une communauté de droit possède ses lois propres, un statut. Point de groupe sans une loi
de ce groupe. Cf. P. MESNARD, op. cit., pp. 580, 584.

36. Les ouvrages traitant de la pensée politique de Hooker sont
nombreux. Voici les plus importants : A.P. D'ENTREVES, The
Medieval Contribution to Political Thought, Oxford, 1939
(ce livre reprend et résume les analyses présentées dès 1932
dans Ricardo Hooker : Contributo alla teoria e alla storia
del diritto naturale, Turin ; G. MICHAELIS, Richard Hooker
als politischer Denker, Berlin, 1933 ; F.J. SHIRLEY, Richard
Hooker and Contemporary Ideas, Londres, 1949 ; Arthur S.
Mc GRADE, "The Coherence of Hooker's Polity : The Books on
Power", Journal of the History of Ideas (24), 1963, pp. 163-
82 ; W.D.J. Cargill THOMPSON, "The Philosopher of the 'Politic Society' : Richard Hooker as a Political Thinker", in :
Studies in Richard Hooker. On trouvera dans les ouvrages gé-
néraux sur Hooker ou sur la pensée du XVIe siècle d'excel-
lents chapitres traitant de ses conceptions politiques, no-
tamment : N. SYKES, "Richard Hooker", in : The Social and
Political Ideas of Some Great Thinkers of the XVIth and
XVIIth Centuries, ed. F.J.C. HEARNSHAW, Londres, 1926 ;
J.W. ALLEN, op. cit. ; P. MUNZ, The Place of Hooker in the
History of Thought, Londres, 1952 ; Ch. MORRIS, op. cit.
W.D.J. Cargill THOMPSON, dans le long article précité, fait
une revue critique de ces divers ouvrages.

37. Nous opposons ici droit naturel moderne à droit naturel
classique dans la ligne des analyses d'un L. STRAUSS,
d'un H. ROMMEN, d'un M. VILLEY, cf. supra, p. 107 sq.

38. Cf. pour tout cela I, x, 1 et 2 (I, pp. 239, 240) ; cf.
supra, pp. 259, 260, notre citation de 1 in extenso.

39. I, x, 12 (I, p. 250), cf. supra, p. 117 sq.

40. I, xv, 2 (I, p. 273), cf. supra, ibid. et p. 226.

41. V, vi, 1 (II, p. 29).

42. V, xxiv, 1 (II, p. 117).

43. Ethique à Nic., I, 1,1094 b 7-10, éd. Tricot, p. 35.

44. E. GILSON, Les métamorphoses de la cité de Dieu, Louvain/
Paris, 1952, p. 24, note 1 ; cf. également J. MARITAIN,
La philosophie morale, p. 66, § 12. L'opinion de Léo
STRAUSS, op. cit., p. 149, est fort différente et, à notre
avis, plus justifiée : "La cité n'a en dernière analyse
d'autre fin que l'individu. La morale de la société civile
ou de l'Etat est la même que celle de l'individu. Ce qui
distingue essentiellement la cité d'une bande de gangsters,
c'est qu'elle ne se contente pas simplement d'organiser et
d'exprimer l'esprit collectif. Comme la fin ultime de la
cité se confond avec celle de l'individu, ce qu'elle se
propose donc n'est ni la guerre, ni la conquête, mais une
activité pacifique, conforme à la dignité de l'homme".
Cf. également M.D. ROLAND-GOSSELIN, Aristote, Paris, 1928,
p. 132 sq.

45. S. contra Gent., III, 17, éd. P. Lethielleux, vol. 3, p. 78.

46. Cf. I, x, 4 (I, p. 243) : "there being no impossibility in
nature considered by itself, but that men might have lived
without any public regiment". Cf. infra, p. 272 sq.,
"Nature et convention".

47. I, x, 4 (I, p. 242).

48. Cf. supra, pp. 259, 260, I, x, 1 (I, p. 239).

49. I, x, 4 (I, p. 242).

50. I, x, 1 (I, p. 239) : "an order expressly or secretly
agreed upon touching the manner of their union in living
together".

51. Cf. I, x, 4 (I, p. 243).

52. "Le noeud du problème paraît bien se trouver dans la composition du fait social et de l'acte volontaire, écrit
M. Henri BATTIFOL dans la Philosophie du Droit, 1960, p. 46.
L'école sociologique assure [...] que les décisions des lé-
gislateurs et des juges sont des faits sociaux qui doivent
s'étudier comme tels dans les causes sociales qui les en-
gendrent. Mais cette considération n'empêche aucunement d'y
voir en même temps des actes délibérés : une telle conjonction, pour mal expliquée qu'elle soit, est constante". Il
est difficile d'exprimer mieux l'esprit de l'aristotélisme
politique.

53. I, x, 5 (I, p. 243).

54. Pour caractériser cette synthèse, nous reprendrions volontiers le commentaire de P. MESNARD sur Suarez. Il s'applique parfaitement à Hooker : "Le fait que le corps politique
est organique explique clairement l'indépendance de la nature sociale par rapport aux volontés composantes. Les lois
de l'ordre politique sont établies par Dieu comme celle de
l'ordre biologique. Il y a des types d'organisation donnés,
des espèces qui ont leur équilibre propre : sitôt que telle
espèce, la monarchie, par exemple, est réalisée, ses lois
sont définies du même coup que sa structure". Et plus loin :
"La création de l'Etat est donc de droit naturel, et relève
dans son plan et sa nécessité des vues de la sagesse divine.
Mais ce caractère d'organisme moral requiert dans les réa-
lisations de fait l'intervention active des volontés humaines coalisées. La société politique a besoin d'une cause
efficiente tirée de la libre décision des citoyens [...] Si
le mot de contrat rend mal cette heureuse combinaison
d'initiative et de légalité, qu'on le remplace par un au-

tre, comme le fait Rommen, par celui de consensus ou d'accord, mais que l'on ne perde pas de vue ce point important :
il ne peut y avoir d'organisme moral sans une collaboration
donnée de la nature et de la liberté". P. MESNARD, op. cit.,
pp. 626, 627, 628.

55. I, x, 4 (I, p. 243).

56. P. MESNARD, op. cit., p. 627.

57. I, iii, 5 (I, p. 211) : I, iv, 2 (I, p. 213) ; cf. supra,
p. 117.

58. I, x, 13 (I, p. 251) ; cf. supra, p. 116.

C H A P I T R E I I

CONTRAT SOCIAL ET CONSENTEMENT

(pp. 279-292)

1. VIII, ii, 11 (III, p. 350) : "how far [the power of kings] may lawfully extend, the articles of compact between them must shew".

2. Cf. I, xi (I, p. 239) ; 4 (p. 242) ; 8 (pp. 245, 246).

3. I, x, 1 (I, p. 239), cf. supra, p. 260.

4. I, x, 4 (I, pp. 241, 242) : "To take away all such mutual grievances, injuries, and wrongs, there was no way but only by growing unto composition and agreement amongst themselves" ; ibid., p. 243 : "all public regiment of what kind soever seemeth evidently to have risen from deliberate advice, consultation and composition between men".

5. Cf. notamment le texte cité supra, note 57, VIII, ii, 11 (III, p. 350).

6. I, x, 4 (I, pp. 241, 242).

7. S.B. CHRIMES, English Constitutional Ideas in the XVth C., chap. iv, p. 319 sq.

8. Cf. sur ce point O. GIERKE, Natural Law and the Theory of Society, p. 50 sq. ; selon Gierke, la théorie du double contrat est liée à une théorie encore incertaine de la

souveraineté, qui elle-même s'appuie sur un usage ambigu du concept de corps politique. Hobbes met fin à cette incertitude et à cette ambiguïté en clarifiant à la fois la théorie du contrat et celle de la souveraineté ; cf. notamment p. 60.

9. I, x, 1 (I, p. 239), cf. supra, p. 260.

10. I, x, 5 (I, pp. 243, 244).

11. I, xvi, 5 (I, p. 281) : "The public power of all societies is above every soul contained in the same societies. And the principal use of that power is to give laws unto all that are under it" ; VIII, vi, 1 (III, p. 396) : "The natural subject of power to make laws civil is the commonwealth" ; pour tout cela, cf. infra, chap. suivant. Comparant sur ce point le contrat social selon Hobbes au contrat social de l'ancienne scolastique, M. Villey écrit excellement : "Du pacte naîtra Léviathan et par Léviathan toutes les lois [...] On ne pouvait en dire autant d'aucune doctrine antérieure, pas même des anciennes doctrines scolastiques du contrat qui ne faisaient sortir du contrat que le pouvoir politique et ses conséquences, non l'ensemble des règles juridiques." Seize essais, p. 195.

12. Cf. infra, pp. 285-287.

13. I, x, 2, 3, 4 (I, p. 240 sq.) ; cf. supra, p. 271.

14. Cf. notamment I, x, 4 (I, p. 241 sq.).

15. Selon P. MESNARD, op. cit., Suarez avait une perception très claire du problème et en a présenté, lui, une solution élégante. Il accueille la description génétique d'Aristote l'hypothèse du passage de la vie familiale à la vie politique (p.622) ; cependant, la communauté politique "ordonne en son sein non des cellules inconscientes, mais des individus autonomes doués de libre arbitre" (p. 625) ; "la simple

prolifération d'une famille ne suffit pas à constituer une collectivité organique [..] Il y faut un mode nouveau cum distinctione domestica et aliqua unione politica, quae non fit sine aliquo pacto expresso, vel tacito, adjuvandi se invicem, nec sine aliqua subordinatione singularum familiarum et personarum" (p. 628).

16. ARIST., La Politique, I, 7, 1255 b 15 sq., éd. Tricot, p. 47 : "L'administration d'une maison est une monarchie (une famille est toujours sous l'autorité d'un seul) tandis que le pouvoir politique proprement dit est un gouvernement d'hommes libres et égaux."

17. W.D.J. Cargill THOMPSON, op. cit., en arrive à la même conclusion, p. 41 : "The main point of difference between Hooker's political philosophy and that of the social contract theories, however, lies in the fact that what Hooker held was a theory of compact or consent rather than a theory of contract"; p. 43 : "the idea of contract -whether in the sense of a contract of society or a contract of government- plays no part in his thought, and it is, in fact, entirely alien to his political philosophy."

18. P.E. SIGMUND, op. cit.

19. Cf. par exemple I, x, 8 (II, p. 245) ; VIII, ii, 5 (III, p. 344) ; VIII, vi, 1 (III, p. 396) ; VIII, vi, 11 (III, p. 410).

20. I, x, 8 (I, p. 246). Cf. encore, un peu plus loin dans le même passage : "And to be commanded we do consent, when that society whereof we are part hath any time before consented, without revoking the same after by the like universal agreement."

21. VIII, ii, 11 (III, pp. 350, 351).

22. I, x, 8 (I, p. 246).

23. La similitude des textes que nous venons de citer avec ceux que l'on trouve chez Fortescue est frappante ; cf. notamment la justification que donne Fortescue du gouvernement "royal" par rapport au gouvernement "politique", S.B. CHRIMES, De Laudibus Legum Anglie, par Sir John Fortescue, chap. xi. Pour cette question de l'approbation tacite par la coutume et l'usage, cf. l'article du Père Y. CONGAR, "La réception comme réalité ecclésiologique", Revue des Sc. Phil. et Théo. 56 (3), juillet 1972, p. 369 sq. ; cet article est une mine de références.

24. S. T., I^a, II^{ae}, Q. 97, a. 3, Resp.

25. Ce rapport entre lien et loi est si profondément perçu qu'à l'aide d'une étymologie sans doute abusive, on rapproche lex de ligare, cf. saint Thomas, S. T., I^a, II^{ae}, Q. 90 a. 1, Resp., également Fortescue De Laudibus Legum Anglie, éd. S.B. CHRIMES, chap. xiii, pp. 30, 32.

26. I, x, 1 (I, p. 239).

27. I, x, 12 (I, p. 250).

28. I, iv, 2 (I, p. 213).

29. VIII, iv, 6 (III, p. 376) ; V, lvi, 7 (II, p. 249).

30. V, lxxvii, 2 (II, p. 456) : "that mystical body which is the society of souls".

31. III, i, 4 (I, p. 351).

32. I, x, 1 (I, p. 239), cf. supra, p. 260.

33. VIII, ii, 2 (III, p. 341).

34. I, iii, 5 (I, p. 211).

35. I, x, 1 (I, p. 239), cf. supra, p. 260.

36. I, iii, 5 (I, pp. 211, 212).

37. Citons une fois de plus et pour finir, les lignes par quoi Hooker conclut le livre I ; on y voit encore associées de façon suggestive ces notions de loi, d'harmonie, de consentement ; loi universelle, harmonie du monde, consentement des créatures, c'est tout un : "Wherefore that here we may briefly end : of Law there can be no less acknowleged, than that her seat is the bosom of God, her voice the harmony of the world : all things in heaven and earth do her homage, the very least as feeling her care, and the greatest as not exempted from her power : both Angels and men and creatures of what condition soever, though each in different sort and manner, yet all with uniform consent, admiring her as the mother of their peace and joy." I, xvi, 8 (I, p. 285).

C H A P I T R E I I I

THE BODY POLITIC

(pp. 293-307)

1. Politicratus, V, 2, cité par C.H. Mc ILWAIN, The Growth
   of Political Thought in the West, p. 321.

2. De Laudibus Legum Anglie, chap. xiii. Cf. éd. S.B. CHRIMES,
   pp. 30 et 32.

3. C. 3, X, 1, 31, n. 14 (In Decretalia), cité par
   E.H. KANTOROWICZ, The King's Two Bodies, 1957, p. 303.
   Nous nous inspirons largement de Kantorowicz pour toute
   cette introduction historique.

4. C. 7, 53, 5, n. 11, cité par E.H. KANTOROWICZ, op. cit.,
   p. 304.

5. E.H. KANTOROWICZ, op. cit., p. 448.

6. De Laudibus Legum Anglie, chap. xiii, p. 30.

7. E.H. KANTOROWICZ, op. cit., p. 448.

8. Citons Suarez cependant, très fidèle à cet usage, cf. De
   Legibus, I, III, chap. xi, 7 : "Le pouvoir d'édicter des
   lois n'est pas dans les individus considérés isolément, ni
   dans une multitude agglomérée par un pur hasard, mais dans
   son unité morale et son organisation en un seul corps mystique", cité par P. MESNARD, op. cit., p. 626 ; cf. égale-

ment O. GIERKE, Natural Law and the Theory of Society,
p. 242, n. 61 et n. 62. E.H. KANTOROWICZ donne plusieurs
exemples pour l'Angleterre, puisés dans le langage des juristes plus que dans celui des écrivains politiques ; cf.
chap. 1, p. 15, Justice Brown, Hales v. Petit : "He [the
King] being the head has lost one of his mystic members";
ibid., Coke, Calvin's case : "It [the politic body of the
King] is called a mystical body".

9. E.H. KANTOROWICZ, op. cit., chap. vi, p. 291 sq.

10. H. de LUBAC, Corpus Mysticum, Paris, 1944 ; E.H. KANTOROWICZ,
op. cit., chap. v.

11. De cela nous trouvons confirmation dans un discours d'ouverture au Parlement prononcé par Master William of Lynwood
en 1430. William of Lynwood distingue trois formes d'union
qui vont de la plus matérielle à la plus spirituelle.
L'unité du royaume, sous ses divers aspects, répond à ces
trois catégories. Le royaume est d'abord une union "collective", comparable à l'union de choses mobiles amassées en
tas (unam...collectivam, ut in rerum mobilium congerie et
congregatione) ; c'est ensuite une union "constitutive",
analogue à l'union organique des membres d'un corps humain
(alteram...constitutivam, ut in corpore humano diversorum
membrorum annexione) ; enfin une union de "consentement",
semblable à l'union qui relie les parties d'un corps mystique dans une même volonté et dans un même amour (tertiam
consantaneam, ut in cujus libet corporis mystici unanima
voluntate et dilectione), cf. E.H. KANTOROWICZ, p. 224,
n. 91. Nous retrouvons ici les notions que nous avons dégagées au chapitre précédent dans notre étude du consentement.

12. E.H. KANTOROWICZ, op. cit., pp. 230, 231, et Paul E. SIGMUND,
Nicholas of Cusa and Medieval Political Thought.

13. C. 9, 8, 5 (Cod. Theod. 9, 14, 3) : "virorum illustrium qui consiliis et consistorio nostro intersunt, senatorum etiam, nam ipsi pars corporis nostri sunt", cité par E.H. KANTOROWICZ, p. 208, n. 42; pour l'usage médiéval de la notion, cf. ibid. notamment ce texte : "Cum ipsi [cardinales] cum papa constituant ecclesiam Romanam, et sint pars corporis papae" (Johannes Andreae, Novella, C. 4, X, 2, 24); cf. également ibid., p. 362, n. 166.

14. Op. cit., p. 230.

15. Cf. Rm, 12, 5 : Ep 1, 22 ; Ep 5, 30 ; Col 1, 17 et 18.

16. Michael WILKS, The Problem of Sovereignty in Later Middle Ages, Cambridge, 1963, Part VI, iii, "Ecclesia in Papa, Papa in Ecclesia", p. 488 sq.

17. Y. CONGAR, L'Eglise : De saint Augustin à l'époque moderne, chap. ii, p. 25 sq.

18. Arthur Stephen McGRADE, The Political Thought of William of Ockham, C.U.P., 1974.

19. V, Dedication, 4 (II, p. 3).

20. VIII, iv, 7 (III, pp. 383, 384) : "The adding of Christ the universal Head over all unto the magistrate's particular headship, is no more superfluous in any church than in other societies it is to be both severally each subject unto some head, and to have also a head general for them all to be subject unto. For so in armies and in civil corporations we see it fareth. A body politic in such respects is not like to a natural body ; in this, moe heads than one are superfluous ; in that, not."

21. Ibid., p. 384 : "all this wonderment doth grow from a little oversight, in deeming that the subject wherein headship is to reside, should be evermore some one person ; which thing

is not necessary. For in a collective body that hath not
derived as yet the principality of power into some one or
few, the whole of necessity must be head over each part ;
otherwise it could not possibly have power to make any one
certain person head ; inasmuch as the very power of making
a head belongeth unto headship."

22. VIII, ii, 3 (III, p. 343) : "supremacy is no otherwise in-
tended or meant than to exclude partly foreign powers, and
partly the powers which belongeth in several unto others,
contained as parts within that political body over which
those kings have supremacy" (c'est nous qui soulignons) ;
VIII, ii, 7 (III, p. 346) : "In kingdoms therefore of this
quality the highest governor hath indeed universal dominion,
but with dependence upon the whole entire body, over the
several parts whereof he hath dominion ; so that it standeth
for an axiom in this case, The king is 'major singulis, uni-
versis minor'"; VIII, iv, 6 (III, p. 380) : "as kings, because they are in authority over the Church, if not collectively, yet divisively understood" ; VIII, iv, 8 (III,
p. 384) : "For in a collective body [...] the whole of necessity must be head over each part". Certains textes assimi-
lent de façon très explicite le body politic à une corporation, cf. VIII, i, 2 (III, p. 330), VIII, iv, 7 (III,
pp. 383, 384), surtout VIII, vi, 10 (III, p. 407) : "That
which an university of men, a company or corporation doth
without consent of their rector, is as nothing. Except
therefore we make the king's authority over the clergy less
in the greatest things, than the power of the meanest governor is in all things over the college or society which
is under him ; how should we think it a matter decent, that
the clergy should impose laws, the supreme governor's assent
not asked ?".

23. Cf. III, xi, 14 (I, p. 406) : "First, so far forth as the
Church is the mystical body of Christ and his invisible
spouse, it needeth no external polity [...] But as the Church

is a visible society and a body politic, laws of polity it cannot want."

24. Quelques références : III, i, 2 (I, p. 338) : "Only our minds by intellectual conceit are able to apprehend, that such a real body there is, a body collective, because it containeth an huge multitude ; a body mystical, because the mystery of their conjunction is removed altogether from sense" (mais ce passage est précédé d'une phrase qui commence par : "That Church of Christ, which we properly term his body mystical") ; V, lxxvii, 2 (II, p. 456) : "To whom Christ hath imparted power both over that mystical body which is the society of souls, and over that natural which is himself for the knitting of both in one" (mais Hooker poursuit : "a work which antiquity doth call the making of Christ's body") ; VIII, iv, 6 (III, p. 377) : "In a word, they are of that mystical body, which we term the Church of Christ" (mais ce texte conclut une citation de He 12, 22-24 : "Aggregated they are [...] to Jesus the Mediator of the New Testament") ; l'exemple le plus frappant d'emploi absolu de l'expression body mystical appliquée à l'Eglise sans référence immédiate au corps du Christ est le suivant, V, xxiv, 1 (II, pp. 116, 117) : "This holy and religious duty of service towards God concerneth us one way in that we are men, and another way in that we are joined as parts to that visible mystical body which is his Church." (la conjonction de visible et de mystical, ordinairement opposés chez Hooker, est curieuse, cf. infra, notre commentaire sur ce point, p.576 sq.); également Serm. V (III, p. 659).

25. VIII, iv, 5 (III, p. 374).

26. Cf. infra, notre livre V sur l'Eglise. Egalement, notre chapitre sur l'eucharistie, pp. 509-42.

27. Cf. supra, chap. précédent.

28. VIII, iv, 7 (III, p. 382) : "By which reason, the name of body politic is supposed to be always taken of the inferior sort alone, excluding the principal guides and governors ; contrary to all men's custom of speech [...] A chief and principal part, therefore no part ; this is surely a strange conclusion." Cf. également le texte que nous citons un peu plus loin, sur le Parlement, qui est "le corps même du royaume entier [...] composé du roi et de tous ceux qui, dans le royaume, lui sont soumis", VIII, vi, 11 (III, p. 408) ; cf. infra, chap. iv, "Souverain, loi, nation".

29. VIII. ii, 5 (III, pp. 343, 344) : "every independent multitude [...] hath under God's supreme authority full dominion over itself [...] and that power which naturally whole societies have may be derived into many, few, or one" ; VIII, iv, 7 (III, p. 384), cité déjà, n. 21 ; VIII, ii, 9 (III, p. 349), et les références données infra, n. 47 ; cf. également le chap. précédent.

30. VIII, ii, 10 (III, p. 350).

31. VIII, vi, 11 (III, p. 408).

32. Cf. G.R. ELTON, Tudor Constitution, C.U.P., éd. 1965, p. 270.

33. Cf. S.B. CHRIMES, English Constitutional Ideas in the XVth Century, p. 175.

34. Thomas SMITH, De Republica Anglorum, A Scolar Press Facsimile, Menston, 1970, II, i, p. 35.

35. C.R. ELTON, Studies in Tudor and Stuart Politics and Government, C.U.P., 1974, vol. II, chap. 22, "'The Body of the Whole Realm' : Parliament and Representation in Medieval and Tudor England", p. 36.

36. G.R. ELTON, op. cit., p. 33 : "For the definition offered
in 1543 clearly thought of the institutional body of
Parliament as comprising the King, the (House of) Lords,
and the House of Commons. The pre-Tudor Parliament was
rather a body of Lords and Commons only."

CHAPITRE IV

SOUVERAIN, LOI, NATION

(pp. 309-333)

1. VIII, App. n° 1 (III, p. 457, n. 7).

2. P. MESNARD, op. cit., p. 483.

3. Ibid., p. 489.

4. Ibid., p. 491.

5. Ibid., p. 494.

6. VIII, ii, 2 (III, pp. 341, 342).

7. W.D.J. Cargill THOMPSON, op. cit., pp. 48, 49, fait une comparaison analogue à la nôtre entre Bodin et Hooker.

8. VIII, ii, 3 (III, p. 343).

9. C.H. Mc ILWAIN, op. cit., p. 355.

10. Ibid., p. 250.

11. Cf. notamment Jean de Paris, qui distingue de façon très ferme, dans son Tractatus de Potestate Regia et Papali, jurisdictio et dominium, C.H. Mc ILWAIN, op. cit., p. 266.

12. Op. cit., p. 357.

13. VIII, ii, 10 (III, p. 350). Nous avons traduit to hold
    under par "tenir dans la mouvance de" afin de faire res-
    sortir la hiérarchie féodale des droits et des pouvoirs
    qu'implique l'expression. On va la retrouver dans un ins-
    tant à propos de l'adage the king holds his dominion under
    the law. Le texte cité montre en outre que to hold with
    dependency upon équivaut très exactement à to hold under,
    cf. infra, p. 322.

14. Ibid., 11, p. 350 : "In power of dominion, all kings have
    not an equal latitude".

15. 7, p. 346.

16. 11, p. 350.

17. 3, p. 342.

18. 13, p. 353.

19. 12, pp. 351, 352.

20. Un autre texte met ce rapport encore plus nettement en re-
    lief que les textes précédents, si c'est possible, VIII,
    viii, 9 (III, p. 443) : "The whole body politic maketh
    laws, which laws give power unto the king".

21. 12, p. 352.

22. 17, p. 357.

23. Cf. S.B. CHRIMES, English Constitutional Ideas in the
    XVth Century. Il convient donc de souligner à la fois la
    continuité qui unit Hooker à Bracton qu'il cite (comme le
    font nombre de ses contemporains, Coke par exemple) et les
    différences qui l'en séparent. Si la lex de Bracton au
    XIIIe siècle (et peut-être la lex de Fortescue au XVe)

n'est pas la loi parlementaire, mais seulement la Common Law, il n'en est évidemment plus de même pour la positive law ou la national or municipal law de Hooker.

24. O. GIERKE, Political Theories of the Middle Ages, p. 74.

25. Op. cit.,pp. 364, 365.

26. Ibid., p. 365.

27. Ibid., p. 367.

28. Ibid., p. 365.

29. Op. cit., pp. 319-321.

30. Op. cit., p.

31. Ibid., p.

32. VIII, viii, 9 (III, p. 443). Il faut rappeler que la première édition du livre VIII (éd. Bishop, 1648) ne contenait pas ce chap. ix, ni non plus l'édition Gauden (1662). On n'a pas connu ce chapitre avant l'édition de Keble (sauf certains extraits parus en 1661 dans les Clavi Trabales). Jusqu'en 1836, on a donc eu de la pensée politique de Hooker une vue incomplète et déséquilibrée. Cf. W. Speed HILL, A descriptive bibliography of the early editions : 1593-1724, it. 20, 21, 22.

33. VIII, ix, 2 (III, p. 445).

34. Ibid.

35. VIII, viii, 4 (III, p. 433).

36. Ibid.

37. Ibid., p. 434.

38. Ibid.

39. Ibid., pp. 433, 434.

40. VIII, vi, 13 (III, p. 413).

41. 8, p. 405.

42. 11, p. 411.

43. VIII, ii, 3 (III, p. 342).

44. ix, 3,p. 448.

45. Cf. par ex. Dr COWELL, The Interpreter, 1610 : " [...] that especial power, preeminence and privilege that the king hath in any kind over and above the ordinary courses of the Common Law, in the right of his crown", cité par S.B. CHRIMES, op. cit., p. 43.

46. VIII, ii, 3 (III, pp. 342, 343).

47. Pref. V, 2 (I, p. 164) ; également I, x, 8 (I, p. 245) : "the lawful power of making laws to command whole politic societies of men belongeth [...] properly unto the same enti societies" ; I, xvi, 5 (I, p. 281) : "The public power of all societies is above every soul contained in the same societies. And the principal use of that power is to give laws unto all that are under it" ; VII, xiv, 3 (III, pp. 222, 223) : "The Church therefore being a politic society or body, cannot possibly want the power of providing for itself ; and the chiefest part of that power consistet in the authority of making laws" ; VIII, vi, 1 (III, p. 396) : "the natural subject of power to make civil laws is the commonwealth" ; 6, p. 401 : "It is undoubtedly a

thing even natural, that all free and independant societies
should themselves make their own laws, and that this power
should belong to the whole" ; viii, 9, p. 443 : "The whole
body politic make laws, which laws give power unto the king".

48. VIII, ii, 7 (III, pp. 346, 347).

49. VIII, ii, 9 (III, p. 349).

50. Ibid.

51. Cf. supra, p. 313 et n. 13.

52. VIII, vi, 8 (III, p. 405).

53. C'est à propos du titre Head of the Church que Hooker fait
ces distinctions : 1) le roi est bien membre de l'Eglise,
car la tête d'un corps n'est pas exclue de ce corps, comme
on l'a vu déjà, VIII, iv, 7 (III, p. 382) ; 2) mais si le
roi fait bien parti de l'Eglise, si donc il est de l'Eglise,
il est également au-dessus de l'Eglise : [kings] are in
authority over the church, if not collectively, yet divisively understood, VIII, iv, 6 (III, p. 380).

54. VIII, ii, 8 (III, p. 348).

55. Ibid., p. 347.

56. Ibid., p. 349.

57. Ibid., p. 350.

58. G.R. ELTON, The Tudor Constitution, p. 18.

59. Ibid., p. 19.

60. VIII, ii, 17 (III, p. 357).

61. VIII, v (III, p. 392 sq.) : Vindication of the Prerogative regarding Church Assemblies.

62. VIII, vi (III, p. 396 sq.) : Vindication of the Prerogative regarding Church Legislation.

63. V, ix, 3 (II, pp. 39, 40).

64. Cf."Sir Thomas Smith on the King's Prerogatives", G.R. ELTON, op. cit., p. 19 : "The prince useth also to dispense with laws made, whereas equity requireth a moderation to be had" ; cf. également ibid., p. 21.

65. Ibid., p. 19.

66. VIII, vii (III, p. 419 sq.) : Vindication of the Prerogative regarding the Nomination of Bishops.

67. VIII, viii (III, p. 431 sq.) : Vindication of the Prerogative regarding Ecclesiastical Courts ; cf. Sir Thomas Smith : "The supreme justice is done in the King's name and by his authority only", G.R. ELTON, op. cit., p. 20.

68. VIII, ix (III, p. 444 sq.) : Vindication of the Prerogative regarding Exemption from Excommunication ; cf. supra, p. 315 sq. ; cf. également"William Stanford on the King's Prerogatives", G.R. ELTON, op. cit., p. 18 : "his person shall be subject to no man's suit".

69. F.W. MAITLAND, The Constitutional History of England, éd. 1968, p. 188 : "Two indefinite powers, an ordaining and a dispensing power, are at the end of the Middle Ages part of the King's inheritance."

70. Op. cit., pp. 21-23.

71. Cf. G. CONSTANT, La Réforme en Angleterre : L'Introduction de la Réforme en Angleterre, Paris, 1939, pp. 344, 345 et n. 38 ; également J.A. MULLER, Stephen Gardiner and the Tudor Reaction, New York, 1926, p. 380.

72. G.R. ELTON, op. cit., pp. 255, 256.

73. Cf. A.G. DICKENS, The English Reformation, éd. Fontana Library, 1967, p. 172 : "The respective rôles of Parliament and Convocation as partners in the exercise of this royal supremacy cannot be defined in any simple formula by reference to Henrician legislation and practice. Dr Woodward has rightly suggested that these statutes and their sequels indicate two divergent tendencies. The famous preamble of the Appeals Act seems to envisage Parliament and Convocation as two concurrent powers, each operating within its own sphere. Similarly, the Act for Submission of the Clergy places Convocation in a direct relation with the King, a relation parallel to that enjoyed by Parliament [...] Yet alongside this theory of concurrent powers there ran also a marked tendency to regard Parliament as the superior power and statute law as superior to canon law." Mais sur quel fondement constitutionnel la première tendance pouvait-elle s'appuyer ? Il nous semble qu'à l'époque d'Henri VIII il était juridiquement difficile, pour ne pas dire impossible, de mettre sur le même pied les canons passés en Convocation et les lois votées en Parlement. Dans la mesure où les réformes d'Henri supprimaient l'autonomie du droit canon, c'est-à-dire d'une loi qui n'avait ni sa source ultime ni son garant dans le royaume mais à Rome, et unifiaient l'ensemble de la législation d'Angleterre, il était inévitable que la deuxième tendance prévalût. Au reste, si le préambule de l'Act in Restraint of Appeals parle bien d'un body spiritual et d'un body temporal, il insiste néanmoins sur l'unité du corps politique, et s'il distingue deux juridictions, il ne désigne pas cependant deux organes

législatifs ou deux sources ultimes de droit. Quant à l'Act
for Submission of the Clergy, s'il soumet la Convocation au
roi et décrète qu'elle ne peut adopter de canon sans l'assentiment du roi, il n'en déclare pas pour autant que les
canons arrêtés auront statut de loi au même titre que les
Actes du Parlement. Enfin, quand on analyse la politique
religieuse d'Henri à la lumière des écrits de ses propagandistes, de ceux surtout qui sont des lawyers, on voit bien
que la première tendance dominait largement. Cf. notamment
l'étude que fait H.C. PORTER ("Hooker, the Tudor Constitution", in : Studies in Richard Hooker, pp. 86-88) d'un dialogue rédigé en 1532 ou en 1533 par un Common-lawyer, A
dyaloge betwene one Clemente or clerke of the Convocacyuon
and one Bernarde, a burges of the parlyament, dysputynge
betwene them what auctoryte the clergye have to make lawes.
And howe farre and where theyr power dothe extende. Cf.
également, Ch. MORRIS, op. cit., p. 55.

74. VIII, vi, 11 (III, p. 409).

75. Ce principe, clairement exposé et défendu dès la Réforme
    d'Henri (cf. notamment le préambule de l'Act in Restraint
    of Appeals et Stephen Gardiner, De Vera Obedientia, 1535),
    fait l'objet du 1er chapitre du livre VIII de l'E. P. ;
    cf. notamment pp. 328, 329, 330. C'est dans ce chapitre ·
    que l'on trouve la fameuse phrase, si souvent citée :
    "There is not any man of the Church of England but the same
    is also a member of the commonwealth ; nor any man a member
    of the commonwealth, which is not also of the Church of
    England", p. 330. Cf. infra, notre livre V, chap. ii,
    "L'Eglise, société politique".

76. VIII, vi, 11 (III, p. 408).

77. VIII, vi, 13 (III, p. 413) ; également 11 (p. 410).

78. G.R. ELTON, op. cit., p. 25. Le burges of the parlyament
    du dialogue étudié par H.C. PORTER (cf. supra, n. 74) dit

de même (p. 88) : "ye of the spirytualte alone may make no orders nor lawes to extende any correccyon to them that be nat of your owne felyshyppe and communyte [..] youre auctoryte stretcheth nat to bynde the lay men therto [..] your lawe can nat extende to gyve any ponysshement or correccyon to them that be nat present at the makynge of your lawes nor never consentynge unto them". Hooker, lui aussi, dit la même chose, VIII, vi, 11 (III, p. 410) : "but laws could they [les résolutions arrêtées par les clercs] never be without consent of the whole Church, which is the only thing that bindeth each member of the Church [et les laïcs sont bien membres de l'Eglise], to be guided by them."

79. G.R. ELTON, op. cit., p. 356.

80. VIII, viii, 4 et 5 (III, pp. 433-35).

CHAPITRE V

DROIT DIVIN ET DEVOIR D'OBEISSANCE

(pp. 335-352)

1. VIII, ii, 13 (III, p. 353) : "Our kings therefore, when
   they take possession of the room they are called unto, have
   it painted out before their eyes, even by the very solem-
   nities and rites of their inauguration, to what affairs by
   the said law their supreme authority and power reacheth.
   Crowned we see they are, and enthronized, and anointed :
   the crown a sign of military ; the throne, of sedentary or
   judicial ; the oil, of religious or sacred power."

2. VIII, ii, 6 (III, p. 345).

3. Ibid., p. 346.

4. Sur la théorie du droit divin, cf. G.H. SABINE, A History
   of Political Thought, p. 391 sq. ; J.W. ALLEN, A History of
   Political Thought in the XVIth Century, Part III, chap. vii,
   p. 367 sq. ; J.N. FIGGIS, The Divine Right of Kings,
   Cambridge, 1896. J.W. ALLEN écrit p. 385 : "The very root
   of the theory is the idea that authority to command imply-
   ing obligation to obey cannot be created by man" ; cela est
   vrai de la théorie prise dans son sens le plus général, selon laquelle toute autorité vient de Dieu, selon laquelle
   par conséquent le devoir d'obéissance lie la conscience ;
   mais cela ne saurait suffisamment caractériser la théorie
   nouvelle du droit divin. J.W. ALLEN le reconnaît d'ailleurs
   lui-même p. 391.

5. *Tractatus de regia potestate et papali*, C. 11 & 16, cité par O. GIERKE, <u>Political Theories of the Middle Age</u>, p. 146, n. 140.

6. VIII, ii, 6 (III, p. 346).

7. <u>Ibid.</u>

8. VIII, iv, 6 (III, p. 374 sq.).

9. <u>Ibid.</u>, p. 375.

10. <u>Ibid.</u>, p. 376.

11. VIII, iv, 6 (III, p. 379).

12. Rm. 13, 1, 2, 5.

13. Cité par C.S. LEWIS, <u>English Literature in the XVIth Century excluding Drama</u>, p. 183.

14. Cité par Ch. MORRIS, <u>Political Thought in England: Tyndale to Hooker</u>, pp. 32, 33.

15. <u>Ibid.</u>, p. 73.

16. <u>Ibid.</u>, p. 38.

17. Ch. MORRIS, <u>Political Thought in England : Tyndale to Hooker</u>, chap. viii, "The Puritan Protest", p. 143 sq. On notera néanmoins que les puritains anglais au temps d'Elisabeth (presbytériens et séparatistes) n'ont pas enseigné semblable doctrine, à la différence des exilés cités. Pour Bèze et les huguenots, cf. Pierre MESNARD, <u>op. cit.</u>, notamment p. 387 sq.

18. C.H. Mc ILWAIN, <u>The Growth of Political Thought in the West</u>, p. 321.

19. Cf. par ex. S. T., I^a, II^{ae}, Q. 92, a. 1, ad 4um.

20. Ch. MORRIS, op. cit., p. 43.

21. P. MESNARD, op. cit., pp. 502, 503.

22. Pour cette histoire des théories contraires de l'obéissance et de la résistance au prince, on se reportera aux ouvrages généraux sur la pensée politique au XVIe siècle mentionnés supra, p. 800 , n. 22.

23. Keble, s'appuyant sur le fait que ce fragment ne figurait pas dans la première édition du livre VIII (1648), que le premier paragraphe répétait mot pour mot un passage du livre III, enfin que le sujet n'avait, dans l'ensemble, pas de rapport avec le livre VIII, a supposé qu'il s'agissait d'un "separate fragment, probably of a Sermon on Obedience to Governors, annexed by mistake to the eighth book in all the MSS" (III, p. 456, n. 1). Houk, prenant pour base le ms de Dublin, a opté pour le parti opposé et a imprimé ce passage au chap. vi, pp. 235-241. W.D.J. Cargill Thompson se range à l'avis de Houk, cf. op. cit., p. 74, n. 71.

24. Cf. supra, p. 324.

25. VIII, App., n° 1 (III, p. 458).

26. Ibid.

27. Ibid.

28. Ibid.

29. Ibid., p. 459.

30. Cf. supra, p. 346.

31. P. 459 : "That subjection which we owe unto <u>lawful</u> powers, doth not only import that we should be under them by order of our state, but that we shew all submission towards them both by honour and obedience. He that resisteth them, resisteth God" (c'est nous qui soulignons).

4e PARTIE : L'HOMME EN TANT QU'ETRE DONT LA FIN EST DIEU MEME

C H A P I T R E I

BIEN SUPREME ET BEATITUDE. NATUREL ET SURNATUREL

(pp. 353-370)

1. I, xi (I, p. 253 sq.).

2. Cf. supra, p. 235 sq.

3. P.O. KRISTELLER, Le thomisme et la pensée italienne de la Renaissance, Montréal/Paris, 1967, p. 109.

4. Ibid., pp. 109, 110.

5. Ibid., pp. 111, 118, 119.

6. S. T., I^a, II^{ae}, Q. 3, a. 4, Resp., éd. Revue des Jeunes, trad. A.D. Sertillanges, p. 104.

7. Ibid., Q. 2, a. 6, Resp. : "Omnis delectatio est quoddam proprium accidens quod consequitur beatitudinem" ; Q. 3, a. 4, Resp. : "Ad beatitudinem duo requiruntur : unum quod est essentia beatitudinis ; aliud quod est per se accidens ejus, scilicet delectatio ei adjuncta." ; cf. encore Q. 4, a. 1.

8. S. T., II^a, II^{ae}, Q. 23, a. 6, Resp.

9. Cf. supra, p. 229 sq.

10. I, iv, 1 (I, pp. 212, 213) ; cf. supra, p. 224.

11. I, xi, 3 (I, pp. 255, 256) ; voici en entier le passage que
    nous allons commenter : "Complete union with him must be
    according unto every power and faculty of our minds apt to
    receive so glorious an object. Capable we are of God both
    by understanding and will : by understanding, as He is that
    sovereign Truth which comprehendeth the rich treasures of
    all wisdom ; by will, as He is that sea of Goodness whereof
    whoso tasteth shall thirst no more. As the will doth now
    work upon that object by desire, which is as it were a mo-
    tion towards the end as yet unobtained ; so likewise upon
    the same hereafter received it shall work also by love.
    'Appetitus inhiantis fit amor fruentis,' saith St Augustine :
    'The longing disposition of them that thirst is changed into
    the sweet affection of them that taste and are replenished.'
    Whereas we now love the thing that is good, but good espe-
    cially in respect of benefit unto us ; we shall then love
    the thing that is good, only or principally for the good-
    ness of beauty in itself. The soul being in this sort, as
    it is active, perfected by love of that infinite good,
    shall, as it is receptive, be also perfected with those
    supernatural passions of joy, peace, and delight."

12. Cf. supra, p. 239 sq.

13. II, viii, 5 (I, p. 334).

14. S. T., I^a, Q. 5, a. 5, Resp.

15. Ibid., I^a, Q. 62, a. 1, Resp.

16. In primam, Q. 12, a. 1, cf. H. de LUBAC, Augustinisme et
    théologie moderne, Paris, 1965, p. 202 ; nous nous inspi-
    rons, pour cette étude, de deux grands livres du Père de

LUBAC, celui qu'on vient de citer et cet autre : Le mystère du surnaturel, Paris, 1965.

17. S. T., I^a, Q. 62, a. 1, Resp.

18. H. de LUBAC, M. S., p. 82.

19. C. G., 1. 3, c, 57, cf. H. de LUBAC, M. S., p. 28.

20. I, xi, 4 (I, p. 257).

21. I, xi, 2 (I, p. 254) : "our final perfection" ; 3 (p. 255) : "the higher degree of all our perfection" ; 5 (p. 258) : "this last and highest estate of perfection".

22. I, xi, 4 (I, p. 258).

23. Ibid., pp. 256, 257.

24. Ibid., p. 257.

25. Ibid.

26. Ibid.

27. Ibid., p. 256.

28. V, App., n° 1 (II, p. 539).

29. S. T., I^a, Q. 62, a. 7, Sed cont. ; I^a, Q. 1, a. 8, ad 2um.

30. Cf. supra, p. 360.

31. I, xi, 1 (I, p. 253). Dans le même esprit et dans des termes analogues, saint Thomas écrit : "Dona gratiarum in hoc modo naturae adduntur, quod eam non tollunt, sed magis perficiunt", In Boetium de Trinitate, Q. 2, a. 3, H. de LUBAC,

M. S., p. 46, n. 4 ; cf. également S. T., I^a, Q. 12, a. 5, Resp. : "Unde oportet quod aliqua dispositio supernaturalis ei superaddatur".

32. V, App. n° 1 (II, pp. 537, 538).

33. H. de LUBAC, M. S., p. 117.

34. V, lv, 6 (II, p. 241).

35. V, liv, 6 (II, p. 236).

36. V, App. n° 1 (II, p. 538).

37. Ibid., p. 539.

38. Ibid., p. 567.

39. Ibid., p. 572.

40. I, xi, 5 (I, pp. 259, 260).

41. V, App. n° 1 (II, p. 571) ; cf. également ibid., p. 538 : "had we kept our first ableness, grace should not need" ; p. 543 : "These truths and laws our first parents were created able perfectly both to have known and kept" ; I, xii, 3 (I, p. 264) : "man having utterly disabled his nature".

42. I, xi, 5 (I, pp. 258, 259) ; cf. également I, xii, 3 (I, p. 264) : "God the author of that natural desire had appointed natural means whereby to fulfil it."

43. I, xii, 5 (I, p. 260).

C H A P I T R E I I

LA PARTICIPATION

(pp. 371-379)

1. Cf. <u>supra</u>, p. 103.

2. Cf. <u>supra</u>, pp. 221, 222.

3. Cf. <u>supra</u>, pp. 237, 238.

4. V, lvi, (II, p. 245 sq.).

5. I, v, 2 (I, p. 215) ; I, xi, 2 (I, p. 255).

6. L.B. GEIGER, <u>La participation dans la philosophie de saint Thomas</u>, Paris, 1953, p. 93.

7. On consultera pour tout cela : E. GILSON, <u>L'esprit de la philosophie médiévale</u>, Paris, 1932, Première série, chap. v, "Analogie, causalité et finalité", p. 87 sq. ; <u>Introduction à la philosophie chrétienne</u>, Paris, 1960, chap. viii, "causalité et participation", p. 149 sq. ; L.B. GEIGER, <u>op. cit.</u> ; C. FABRO, <u>Participation et causalité selon saint Thomas d'Aquin</u>, Louvain/Paris, 1961 ; cf. également J. RASSAM, <u>La métaphysique de saint Thomas</u>, Paris, 1974, p. 47 sq. ; P. FAUCON, <u>Aspects néoplatoniciens de la doctrine de saint Thomas d'Aquin</u>, Lille/Paris, 1975.

8. I, v, 2 (I, p. 215) ; cf. encore, pour l'inhérence, V, lvi, 1 (II, pp. 245, 246), que nous citons et commentons un peu

plus loin, et V, lxvii, 5 (II, p. 352) : "For that which produceth any certain effect is not vainly nor improperly said to be that very effect whereunto it tendeth. Every cause is in the effect which groweth from it." ; pour la ressemblance, Serm. III (III, p. 624) : "every effect so resembling the cause whereof it cometh, that such as the one is the other cannot choose but be also".

9. I, v, 2 (I, pp. 215, 216).

10. I, iv, 1 (I, pp. 212, 213).

11. I, v, 3 (I, p. 216).

12. Cf. E. GILSON, L'Esprit de la philosophie médiévale, Première série, chap. v, p. 99 : "si l'être qui cause ne fait en cela que se communiquer à son effet et se diffuser à lui, c'est encore la cause qui se retrouve en lui sous un nouveau mode d'être [..] Il y a peu de formules qui reviennent plus souvent chez saint Thomas que celle où cette relation s'exprime ; puisque tout ce qui cause agit selon qu'il est en acte, toute cause produit un effet qui lui ressemble : Omne agens agit sibi simile. La similitude n'est pas ici une qualité additionnelle, contingente, qui surviendrait on ne sait comment, pour couronner l'efficace, elle est coessentielle à la nature même de l'efficience, dont elle n'est que le signe extérieur et la manifestation sensible."

13. Cf. saint Thomas, In Lib. de Causis, prop. 12 : "Causa est in causato per modum causati" ; également, S. T., I^a, Q. 8, a. 1, ad 1um : "Deus [..] est in omnibus rebus, ut causans omnium esse" ; ibid., a. 3, ad 1um : "Deus dicitur esse in omnibus [..] per essentiam suam, quia substantia sua adest omnibus ut causa essendi."

14. V, lvi, 1 (II, pp. 245, 246).

15. <u>Ibid.</u>, 5 (II, p. 247).

16. <u>In V Metaph. Arist. com.</u>, I, 1, cf. J. RASSAM, <u>op. cit.</u>, p. 48, et E. GILSON, <u>Le Thomisme</u>, p. 248, n. 1.

17. Platon, <u>Timée</u>, 28 a. Cf. saint Thomas, I <u>Sent.</u>, D. 2, Q. 1, a. 3, sed contra 1 : "Omnia sunt in mente Dei, sicut artificiata in mente artificis."

18. V, lvi, 5 (II, p. 248).

19. Sur cette notion de la localisation des idées en Dieu et son histoire, cf. J. MOREAU, "De la concordance d'Aristote avec Platon", <u>in</u> : <u>Platon et Aristote à la Renaissance</u>, XVIe colloque international de Tours, Paris, J. Vrin, 1976, p. 47 : "Albinus, au contraire, tend vers une synthèse des deux grands systèmes, en considérant les Idées platoniciennes comme des pensées de Dieu, ce qui revient à faire rentrer le monde intelligible de Platon dans l'Intellect transcendant d'Aristote. Ce point de vue, qui remonte apparemment à Philon d'Alexandrie, sera élaboré par Plotin et rendra possible la version chrétienne du platonisme, celle qui se montre notamment chez saint Augustin." L'idée se trouve aussi bien chez Denys, cf. P. FAUCON, <u>op. cit.</u>, pp. 218-227, "Préexistence paradigmatique du monde dans l'unité de l'essence divine".

20. V, lvi, 5 (II, p. 248).

L I V R E   I V

DIEU REDEMPTEUR ET L'ORDRE DU SALUT

1ère PARTIE : LA FOI

C H A P I T R E I

RELIGION ET FOI

(pp. 383-393)

1. Roger MEHL, La théologie protestante, Paris, P.U.F., 1966,
   p. 119 sq. C'est sur une antithèse du même ordre que
   Ch. et K. GEORGE fondent leurs analyses dans The Protestant
   mind of the English Reformation, Princeton University Press,
   1961, p. 34.

2. Ibid., p. 7.

3. Qu'on nous comprenne bien : la théologie de Hooker est certainement protestante, si l'on considère le parti qu'il
   prend sur les points principaux controversés. Elle est entièrement conforme aux Trente-neuf Articles. Nous n'envisa-
   geons ici que l'"esprit" de cette théologie, au sens où
   l'entendent Ch. et K. GEORGE dans l'ouvrage cité. Cet esprit est infiniment plus proche de ce que ces auteurs appellent the catholic mind que de ce qu'ils appellent the
   protestant mind. Nous ne rejetons pas leurs analyses de
   base, bien qu'elles soient trop accusées. Nous protestons
   quand ils enrôlent de force Hooker dans leur armée. Hooker,
   si l'on juge selon leurs critères, est de l'autre bord,
   avec saint Thomas. Il faut s'aveugler pour ne pas le voir.
   Hooker lui-même d'ailleurs relève et condamne le goût des

ruptures chez ses adversaires dans une note inscrite en marge de la Christian Letter, cf. III, viii, 14 (I, p. 376), n. 13 : "You have already done your best to make a jarre between nature and Scripture. Your next endeavour is to doe the like betweene Scripture and the Church. Your delight in conflicts doth make you dreame of them where they are not."

4. I. True Religion is the root of all true virtues, etc. II. The most extreme opposite to true Religion is affected Atheism. III. Of Superstition, etc. IV. Of the redress of Superstition in God's Church.

5. Cf. Paul RICOEUR, Le conflit des interprétations, Paris, 1969, V, "Religion, Athéisme, Foi", p. 432 sq.

6. V, i, 1 et 2 (II, p. 13 sq.).

7. Ibid., 2, p. 16.

8. Ibid., pp. 15, 16.

9. Ibid., 3, p. 16 : "We see a general agreement in the secret opinion of men, that everyman ought to embrace the religion which is true".

10. Ibid., p. 17 : "The errors of the most seduced this way have been mixed with some truths".

11. Ibid., p. 18. Dans un autre passage, Hooker semble aller plus loin et prendre à son compte la théorie de la prisca theologia, si chère à Marsile Ficin et à ses disciples, théorie selon laquelle il aurait existé ches les païens une pré-révélation indépendante de l'Ecriture, cf. I, xv, 4 (I, p. 276) : "That little which some of the heathens did chance to hear, concerning such matter as the sacred Scripture plentifully containeth, they did in wonderful sort affect ; their speeches as oft as they make mention thereof

are strange, and such as themselves could not utter as they
did other things, but still acknowledged that their wits,
which did everywhere else conquer hardness, were with pro-
foundness here over-matched." Hooker, dans sa note 85, renvoie aux poèmes Orphiques. Sur la prisca theologia, cf.
D.P. WALKER, The AncientTheology, Studies in Christian
Platonism from the Fifteenth to the Eighteenth Century,
Londres, 1972. Cf. également H. de LUBAC, Pic de la
Mirandole, Paris, 1974, chap. v, pp. 90-113 : "Prophétisme
païen" et F. YATES, Giordano Bruno and the Hermetic Tradition, Londres, 1964, passim.

12. Ibid., 4, p. 18.

13. Ibid., 5, pp. 18, 19.

14. V, ii (II, p. 19), titre : "The most extreme opposite to
religion, is affected atheism."

15. Ibid., 1, p. 19.

16. Ibid., 2, p. 20.

17. Ibid., pp. 20, 21.

18. Ibid., 3 et 4, p. 21 sq.

19. Ibid., 4, p. 23.

20. Lucien FEBVRE, Le problème de l'incroyance au XVIe siècle,
la religion de Rabelais, Paris, éd. 1962 : "Dans son savoir
ou dans le savoir des hommes de son temps, il ⌈l'homme du
XVIe siècle⌉ ne trouve matière ni à former des doutes valables, ni à étayer ces doutes de preuves dotées, expérience
faite, d'une force de conviction réelle et véritable",
pp. 491, 492. Sans doute Lucien Febvre pousse-t-il trop
loin sa thèse en niant catégoriquement, ou presque, la possibilité d'un réel athéisme au XVIe siècle. Une tradition

vraiment athée, qui se réclame d'Epicure, a toujours existé
et reprend vigueur au XVIe siècle. D'ailleurs les athées
d'aujourd'hui peuvent encore, à juste titre, se réclamer
d'Epicure !

21. BACON, Essais, trad. M. Castelain, Paris, 1948, p. 83,
    "De l'athéisme".

22. Ibid.

23. Ibid., p. 89, "De la superstition".

24. V, iii, 1 (II, p. 23), titre du chapitre.

25. Ibid., 2, p. 24.

26. Ibid.

27. Works, p.

28. V, lxv (II, p. 317 sq.).

29. W.P. HAUGAARD, Elizabeth and the English Reformation,
    C.U.P., 1968, p. 185 sq.

30. V, lxv, 12 (II, p. 328).

31. Ibid., 15, pp. 330, 331.

32. Ibid., 16, p. 333.

33. Ibid., 19, p. 334.

34. BACON, op. cit., p. 91.

35. Ibid., p. 89.

36. I, xv, 4 (I, p. 275).

37. BACON, op. cit., p. 89.

38. V, lxix, 3 (II, p. 383).

39. V, lxx, 9 (II, p. 390).

40. Ibid., 5, p. 387.

CHAPITRE II

L'OBJET DE LA FOI

(pp. 395-401)

1. Voici certains des 21 titres de la <u>Christian Letter</u> :
   5. Of Free-Will. 6. Of Faith and Works. 7. The virtue of
   Works. 8. Works of supererogation. 9. None free from all
   Sin. 10. Predestination. Cf. la préface de Keble (I,
   p. xii).

2. V, xxii, 5 (II, p. 92).

3. III, iii, 3 (I, pp. 355, 356) ; cf. <u>supra</u>, "Ecriture,
   Raison, Autorité", p. 129 sq.

4. <u>Sermon II</u>, 15, 16 (III, p. 501).

5. <u>Ibid.</u>, 23, pp. 512, 513. La fin de cette citation est un
   extrait de saint Paul, auquel Hooker renvoie, I Co. 3, 11.

6. V, xxii, 9 (II, p. 97).

7. III, iii, 2 (I, p. 355).

8. III, i, 14 (I, p. 352).

9. III, xi, 13 (I, p. 405).

10. Cf. <u>supra</u>, pp. 131, 132.

11. Cf. E. GILSON, Reason and Revelation, 1954, p. 85.

12. III, iii, 3 (I, p. 356).

CHAPITRE III

LA NATURE DE LA FOI

(pp. 403-411)

1. CALVIN, Institution de la Religion Chrestienne, Paris, Les Belles Lettres, 1961, T. II, p. 15.

2. Ibid., p. 13.

3. Ibid.

4. Sermon I (III, p. 481).

5. Sermon II, 26 (III, p. 515).

6. CALVIN, op. cit., p. 13.

7. Ibid., p. 15.

8. Sermon I (III, pp. 470, 471).

9. V, xxi, 3 (II, p. 85) et xxii, 8 (II, pp. 94, 95). Cf. supra, p. 191.

10. V, lxiii, 1 (II, p. 305).

11. Ibid., p. 304.

12. Ibid., p. 305 : "an habit of faith in us wherewith principles of that kind are apprehended" ; 2, p. 306 : "although

faith be an intellectual habit of the mind, and have her
seat in the understanding"; _ibid._ : "an evil moral disposition obstinately wedded to the love of darkness dampeth the
very light of heavenly illumination".

13. I, xi, 6 (I, pp. 261, 262).

14. _Ibid._, p. 261, note 58.

15. R.P. SERTILLANGES, La philosophie de saint Thomas d'Aquin,
Paris, 1940, T. I, p. 26.

16. I, xi, 6, note 58 (I, p. 261) : "Is faith then the formall
cause of justification ? And faith alone a cause in this
kind ? Who hath taught you this doctrine ? Have you been
tampering so long with Pastors, Doctors, Elders, Deacons ;
that the first principles of your religion are now to
learn ?"

C H A P I T R E   I V

INDEFECTIBILITE DE LA FOI

(pp. 413-419)

1. CALVIN, op. cit., chap. iv, T. II, p. 14.

2. Ibid.

3. Ibid., p. 17.

4. CALVIN, ibid., p. 14.

5. CALVIN, ibid., p. 17.

6. Sermon I (III, p. 473).

7. Ibid., p. 474.

8. Ibid.

9. CALVIN, op. cit., chap. iv, T. II, p. 19.

10. Sermon I (III, p. 474).

11. Ibid., pp. 477, 478.

12. Ibid., p. 474.

13. Ibid.

14. <u>Answer to Travers</u>, 9 (III, p. 577).

15. <u>Sermon I</u> (III, pp. 475, 476).

16. Il faudrait ici nuancer, il faudrait examiner les diverses expressions de la théologie puritaine avant de se permettre une affirmation générale. Perkins lui-même, tout en mettant l'accent sur l'assurance de l'election, réduit au minimum les conditions nécessaires pour l'obtenir: "It comes in the end down to little more than a serious-minded and conscientious <u>desire</u> to be saved" (Ch. HILL, <u>Puritanism and Revolution</u>, Londres : Panther Books, 1969, p. 214).

17. Il n'en reste pas moins qu'au stade non seulement des <u>Sermons</u>, mais même de l'<u>E. P.</u>, Hooker maintient encore la formule : "the faith whereby you are sanctified cannot fail". Il n'y renoncera qu'à l'extrême fin de sa carrière, au moment où il rédigera la réponse à la <u>Christian Letter</u>. Cette évolution, qui atteint davantage l'expression que le contenu de la pensée, a sans doute été hâtée par la querelle sur la prédestination de 1595 et la rédaction des <u>Lambeth Articles</u>. C'est pourquoi nous reprendrons ce problème à l'occasion de notre étude sur la prédestination, cf. <u>infra</u>, p. 443 Sur tout cela, cf. Keble, <u>Preface</u>, p. cii sq.

CHAPITRE V

LA JUSTIFICATION

(pp. 421-430)

1. Cf. Travers' Supplication, Hooker's works, III, p. 566.

2. Sur les exigences puritaines en matière de prédication, et
   notamment l'exigence de simplicité, cf. Horton DAVIES,
   Worship and Theology in England : From Cranmer to Hooker,
   1534-1603, Princeton, 1970, p. 308 sq. Cf. également
   Ch. et K. GEORGE, op. cit., p. 338 sq.

3. CALVIN, op. cit., chap. vi, T. II, p. 318.

4. Sess. VI, Decretum de justificatione, cap. 7, ES, 799,
   trad. A. Michel apud HEFELE-LECLERQ, Histoire des Conciles,
   T. X, Les Décrets du Concile de Trente, Paris, 1938, p. 91.

5. Ibid.

6. Saint THOMAS, Sum. Theol., I^a, II^{ae}, Q. 110 sq.

7. Sermon II, 21 (III, pp. 507, 508). Les pages qui suivent
   constituent une analyse détaillée de ce très important paragraphe. En voici le texte intégral : "We have already
   schewed, that there are two kinds of Christian righteousness : the one without us, which we have by imputation ;
   the other in us, which consisteth of faith, hope, charity,
   and other Christian virtues ; and St. James doth prove that
   Abraham had not only the one, because the thing he believed

was imputed unto him for righteousness ; but also the other, because he offered up his son. God giveth us both the one justice and the other : the one by accepting us for righteous in Christ ; the other by working Christian righteousness in us. The proper and most immediate efficient cause in us of this latter, is, the spirit of adoption which we have received into our hearts. That whereof it consisteth, whereof it is really and formally made, are those infused virtues proper and particular unto saints ; which the Spirit, in that very moment when first it is given of God, bringeth with it : the effects thereof are such actions as the Apostle doth call the fruits, the works, the operations of the Spirit ; the difference of which operations from the root whereof they spring, maketh it needful to put two kinds likewise of sanctifying righteousness, Habitual and Actual. Habitual, that holiness, wherewith our souls are inwardly endued, the same instant when first we begin to be the temples of the Holy Ghost ; Actual, that holiness which afterward beautifieth all the parts and actions of our life, the holiness for which Enoch, Job, Zachary, Elizabeth, and other saints, are in Scriptures so highly commended. If here it be demanded, which of these we do first receive ; I answer, that the Spirit, the virtues of the Spirit, the habitual justice, which is ingrafted, the external justice of Christ Jesus which is imputed, these we receive all at one and the same time ; whensoever we have any of these, we have all ; they go together. Yet sith no man is justified except he believe, and no man believeth except he have faith, and no man hath faith, unless he have received the Spirit of Adoption, forasmuch as these do necessarily infer justification, but justification doth of necessity presuppose them ; we must needs hold that imputed righteousness, in dignity being the chiefest, is notwithstanding in order the last of all these, but actual righteousness, which is the righteousness of good works, succeedeth all, followeth after all, both in order and in time. Which thing being attentively marked, sheweth plainly how the faith of true believers cannot be divorced from hope and love ; how faith

is a part of sanctification, and yet unto justification
necessary ; how faith is perfected by good works, and yet
no works of ours good without faith ; finally, how our
fathers might hold, We are justified by faith alone, and
yet hold truly that without good works we are not justified".

8. Ibid., 3 (III, p. 485).

9. Nous n'ignorons pas que Calvin, après Luther, a formulé
lui aussi une doctrine de la double justification : justification du pécheur et justification du justifié, c'est-
à-dire de ses oeuvres, la seconde reposant sur la première.
Le langage de Hooker reste donc toujours proche de celui de
Calvin. Nous croyons cependant percevoir, à l'intérieur
d'une analogie évidente, des différences certaines. En définitive, et bien que Calvin lui-même insiste sur l'opération secrète et efficace en nous de l'Esprit, la justice
des oeuvres dans sa doctrine, n'est pas justice "inhérente"
ou "greffée" : elle reste une justice "imputée" : "Nos oeuvres sont tenues pour justes en tant que ce qu'il y a de
vice en icelles étant couvert de la pureté du Christ ne
nous est point imputé" (cité dans F. WENDEL, Calvin, p. 198).
La formule suivante de Luther, tirée de son sermon sur la
double justice (1519), semble plus proche des formules de
Hooker : "La seconde justice nous est propre, non que nous
en soyons les seuls auteurs, mais parce que nous coopérons
à cette première justice qui est étrangère" (ibid.). La
théorie de la double justice a trouvé un large accueil dans
les milieux catholiques humanistes oeuvrant pour une réconciliation avec le protestantisme avant le Concile de Trente,
notamment chez Gropper et Contarini. Le Concile de Trente
l'a écartée. "Toutefois, si elle n'est pas 'tridentine', il
faut reconnaître avec Mgr Jedin qu'elle est encore moins
'protestante'" (O. de la BROSSE, J. LECLER, H. HOLSTEIN,
Ch. LEFEBVRE, Histoire des Conciles Oecuméniques, 10,
Latran V et Trente, Paris, 1975, p. 201). Pour un exposé

de cette théorie, telle qu'elle est soutenue par les catholiques, cf. cet ouvrage, pp. 291-294.

10. Ibid., 21, p. 507, cf. supra, n. 7.

11. Sum. Theol., I^a, II^{ae}, Q. 110, a. 3, ad 3um : "habitudo quaedem quae praesupponitur in virtutibus istis sicut earum principium et radix".

12. Sermon II, 21, p. 507, cf. supra, n. 7.

13. Nous affirmons souvent que Hooker infléchit le calvinisme dans un certain sens et l'habille d'un langage thomiste. Il serait plus exact de dire qu'il garde un des aspects essentiels du calvinisme et le met en pleine lumière, lui donnant une valeur qui n'est plus tout à fait celle que lui donne Calvin. Nous pensons à la théologie de la sanctification, à l'insistance de Calvin sur l'habitation de l'Esprit en nos âmes. Mais cette théologie de la sanctification, qui devient chez les puritains une théologie de la "discipline", devient chez Hooker une théologie de la grâce secrète et du sacrement.

14. Sermon II, 21, p. 507, cf. supra, n. 7.

15. Ibid., pp. 507, 508, cf. supra, n. 7.

16. CALVIN, Institution, chap. vi, T. II, p. 317.

17. Sermon II, 21, p. 508, cf. supra, n. 7.

18. Ibid.

19. La formule : "les bonnes oeuvres parfont la foi" est directement inspirée de saint Jacques, qui écrit (2,22) : "Tu le vois : la foi coopérait à ses oeuvres, [les oeuvres d'Abraham] et par les oeuvres sa foi fut rendue parfaite". Nous ignorons quelle interprétation Calvin donnait à

l'Epître de saint Jacques et quelle importance il lui attribuait. Pour Luther, cette Epître n'était qu'une Epître
de paille. Dans le sermon sur la justification, et plus
particulièrement dans le passage que nous commentons, Hooker
s'appuie explicitement sur saint Jacques pour équilibrer
par l'enseignement de ce dernier la leçon de saint Paul,
cf. ibid., 20, p. 506 : "For except there be an ambiguity
in some term, St. Paul and St. James do contradict each
other ; which cannot be." Autres références à saint Jacques,
ibid., 6, p. 491 ; 21, p. 507.

20. Sermon II, 21, p. 508.

21. Ibid., 6, p. 491.

22. Jc 2,21 ; 6, p. 491 : "Of the other ⌈the righteousness of
    sanctification⌋, St. James by Abraham's example ⌈doth prove⌋
    that by works we have it, and not only by faith."

23. Ibid., 5, p. 487.

24. Ibid., 21, p. 507.

25. Ibid., 3, p. 485 et 5, p. 487.

26. Ibid., 5, p. 487.

27. On a vu pourtant qu'il fait de la foi un habitus ;
    cf. supra, p.408.

28. Un exemple entre autres : alors qu'il considère, dans les
    Sermons, que la formulation "justifying grace maketh the
    soul gracious" est typiquement catholique et condamnable
    (Sermon II, 5, p. 487), il écrit dans la réponse à la
    Christian Letter : "To be justified is to be made righteous".
    C'est la formule même de Trente, cf. supra, p.423.

C H A P I T R E VI

FOI ET PREDESTINATION

(pp. 431-444)

1. Isaac WALTON, The Life of Mr. Richard Hooker, Keble,
   I, pp. 22-23.

2. Answer to Travers, 22 (III, pp. 592, 593).

3. Keble, dans sa préface (p. xviii), émet l'hypothèse que la
   partie de cette réponse à la Christian Letter consacrée au
   problème de la prédestination a été en fait rédigée dès
   l'époque des sermons, à l'incitation précisément de Travers
   et pour remplir cette promesse. Cette ébauche aurait été
   reprise dix ans plus tard à l'occasion des attaques de la
   Christian Letter. Nous ne voyons pas sur quelles preuves
   précises Keble s'appuie pour avancer une telle hypothèse.
   Il a relevé lui-même, dans ce dernier texte de Hooker, un
   certain nombre d'allusions à la Christian Letter ; il a,
   bien plus, comparé de manière définitive les conclusions de
   Hooker au libellé des Lambeth Articles ; il a enfin mis en
   lumière l'évolution que manifeste ce dernier état de la
   pensée de Hooker par rapport aux sermons et à l'E. P. Nous
   croyons son analyse inattaquable. Elle infirme, selon nous,
   son hypothèse sur la date. En face des conclusions de cette
   analyse, les bases de l'hypothèse se réduisent à peu de
   chose, à savoir : 1) la promesse de Hooker, 2) l'importance
   de ce fragment sur la prédestination comparé aux autres
   parties de la réponse et son caractère plus ordonné.

4. Sermon II, 31 (III, p. 531).

5. V, xlix, 3 (II, p. 216).

6. V, lvi, 7 (II, p. 249).

7. V, lx, 3 (II, p. 266).

8. V, xlix, 3, note 61 (II, p. 216).

9. V, App. n° 1, Fragments of an Answer to the Letter of certain English Protestants, the Tenth Article touching Predestination, (II, p. 556 sq.).

10. I, ciii sq.

11. V, App. n° 1 (II, p. 557 sq.).

12. Ibid., p. 561 sq.

13. CALVIN, op. cit., chap. viii, T. III, p. 78.

14. V, App. n° 1 (II, pp. 577, 578).

15. Ibid., p. 576.

16. Cf. supra, p. 432.

17. Ibid., p. 564.

18. Ibid., p. 572.

19. Ibid., p. 569.

20. Ibid., p. 565.

21. Ibid., pp. 565, 566.

22. Ibid., p. 572.

23. Ibid., p. 573.

24. Ibid., p. 574.

25. Ibid., p. 575 sq.

26. Ibid., pp. 584, 585 : "There are means which God hath towards us, means to be in us and means which are to proceed from us" ; p. 588 : "The inward mean, whereby his will is to bring men to eternal life, is that grace of his Holy Spirit".

27. Cf. supra, p. 419 et n. 17, p. 856.

28. Ibid., p. 594.

29. CALVIN, op. cit., chap. viii, T. III, p. 73.

30. V, App. n° 1 (II, p. 563). Cf. également Sermon III (III, pp. 624-26).

2e PARTIE : LA PRIERE

C H A P I T R E   I

A SET FORM OF PRAYER

(pp. 445-459)

1. Cf. supra, p. 101 sq.

2. Cf. supra, pp. 120, 121.

3. Rappelons qu'il est une partie de la liturgie qui n'est pas
   "matter indifferent", mais relève de la loi surnaturelle :
   the substance of worship ; cf. supra, pp. 119, 120, ce que
   nous avons dit de la loi de l'Eglise en tant qu'elle est
   société surnaturelle, et cf. I, xv, 2 (I, p. 274) : "Yet
   unto the Church as it is a society supernatural this is
   peculiar, that part of the bond of their association which
   belong to the Church of God must be a law supernatural,
   which God himself hath revealed concerning that kind of
   worship which his people shall do unto him. The substance
   of the service of God therefore, so far forth as it hath in
   it anything more than the law of Reason doth teach, may not
   be invented of men".

4. V, xxiii, 1 (II, p. 115).

5. V, 1, 1 (II, p. 219) : "Instruction and Prayer whereof we
   have hitherto spoken, are duties which serve as elements,

parts or principles, to the rest that follow, in which number the Sacraments of the Church are chief. The Church is to us that very mother of our birth, in whose bowels we are all bred, at whose breasts we receive nourishment."

6. V, v, 1 (II, p. 27).

7. V, vi (II, p. 28 sq.).

8. V, vii, 4 (II, p. 33).

9. V, viii (II, p. 33 sq.).

10. V, ix (II, p. 36 sq.). Ces termes, principes d'extériorité, principe d'antiquité, principe d'autorité, principe d'équité, ne sont pas de Hooker, mais de nous.

11. Cf. par ex. V, xi (II, p. 42 sq.) ; également V, xv (II, p. 52 sq.).

12. V, xxv, 2 (II, p. 119). Cette insistance sur le thème de la présence des anges au cours de la célébration liturgique nous fait mieux comprendre pourquoi, dans le premier livre de l'E. P., Hooker s'est attardé à décrire le monde angélique et à souligner les liens qui unissent l'ange à l'homme. La défense des solennités liturgiques s'appuie sur l'angélologie. Cf. supra, pp. 226, 227 et le passage commenté dans ce chapitre, I, xvi, 4 (I, pp. 279, 280) : "Neither are the Angels themselves so far severed from us in their kind and manner of working, but that between the law of their heavenly operations and the actions of men in this our state of mortality such correspondence there is, as maketh it expedient to know in some sort the one for the other's more perfect direction. [...] Would the Apostles, speaking of that which belongeth unto saints as they are linked together in the bond of spiritual society, so often make mention how Angels therewith are delighted, if in

things publicly done by the Church we are not somewhat to respect what the Angels of heaven do ? Yea, so far hath the Apostle Saint Paul proceeded, as to signify, that even about the outward orders of the Church which serve but for comeliness, some regard is to be had of Angels, who best like us when we are most like unto them is all parts of decent demeanour. So that the law of Angels we cannot judge altogether impertinent unto the affairs of the Church of God."

13. V, xii (II, p. 44 sq.).

14. V, xv, 4 (II, p. 55).

15. Cf. supra, p. 154 sq.

16. V, xx, 1 (II, p. 70).

17. V, xx, 2 (II, p. 72), et 12, p. 83 : "should the mixture of a little dross constrain the Church to deprive herself of so much gold".

18. V, xix, 5 (II, p. 69).

19. V, xxvii, 1 (II, p. 124).

20. Horton DAVIES, op. cit.

21. Op. cit., p. 329.

22. V, xxxv (II, p. 152 sq.). Hooker cite en note le passage visé de Th. Cartwright : "Our Saviour Christ doth not there give a prescript form of prayer whereupon he bindeth us : but giveth us a rule and square to frame all our prayers [...] I stand upon this, that there is no necessity laid upon us to use these very words and no more".

23. V, x, 1 (II, p. 41).

24. V, xxv, 5 (II, p. 121).

25. Ibid., 1, p. 118.

26. V, xxv (II, p. 118 sq.).

27. H. DAVIES, op. cit., p. 272.

28. V, xxv, 2 (II, p. 119).

29. V, xxiv, 1 (II, pp. 116, 117).

30. Cf. supra, pp. 145, 146 ; cf. également infra, p. 464, n. 11

31. V, x, 1 (II, p. 41).

32. V, xxv (II, p. 118 sq.).

33. V, xxv, 3 (II, pp. 120, 121).

34. V, xii, 2 (II, p. 46).

35. V, xii, 2 et 3 (II, pp. 46, 47).

36. V, xi (II, p. 42 sq.).

37. Ibid., 2, p. 43.

38. V, xiii (II, p. 49 sq.).

39. Ibid., 2 (II, p. 50).

40. V, xiv (II, pp. 51, 52).

41. Ibid., p. 52.

42. V, xv (II, p. 52 sq.).

C H A P I T R E   I I

PAROLE ET PRIERE

(pp. 461-465)

1. V, xviii, 1 (II, pp. 61, 62).

2. V, xix, 1 (II, p. 64).

3. Ibid. "The Church in like case preacheth still, first pu-
   blishing by way of Testimony or relation the truth which from
   them she hath received, even in such sort as it was received, written in the sacred volumes of Scripture ; se-
   condly by way of Explication, discovering the mysteries
   which lie hid therein. The Church as a witness preacheth
   his mere revealed truth by reading publicly the sacred
   Scripture".

4. V, xxi,(II, p. 84 sq.).

5. V, xxii, 9 (II, p. 95 sq.).

6. V, xxi, 2 (II, p. 85), cf. supra, pp. 133, 134.

7. V, xxii, 3 sq. (II, p. 90 sq.) : "They yield that reading
   may 'set forward', but not begin the work of salvation ;
   that faith may be 'nourished therewith', but not bred"
   (p. 90).

8. V, xxii, 10 (II, p. 100) : "Now if in this and the like
   places we did conceive that our own sermons are that strong

and forcible word, should we not hereby impart even the most peculiar glory of the word of God unto that which is not his word ? For touching our sermons, that which giveth them their very being is the very wit of man".

9. V, xxii, 19 (II, p. 113) : "Whereupon it must of necessity follow, that the vigour and vital efficacy of sermons doth grow from certain accidents which are not in them but in their maker".

10. Cf. supra, p. 131 sq., p. 191.

11. V, xxii, 10 (II, p. 101) : "As for our sermons, be they never no sound and perfect, his word they are not as the sermons of the prophets were". Keble nous donne, p. 100, un passage reproduisant une note manuscrite de Hooker écrite en réponse à une attaque de la Christian Letter sur ces points, note qui souligne clairement la différence qu'il faut faire, et que ne font pas les puritains, entre preaching et prophesying : "If sermons be the word of God in the same sense that Scriptures are his word, if there be no difference between preaching and prophecying, noe ods between thapostles of Christ and the preaching ministers of every congregation [...] then must we hold that Calvin's sermons are holie Scripture".

12. Cf. supra, "Ecriture, Autorité, Raison", p. 129 sq. et "Principes d'exégèse", p. 149 sq.

13. V, xxii, 6 (II, p. 92).

14. V, xix, 5 (II, p. 69).

15. V, xx, 5 (II, p. 74) : "And therefore the thrusting of the Bible out of the house of God is rather there to be feared".

16. Cf. supra, n. 8 et 11 et V, xix, 1 (II, p. 64), V, xxi, 2, 3 (II, p. 84, 85).

17. V, xxii, 2 (II, p. 89).

18. V, xx, 6 (II, p. 74).

19. V, xxii, 3 (II, p. 89).

20. V, xxxiv, 1 (II, p. 149).

CHAPITRE III

LE SENS DE LA PRIERE

(pp. 467-474)

1. V, xxiii, 1 (II, p. 115).

2. V, xlviii, 2 (II, p. 201).

3. Ibid.

4. Ibid.

5. V, xlviii, 5 sq. (II, p. 203 sq.).

6. V, xlviii, 11 (II, p. 209).

7. V, xxiii (II, p. 116).

8. V, xlviii, 3 (II, p. 202).

9. V, xlviii, 2 (II, p. 201).

10. V, xlviii, 9 (II, p. 206 sq.).

11. Cf. supra, p. 229 sq. et pp. 433, 434, 439, 440.

12. Jn 12, 27 ; V, xlviii, 9 (II, p. 207).

13. V, xxxv (II, p. 152 sq.).

14. Ibid., 2, p. 153.

15. Ibid.

16. V, xxxiii (II, p. 149).

17. V, xxiv, 1 (II, p. 149).

18. V, xxxviii (II, pp. 159, 160).

3e PARTIE : LE SACREMENT

C H A P I T R E   I

VIE TRINITAIRE ET SACREMENT

(pp. 475-494)

1. V, 1, 3 (II, p. 220).

2. V, li et lii (II, p. 220 sq.).

3. V, liii (II, p. 227 sq.) et V, liv, 4 et 5 (II, p. 233 sq.).

4. V, liv, 4 (II, p. 234).

5. V, lv, 2 (II, p. 238).

6. V, liv, 3 (II, p. 233).

7. Ibid., 5, p. 234.

8. Ibid., pp. 234, 235 ; c'est Hooker lui-même qui souligne.

9. On peut trouver, quelques lignes plus haut et quelques lignes plus bas, des phrases associant qualités et propriétés
comme des synonymes, au lieu de les opposer, cf. 4, p. 234 :
"and yet continue in all qualities and properties of nature
the same as it was" ; 2, p. 239 : "We may conclude not only

that nothing created can possibly be unlimited, or can receive any such accident, quality or property, as may really make it infinite".

10. _Ibid._, 6, p. 236.

11. _Ibid._

12. V, lv, 6 (II, p. 241) : "Supernatural endowments are an advancement, they are no extinguishment of that nature whereto they are given." Concernant la distinction entre _aptness_ et _ability_, cf. App. to Bk V, n° 1 (II, pp. 537, 538) et _supra_, pp. 364-366.

13. V, liv, 9 (II, p. 237).

14. _Ibid._, 5, p. 235.

15. _Ibid._, 3, p. 233 ; 5, pp. 234 et 235 ; lv, 8, p. 243.

16. liv, 6 et 7, p. 236.

17. _Ibid._, 6, p. 236.

18. _Ibid._, 5, p. 235.

19. _Ibid._, 7, p. 236.

20. _Ibid._, 3, p. 233.

21. _Ibid._, 6, p. 236.

22. _Ibid._, 7, p. 237.

23. _Ibid._, 9, p. 237.

24. V, lv, 6 (II, p. 241).

25. V, lv, 1 (II, p. 238).

26. Ibid., 2 et 3, pp. 238 et 239.

27. Ibid., 7, p. 242.

28. Ibid., 8, p. 243.

29. Ibid., 9, p. 245.

30. V, lvi, 1 (II, p. 245).

31. V, lvi, 2 (II, p. 246).

32. Ibid., 3, pp. 246, 247.

33. Ibid., 4, p. 247.

34. Ibid., 5, p. 247.

35. Ibid., 6, p. 248.

36. Ibid., 7, p. 249.

37. Ibid., p. 250.

38. Ibid., 9, p. 251.

39. Ibid., 10, p. 253.

40. Ibid.

41. Ibid., 11, p. 254.

42. Sermon II, 5 (III, p. 487).

43. Ibid., 21, p. 507.

44. V, lvi, 11 (II, p. 254).

45. V, App. n° 1 (II, p. 552).

46. Ibid., p. 553.

47. Ibid., p. 554.

48. Sermon II, 3 (III, p. 485), cf. supra, p. 423 sq.

49. On n'a pas oublié cependant que Hooker dit en termes exprès que la foi est un habitus, an intellectual habit, cf. supra, p. 408.

C H A P I T R E   I I

LES SACREMENTS : DEFINITION,   SUBSTANCE ET NOMBRE

(pp. 495-507)

1. V, 1, 3 (II, p. 219).

2. Ibid., p. 220.

3. V, lvii, 2 (II, p. 256).

4. Ibid.

5. Ibid., 3, p. 256.

6. Ibid.

7. Ibid., 5, p. 258.

8. V, lx, 3 (II, p. 267).

9. V, lvii, 3 (II, pp. 256, 257) ; également 5, p. 258.

10. VI, vi, 11 (III, p. 95).

11. V, lvii, 3, note 88 (II, p. 256).

12. Ibid., 5, p. 258.

13. VI, vi, 9 (III, p. 87 sq.).

14. VI, vi, 9 (II, p. 87).

15. Ibid., 10, p. 90.

16. Ibid., 11, pp. 91, 92.

17. Ibid., 10, p. 90.

18. Ibid., 11, p. 93.

19. Ibid., 9, p. 87.

20. Ibid., note 15.

21. Ibid., p. 88.

22. Ibid., 11, note 34, p. 93.

23. Ibid., 10, note 20, p. 89.

24. Ibid., 11, note 29, p. 92.

25. Ibid., 10, p. 89 : "the outward sign and the secret concur-
    rence of God's most blessed Spirit, in which respect our
    Saviour hath taught that water and the Holy Ghost are com-
    bined to work the mystery of new birth [...] [Sacrements are]
    signs assisted always with the power of the Holy Ghost" ;
    cf. également 11, p. 95.

26. Ibid., 11, p. 95.

27. P.E. HUGHES, Theology of the English Reformers, p. 194.

28. V, lvii, 4 (II, p. 257).

29. V, lxiv, 3, note 29 (II, p. 312).

30. V, lxii, 15 (II, p. 295).

31. Ibid.

32. V, lvii, 4 (II, pp. 257, 258).

33. K. RAHNER et H. VORGRIMLER, Petit dictionnaire de théologie catholique, éd. du Seuil, Paris, 1970, art. Sacrement, p. 433.

34. V, lviii, 2 (II, p. 260).

35. V, lxii, 15 (II, p. 295).

36. V, lviii, 3 (II, p. 261).

37. K. RAHNER et H. VORGRIMLER, op. cit., art. opus operatum, p. 327.

38. V, lix, 1 (II, p. 263). C'est un texte précis de Th. Cartwright que Hooker vise ici et qu'il cite. Keble complète cette référence en renvoyant également à l'Ecclesiastical Discipline.

39. V, lxii (II, p. 280 sq.). C'est à propos du baptême par les femmes, critiqué par les puritains, que Hooker reprend la question de la validité du baptême. La référence aux donatistes se trouve aux paragraphes 7, 8, 9 et 10 ; l'allusion aux anabaptistes, au paragraphe suivant 11. On peut ici évidemment accuser Hooker de pratiquer l'amalgame et de tirer trop facilement les analogies. A vrai dire, il n'accuse pas directement les puritains (a fourth sort of men, 12, p. 291) de donatisme ou d'anabaptisme. Mais c'est un fait qu'à propos du baptême par les femmes il les situe, après les donatistes et les anabaptistes, dans une tradition qui a sa source chez Novatien et saint Cyprien et qui s'oppose à l'enseignement constant de l'Eglise sur la substance et la validité des sacrements. L'erreur proprement puritaine touchant le baptême par les femmes est, en effet, de considérer comme nul   le baptême administré par une personne qui

n'a pas l'autorité ecclésiastique (baptism [...] is by a
fourth sort of men voided for the only defect of ecclesiastical authority in the minister, 12, p. 291). Hooker formule avec vigueur les deux principes théologiques qui se
heurtent ici et, une fois de plus, n'avançant rien qu'il ne
puisse prouver, il donne ses références : "which of these
two opinions seemeth more agreeable with equity, ours that
disallow what is done amiss, yet make not the force of the
word and sacrements, much less their nature and very substance to depend on the minister's authority and calling,
or else theirs [Thomas Cartwright's] which defeat, disannul,
and annihilate both, in respect of that one only personal
defect, there being not any law of God which saith that if
the minister be incompetent his word shall be no word, his
baptism no baptism ?" (13, p. 292). C'est à partir de là
que Hooker propose la distinction fondamentale entre perfection morale, perfection ecclésiale et perfection mystique des sacrements.

40. VI, iv (III, p. 12 sq.).

41. V, lxvi (II, p. 337).

42. V, lxxvii (II, p. 455).

43. V, lxxiii (II, p. 427).

44. Si Hooker n'est pas explicite dans l'E. P. sur cette ques-
    tion du nombre des sacrements, il l'est dans la réponse à
    la Christian Letter. Mais il fait preuve de la même modéra-
    tion que son Eglise, cf. V, App. n° 1 (II, pp. 551, 552) :
    "Wherefore because in Baptism and in the Eucharist only, as
    much as hath been before declared is most manifest, what
    should forbid us to make the name of a Sacrament, as
    St. Augustine doth, by way of special excellency proper
    and peculiar to these two [...] Yet would we not stand with
    them [les catholiques] about the use of words howsoever,
    were it not that by labouring to bring all unto one measure,

they attribute to divers rites and ceremonies surely more
than truth can bear".

45. V, lxvii, 1 (II, p. 348).

46. V, lxvi, 1 (II, p. 337).

47. Ibid.

48. Ibid., 4, p. 340.

49. Ibid., 6, p. 344.

50. Ibid., 8, p. 345.

51. Ibid., 9, p. 348.

C H A P I T R E   I I I

L'EUCHARISTIE

(pp. 509-542)

1. Cf. notamment L. BOUYER, La spiritualité orthodoxe et la
   spiritualité protestante et anglicane, Paris, Aubier, 1965,
   p. 143 sq. ; également, du même auteur, Eucharistie,
   Tournai, Desclée, 1966, p. 393 : "Mais ici, loin qu'il
   s'agît de réintroduire   un sens catholique dans des formules luthériennes, on n'avait en vue que l'introduction
   possible d'un sens zwinglien dans des formules catholiques".
   Il est évident que L. BOUYER adopte entièrement les thèses
   de l'anglican Dom Gregory DIX, cf. infra, pp. 510, 514.

2. Dom Gregory DIX, The Shape of Liturgy, Londres, 1945.

3. C.W. DUGMORE, The Mass and the English Reformers, Londres,
   1958.

4. 1° La conception que C.W. Dugmore dénomme "augustinienne"
   et qu'il qualifie de "realist-symbolist" n'est pas la pro-
   priété du seul Augustin ; elle est patristique. Elle était
   admise de tous avant les premières ruptures du Moyen Age,
   malgré certaines divergences de ton ou d'insistance. Le
   P. H. de LUBAC l'a montré admirablement dans son livre
   Corpus mysticum, Paris, 1944. 2° C.W. Dugmore défend l'hon-
   neur anglais avec une sorte d'insularisme qui étonne un peu.
   C'est à croire que la grâce augustinienne a délaissé le continent très tôt et pour toujours ; c'est à croire aussi que
   les théologiens anglicans n'avaient que peu de contact avec

la théologie continentale. D'ailleurs quand cette influence
est évidente, elle s'avère désastreuse, nous assure-t-on.
C.W. Dugmore ne voit dans le protestantisme continental que
"subjectivisme". Calvin vaut un meilleur traitement. 3° Cet
insularisme pousse C.W. Dugmore à préférer les théologiens
d'Edouard aux premiers théologiens d'Elisabeth, anciens
exilés pour la plupart. Or, en fait, la théologie eucharistique de ceux-ci est plus réaliste que celle de ceux-là,
comme le révèle la comparaison des Trente-neuf Articles aux
Quarante-deux Articles, et celle du Prayer Book de 1559 au
Prayer Book de 1552. Cf. à ce propos W.P. HAUGAARD,
Elizabeth and the English Reformation, C.U.P., 1968, notamment pp. 267-269. 4° C.W. Dugmore trouve en Ratramne,
Béranger et Wyclif les tenants authentiques de la tradition
augustinienne et les ancêtres lointains des théologiens anglais. Cette parenté, dont effectivement ces théologiens se
réclament parfois, est bien gênante. Avec le P. de Lubac
nous croyons au contraire que Béranger a porté des coups
fatals à la tradition patristique, cf. Corpus mysticum,
chap. x, "Du symbole à la dialectique".

5. Cité par C.W. DUGMORE, The Mass and the English Reformers,
   p. 97.

6. Ibid., p. 99.

7. Ibid., p. 100.

8. Ibid., chap. vii ; cf. également C.H. SMYTH, Cranmer and
   the Reformation under Edward VI, C.U.P., 1926 ; H. DAVIES,
   Worship and Theology in England :From Cranmer to Hooker,
   Princeton, 1970, p. 106 sq.

9. Il est paru sur la théologie eucharistique de Cranmer une
   masse de livres et d'articles contradictoires qu'il serait
   hors de propos de citer ici. On trouvera dans H. DAVIES,
   op. cit., p. 111 sq., un résumé de cette théologie et des
   interprétations proposées.

10. <u>A Defence of the True and Catholic Doctrine of the Sacrament of the Body and Blood of our Saviour Christ</u>, 1550. Gardiner répondit à ce traité par son <u>Explication of the True Catholic Faith touching the Most Blessed Sacrament of the Altar</u>, 1551 ; qui, à son tour, provoqua une réplique de Cranmer : <u>A Crafty and Sophistical Cavillation devised by M. Stephen Gardiner</u> [...] <u>with an Answer unto the same</u> (1551). Edition des oeuvres de Cranmer, Parker Society, éd. J.E. Cox, I 1844, II 1846.

11. G. DIX, <u>op. cit.</u>, pp. 648, 649.

12. C.W. DUGMORE, <u>op. cit.</u>, p. 103 sq.

13. <u>Ibid.</u>, pp. 127-129, 157-158 ; cf. également C.H. SMYTH, <u>op. cit.</u>, p. 65 sq.

14. C.W. DUGMORE, <u>op. cit.</u>, chap. viii, p. 187 ; <u>An Answer</u>, P.S., I, p. 87.

15. C.H. SMYTH, <u>op. cit.</u>, p. 69 ; <u>Defence</u> II, xii.

16. C.W. DUGMORE, <u>op. cit.</u>, p. 188 ; <u>An Answer</u>, P.S., I, p. 74.

17. <u>Ibid.</u>, p. 187 ; <u>Disputations at Oxford</u>, P.S., I, pp. 395, 396.

18. <u>Ibid.</u>, pp. 184, 185.

19. "Christ is within them, whole Christ, his nativity, passion, resurrection and ascension" ; cf. C.W. DUGMORE, <u>op. cit.</u>, p. 184, n. 4, <u>Examination at Oxford before Brokes</u>, P.S., II, p. 213.

20. <u>Ibid.</u>, p. 184, <u>An Answer</u>, P.S., I, p. 165.

21. <u>Ibid.</u>, p. 184, <u>Defensio</u>, P.S., I, p. 71*.

22. _Ibid._, pp. 184, 185. Il faut reconnaître que les termes de Cranmer ne sont pas aussi forts.

23. Cf. Nicholas RIDLEY, _A Treatise Agaynst the Errour of Transubstantiation_, _in_ : _English Reformers_, éd. T.H.L. PARKER, The Library of Christian Classics, vol. XXVI, p. 289 sq.

24. C.W. DUGMORE, _op. cit._, p. 137.

25. L. BOUYER, _Eucharistie_ ; Fr. CLARK, _Eucharistic Sacrifice and the Reformation_, Londres, 1960.

26. Cf. W.P. HAUGAARD, _Elizabeth and the English Reformation_, C.U.P., 1968 ; A.G. DICKENS, _The English Reformation_, 1964, chap. 12.

27. C.W. DUGMORE, _op. cit._, pp. 228, 229.

28. Cf. W.P. HAUGAARD, _op. cit._, p. 267.

29. Cf. _supra_, p. 515.

30. Cf. _supra_, p. 516.

31. C.W. DUGMORE, _op. cit._, pp. 181, 185.

32. Cf. par exemple la déclaration des émigrés de 1559, citée et commentée par W.P. HAUGAARD, _op. cit._, p. 267.

33. "I confess of myself that not long before I wrote the said catechism I was of the error of the real presence." _An Answer_, P.S., I, p. 374 ; cf. C.H. SMYTH, _op. cit._, p. 54.

34. _Examination on the Eucharist_, _in_:_English Reformers_, p. 318.

35. V, lxvii, 12 (II, pp. 360, 361).

36. Ibid.; cf. également 3, p. 350.

37. Ibid., 2, p. 349 ; 7, p. 354.

38. Ibid., 6, p. 353.

39. Ibid., note 22, pp. 353, 354.

40. Ibid., 2, p. 349.

41. Ibid., 8 sq., p. 355 sq.

42. Ibid., 2, p. 349.

43. Ibid., 8, p. 355.

44. A la vérité le virtualisme de Calvin est infiniment plus
    réaliste qu'on ne le dit le plus souvent, comme en témoigne
    ce texte, par exemple : "Je dis donc qu'en la Cène Jésus-
    Christ nous est vraiment donné sous les signes du pain et
    du vin : voire son corps et son sang auxquels il a accompli
    toute justice pour nous acquérir salut. Et que cela se fait
    premièrement afin que nous soyons unis en un corps : secon-
    dement afin qu'étant participants de sa substance, nous
    sentions aussi sa vertu en communiquant à tous ses biens"
    (c'est nous qui soulignons). Inst. Chrét. IV, 17, 11, cité
    par J. BOSC, La foi chrétienne, Paris, P.U.F., 1965, p. 115.
    C'est le langage même de Hooker.

45. V, lxvii, 2, p. 349 ; également 7 à 12, p. 354 sq.

46. Ibid., 7, p. 355 : "Thirdly that what merit, force or vir-
    tue soever there is in his sacrificed body and blood we
    freely, fully and wholly have it by this sacrament" ; éga-
    lement 11, p. 358.

47. Ibid., 6, p. 352 : "The real presence of Christ's most
    blessed body and blood is not therefore to be sought for in

the sacrament, but in the worthy receiver of the sacrament."

48. Ibid., 6, p. 352 ; 7, p. 354 ; 11, p. 358, etc.

49. Ibid., 2, p. 349 ; 6, p. 353.

50. Ibid., 6, p. 352 (cf. supra, note 47).

51. Ibid., 12, p. 359 : "This is to them and in them my body" (souligné par Hooker).

52. Ibid., 9, p. 355.

53. Ibid., 5, p. 352. Rappelons le texte des Trente-neuf Articles : "The Bread which we break is a partaking of the Body of Christ ; and likewise the Cup of the Blessing is a partaking of the Blood of Christ." Cf. saint Paul 1 Co 10, 16 : "The bread which we break, is it not the communion of the body of Christ ?"

54. Ibid., 9, p. 355.

55. Ibid., 11, p. 357.

56. Ibid., 12, p. 359.

57. V, lxxvii, 2 (II, p. 456).

58. On peut se demander si l'opposition faite dans ce passage entre corps mystique et corps naturel ne révèle pas l'influence d'une pensée juridique ou politique qui s'est emparée des concepts de la théologie et les a quelque peu dénaturés, comme on l'a montré ailleurs (cf. supra, pp. 295, 296). Dans cette pensée, l'expression de corps mystique est privée de ses connotations sacramentelles et charnelles premières pour ne plus désigner qu'une réalité intellectuelle, celle du groupe.

59. V, lxvii, 4 (II, p. 351).

60. Ibid., 5, p. 352.

61. Ibid., 6, p. 353.

62. Ibid., note 21.

63. Ibid., 8, p. 355. Cette phrase nous semble importante. Elle nous fait sentir par quoi Hooker dépasse le "virtualisme".

64. Ibid., 12, p. 359.

65. Ibid., 5, p. 352.

66. Ibid., 9, pp. 355, 356.

67. Ibid., 11, p. 358.

68. V, lvi, 9 (II, p. 252).

69. Ibid., 10, p. 253.

70. V, lxvii, 5 (II, p. 352).

71. Ibid., 6, note 22, p. 354.

72. V, lxvii, 4 (II, p. 351).

73. Ibid., 7, p. 354.

74. Ibid., 11, p. 357.

75. Ibid., p. 358.

76. Ibid., 11, p. 357.

77. Ibid., 7, p. 355.

78. Ibid., 11, p. 358.

79. V, lxxviii, 2 (II, p. 471) ; cf. également IV, xi, 10 (I, p. 459).

80. V, lxvii, 7 (II, p. 355).

81. Ibid., 4, p. 351.

82. Ibid., 12, p. 361 : "These mysteries do as nails fasten us to this very Cross, that by them we draw out, as touching efficacy, force, and virtue, even the blood of his gored side, in the wounds of our Redeemer we there dip our tongues, we are dyed red both within and without."

83. Ibid. : "This bread hath in it more than the substance which our eyes behold, this cup hallowed with solemn benediction availeth to the endless life and welfare both of soul and body, in that it serveth as well for a medecine to heal our infirmities and purge our sins as for a sacrifice of thanksgiving."

84. Lancelot ANDREWES, Responsio ad Apologiam Cardinalis Bellarmini, cité par M. SIMON, L'Anglicanisme, Paris, 1969, p. 239.

L I V R E V

L'EGLISE, SOCIETE DES CHRETIENS

ET

CORPS MYSTIQUE DU CHRIST

L I V R E   V

L'EGLISE, SOCIETE DES CHRETIENS

ET

CORPS MYSTIQUE DU CHRIST

C H A P I T R E I

DEFINITION DE L'EGLISE

(pp. 545-550)

1. III, i (I, p. 338 sq.).

2. Ibid., 2, p. 338.

3. Ibid., 3, p. 339.

4. Ibid., 4, p. 339.

5. Ibid., 5, p. 340 : "What rule that is he [Tertullian] sheweth by rehearsing those few articles of Christian belief."

6. III, i, 7 (I, p. 342). Sur le refus de fouiller les consciences, cf. V, lviii, 8 (II, p. 374) : "For neither doth God thus bind us to dive into men's consciences, etc." ; également 9, p. 375 : "thirdly in imposing upon the Church a burden to enter farther into men's hearts and to make a deeper search of their consciences than any law of God or reason of man enforceth, etc."

7. Ibid., 8, p. 343. Cf. J. LECLER, Histoire de la tolérance, Paris, 1955.

8. V, lxviii, 6 (II, p. 368).

9. Ibid., pp. 368, 369.

10. III, i, 9 (I, pp. 343, 344).

11. Ibid., 10, p. 347 : "Notwithstanding so far as lawfully we
    may, we have held and do hold fellowship with them." Cf.
    également V, lxviii, 9 (II, p. 375) : "the same church [the
    church of Rome] [...] to be held and reputed a part of the
    house of God, a limb of the visible Church of Christ" ;
    également le Sermon II, sur la justification, passim,
    (III, p. 483 sq.).

12. Ibid., 11, p. 348.

13. V, lxviii, 6 (II, p. 370).

14. III, i, 13 (I, p. 350).

15. Ibid., 9, pp. 344, 345.

16. Cf. sur ce point les analyses critiques de la position an-
    glicane dans B.C. BUTLER, L'idée de l'Eglise, trad.
    S. de Trooz, Paris, 1965, notamment chap. vi, "Saint Cyprien
    et l'Eglise" et chap. vii, "La logique d'Augustin".

C H A P I T R E   I I

L'EGLISE SOCIETE POLITIQUE

(pp. 551-568)

1. III, i, 14 (I, pp. 351, 352). Un synonyme de polity est le
terme regiment qu'utilise Hooker assez souvent et qui, lui
aussi, n'équivaut pas tout à fait à gouvernement. Si l'on
veut se rendre compte à quel point l'usage que fait Hooker
de ces termes est aristotélicien, on pourra se référer à
J. TRICOT, La Politique (d'Aristote), note 2, p. 193 ;
J. Tricot y commente sa traduction du mot πολιτεία par
constitution : "Une constitution, autrement dit un régime
politique, une forme de gouvernement (πολιτεία au sens large) est l'ordre (τάξις = ordo, ordinatio, arrangement, organisation, nous dirions aujourd'hui l'ensemble des lois
constitutionnelles ou organiques) qui distribuent et rè-
glent les diverses fonctions d'autorité, etc." C'est bien
cela : polity, regiment, order, public ordering sont synonymes chez Hooker.

2. III, xi, 14 (I, p. 406).

3. Il est vrai que saint Thomas s'était efforcé de christiani-
ser les concepts aristotéliciens de πόλις et de πολιτεία ,
c'est-à-dire de les utiliser spirituellement pour décrire
la Cité de Dieu ou le Peuple des fidèles : cf. Y.M. CONGAR,
"Ecclesia et populus (fidelis) dans l'écclésiologie de
saint Thomas", in : St. Thomas Aquinas, 1274-1974, Commemorative Studies, vol. I, Pontifical Institute of Medieval
Studies, Toronto, 1974, notamment pp. 163-65 ; cf. égale-

ment, du même auteur, la communication faite au congrès international de droit canon sur le thème Persona e ordinamento nella Chiesa, in : Vita e pensiero, Milan, 1975, notamment p. 47 sq. Il ne semble pas qu'on trouve rien de tel
chez Hooker. La polity désigne l'ordre public et juridique
de l'Eglise par opposition à l'ordre mystique. Il est vrai
que cet ordre public n'est pas réellement profane, pour la
raison simple qu'il n'y a pas, dans le système de Hooker,
de réalité politique qui puisse être profane ou a-religieu-
se. Inversement, la société mystique présente les caracté-
ristiques de toute société : elle est un peuple organisé,
un corps, un ordre ; elle a une loi. D'elle pourtant,
Hooker ne dit nulle part, à notre connaissance, qu'elle a
la forme d'une polity. Les réalités mystiques sont bien des
réalités sociales ; elles ne sont pas des réalités publiques.

4. III, xi, 13 (I, pp. 404, 405). "Disciplina est Christianae
   Ecclesiae Politia, a Deo ejus recte administrandae causa
   constituta", écrit Travers dans un passage de l'Ecclesiae
   Disciplinae [...] Explicatio que cite Hooker, III, x, 8
   (I, p. 391, n. 37).

5. VIII, iv, 10 (III, p. 389) : "him [Christ] only to be that
   fountain, from whence the influence of heavenly grace dis-
   tilleth, and is derived into all parts, whether the word,
   or sacraments, or discipline, or whatsoever be the mean
   whereby it floweth. As for the power of administering these
   things in the Church of Christ, which power we call the
   power of order, it is indeed both Spiritual and His." Néanmoins, ici ou là, l'expression outward discipline est em-
   ployée comme un synonyme pur et simple de polity.

6. Cf. infra, chap. vii.

7. III, vii, 1 (I, p. 361 sq.).

8. III, xi, 13 (I, p. 405).

9. III, xi, 13 (I, pp. 404, 405).

10. Ibid., p. 405 : "In the matter of external discipline or
regiment itself, we do not deny but there are some things
whereunto the church is bound till the world's end" ;
p. 406 : "Christ hath commanded prayers to be made, sacraments to be ministered, his Church carefully taught and
guided, concerning every of these somewhat Christ hath
commanded which must be kept till the world's end."

11. Ibid., 20, p. 413 : "Where polity is, it cannot but appoint
some to be leaders of others, and some to be led by others
[...] Again, forasmuch as where the clergy are any great multitude, order doth necessarily require that by degrees they
be distinguished."

12. Ibid., p. 413 : "God's clergy are a state which hath been
and will be as long as there is a Church upon earth, necessary by the plain word of God himself [...] We hold there
have ever been and ever ought to be [...] two sorts of ecclesiastical persons, the one subordinate unto the other ; as
to the Apostles in the beginning, and to the Bishops always
since, we find plainly both in Scripture and in all ecclesiastical records, other ministers of the word and sacraments have been."

13. Ibid., 16, p. 408.

14. Ibid., 20, p. 414.

15. Ibid., 16, p. 409 : "Yea, even that matters of ecclesiastical polity are not therein omitted, but taught also, albeit
not so taught as those other things before-mentioned."
Cf. également III, iv, 1 (I, p. 358) : "Yea, that although
there be no necessity ("nécessité salutaire" s'entend) it
should of purpose describe anyone particular form of church
government, yet touching the manner of governing in general
the precepts that Scripture setteth down are not few [...] ;

yea, that those things finally which are of principal weight in the very particular form of church polity [...] are in the selfsame Scripture contained."

16. Ibid., 16, p. 409 et 20, p. 413.

17. V, lxviii, 6 (II, p. 369) : "This is the error of all popish definitions that hitherto have been brought. They define not the Church by that which the Church essentially is, but by that wherein they imagine their own more perfect than the rest are."

18. III, xi, 16 (I, p. 409).

19. VIII, vi, 1 (III, p. 396) : "Wherefore, as they themselves cannot choose but grant that the natural subject of power to make laws civil is the commonwealth ; so we affirm that in like congruity the true original subject of power also to make church-laws is the whole entire body of that church for which they are made."

20. VII, v, 8 (III, pp. 163, 164).

21. Ibid., p. 165.

22. VIII, i, 2 (III, pp. 328, 329).

23. Nous n'ignorons pas, bien sûr, que la Reine Elisabeth s'intitule seulement supreme governor of this realm [...] as well in all spiritual or ecclesiastical things or causes as temporal ; mais la différence est toute formelle. Hooker, apologiste du règne, ne fait aucune distinction entre les deux titres. Whitgift n'en faisait pas davantage. Pour tout cela cf. infra, chap. ix.

24. Traduire commonwealth par Etat est au fond un contresens, un anachronisme infidèle à la vraie pensée de Hooker : le terme désigne le corps politique pris dans son entier. Quand

il s'oppose au terme Eglise, Church, on peut le traduire
par "nation civile" ; mais l'acception est plus large,
puisque l'Eglise n'est autre que the Christian commonwealth.
Le commonwealth, c'est au sens littéral la respublica, la
chose publique. La notion d'Etat est assez étrangère à la
pensée de Hooker.

25. Cf. supra, p. 386 sq.

26. VIII, i, 2 (III, p. 329).

27. Ibid., p. 330.

28. Ibid., 3 et 4, pp. 331-34.

29. Cité dans A.G. DICKENS et Dorothy CARR, The Reformation in
England, Londres, 1967, p. 69.

30. Ibid., pp. 55, 56.

31. Le même outillage logique. 1) Cf. VIII, i, 2 (III, pp. 328-
29 : "A church and a commonwealth we grant are things in
nature (c'est nous qui soulignons) the one distinguished
from the other. In their opinion the church and the commonwealth are corporations, not in nature and definition, but
in subsistence perpetually severed". 2) 5, p. 336 : "For
the truth is, that the Church and the commonwealth are
names which import things really different ; but those
things are accidents, and such accidents may and should
always dwell lovingly together in one subject. Wherefore
the real difference between the accidents signified by
those names do not prove different subjects for them always
to reside in." 3) L'erreur des catholiques : "the error of
personal separation" (4, p. 332) ; pour eux, "the Church
remain[s] by personal subsistence divided from the commonwealth (p. 334) ; au contraire pour l'Eglise d'Angleterre,
"the Church and the commonwealth [...] are [..] personally one
society (ibid.). Dans tout cela, les oppositions logiques

sont claires entre a) distinction et séparation b) entre distinction réelle, par nature, essentielle, des choses et séparation personnelle des sujets ou des suppôts subsistant c) entre accident et sujet ou suppôt.

32. Hooker ne s'étend guère sur l'analyse du partage et ne pose que les grands principes en ce livre VIII ; on n'oubliera pas cependant qu'il consacrait à le décrire une bonne part du livre VI original. Cf. notre introduction, p. 67 sq.

33. VIII, i, 4 (III, p. 334) : "There is no way how this could be possible, save only one, and that is, they must restrain the name of the Church in a Christian commonwealth to the clergy, excluding all the residue of believers, both prince and people." Encore une fois, la critique s'adresse surtout aux catholiques, aux ouvrages d'Allen en particulier, nommément cité (p. 334) ; mais Hooker un peu plus loin cite Thomas Cartwright longuement, toujours sur le même problème (5, p. 335).

34. Article Erastianisme.

35. VI, App. (III, p. 121) : "As likewise I thinke it were meete that in the beginning of the booke, after you have refuted Erastus, etc."

36. Cf. Joseph LECLER, Histoire de la tolérance au siècle de la Réforme, vol. II, p. 228.

37. Ibid., pp. 227, 228.

38. Cf. J. WHITGIFT, Works, éd. Parker Society, notamment ; cf. Helmut KRESSNER, Schweizer Ursprung des anglikanishen Staatskirchentums, Gütersloh, 1953 ; également J. LECLER, op. cit., II, p. 340 sq.

39. Sur la métaphysique unitaire qui domine la pensée médiévale, on pourra toujours lire avec profit certains beaux pas-

sages de O. GIERKE, Political Theories of the Middle Age, trad. Maitland, par ex. pp. 9-37 ("Unity in Church and State", "The Idea of Organisation", "The Idea of Monarchy"). Cf. également les ouvrages de W. ULLMANN, notamment A History of Political Thought : the Middle Ages, particulièrement pp. 17-18. Selon W. ULLMANN, c'est avec l'aristotélisme politique, notamment le thomisme, qu'apparaît la notion moderne d'état, corps politique autonome, pleinement distinct du corps ecclésial, cf. p. 19 entre autres. Consulter également Y.M. CONGAR, L'Eglise : De saint Augustin à l'époque moderne, Paris, 1970, notamment chap. iii, p. 51 sq. Le Père CONGAR y montre que cette notion de l'Ecclesia comme société chrétienne est particulièrement forte à l'époque carolingienne. La réforme grégorienne est d'abord un mouvement qui veut faire sortir l'Eglise de l'indistincte société chrétienne, mais qui bientôt rétablit l'idéal unitaire au profit de la papauté (p. 107) et finalement s'oriente vers la hiérocratie (pp. 143, 144, p. 176 sq., p. 271 sq.). Mais la ligne de pensée unitaire n'est pas l'apanage du courant hiérocratique. Elle est aussi la position des fidèles de l'Empire, qui maintiennent l'idéal carolingien. On peut rattacher Marsile de Padoue à ce courant impérial ; le monisme aboutit ici à un totalitarisme de l'état et à la suppression de la juridiction spirituelle. Quant à l'aristotélisme politique, les monistes (Marsile), comme les dualistes (Jean de Paris) s'en réclament et peuvent effectivement s'en réclamer. On pourrait, selon nous, en dire autant du thomisme, dont certains courants grossissent le courant hiérocratique (Gilles de Rome) et d'autres la tendance dualiste (Jean de Paris). C'est un fait que la scolastique des XVIe et XVIIe siècles (Bellarmin, Suarez) peuvent invoquer saint Thomas, à qui ils reprennent la notion de societas ou de communitas perfecta. Mais Hooker, même si l'on admet que son thomisme, en ces matières politiques, s'imprègne d'idées marsiliennes, ne nous semble pas infidèle à l'esprit de saint Thomas : les rapports de l'Eglise à la nation, ou mieux les rapports du temporel et du spirituel, sont analogues à ceux de la grâce à la nature : l'ordre spirituel parfait l'ordre

temporel comme la grâce parfait la nature. Point d'averroïsme dans une telle position ; mais le contraire plutôt,
la conviction que la nature n'est jamais tout à fait nature,
le corps politique n'est jamais "parfait", sans la grâce.
On n'oubliera pas non plus que l'aristotélisme de Hooker ne
doit pas s'interpréter sans le néo-platonisme dionysien qui
le nuance.

40. Sur l'autorité dont jouissait Marsile de Padoue chez les
propagandistes d'Henri VIII, cf. A.G. DICKENS, The English
Reformation, chap. 5, p. 122 sq. Egalement, Peter MUNZ, The
Place of Hooker in the History of Thought, Appendix C,
pp. 199-204, et W.D.J. Cargill THOMPSON, "The Philosopher
of the 'Politic Society'", in : Studies in Richard Hooker,
pp. 50-53, 64-66 et n. 74 et 75, p. 74 et 75. W.D.J. Cargill
Thompson, à bon droit et dans le même esprit que nous, réfute l'accusation d'averroïsme politique et d'érastianisme
(au sens courant et moderne du terme) souvent adressée à
Hooker et réduit à sa juste mesure l'influence de Marsile
de Padoue sur les propagandistes de Henri. Il a raison de
souligner que la conception de la Suprématie Royale se fondait sur une conception théocratique de la royauté commune
dans les pays protestants à l'origine (l'idéal du Godly
Prince). Mais il a tort de ne pas élargir le problème, de
ne pas voir que la théorie unitaire du corps chrétien
qu'elle implique se rattachait à l'une des plus anciennes
traditions de la pensée chrétienne.

41. A.G. DICKENS et D. CARR, op. cit., p. 71.

42. Ils se réclamaient d'ailleurs d'une très forte tradition
dualiste dans la théologie catholique, cf. supra, n. 38.

CHAPITRE III

L'EGLISE INSTITUTION DIVINE ET INSTRUMENT DE SALUT

(pp. 569-579)

1. III, ii, 1 (I, p. 352).

2. VII, xi, 10 (III, p. 212).

3. "The substance of the service of God", I, xv, 2 (I, p. 274).

4. VI, ii, 2 (III, p. 4).

5. VIII, vi, 1-3 (III, pp. 396-98).

6. Ibid., 3, pp. 397-98.

7. Ibid., p. 398.

8. Cf. supra, p. 558.

9. VII, xiv, 10 et 11 (III, pp. 229-31).

10. VI, i, 2 (III, p. 4).

11. Ibid., p. 5.

12. Par institution hiérarchique, nous voulons dire l'institu-
    tion ministérielle sans considérer le problème particulier
    de la hiérarchie à l'intérieur du ministère, problème que

nous envisagerons plus loin, cf. _infra_, chap. viii, "Les
degrés du ministère", p.623 sq.

13. _Sainte Eglise_, Paris, 1963, p. 295. Cf. également ce que le
    Père Congar écrit de l'Eglise au XIIe siècle (_in_ : L'Eglise :
    De saint Augustin à l'époque moderne, p. 149) : "Les cano-
    nistes rencontrent l'idée de l'Eglise comme _corpus_, impli-
    quant tête et membres, et celle de l'Eglise comme 'multitu-
    do fidelium, universitas christianorum'. Les deux idées
    n'étaient en rien contradictoires et Hugues de Saint Victor
    les unissait même dans le même texte. L'idée de disjoindre
    un aspect de 'corporation' (collegium, societas, universi-
    tas, collectio, congregatio) et un aspect d''institution',
    celle-ci étant formée d'en haut, celle-là d'en bas et par
    ses membres, est une idée moderne $\left[...\right]$, non une idée du
    XIIe siècle. La notion de _corpus_ telle que les décrétistes
    la mettaient en oeuvre, assumait et unissait les deux as-
    pects." Il nous semble que c'est cette unité perdue avec
    la Réforme et la Contre-Réforme que Hooker cherche à main-
    tenir.

14. Cf. J.F. NEW, _op. cit._, p. 33 : "A 'holy community' charac-
    ter did indeed color Puritan Church practice, and it was
    also a mark of Puritanism's proximity to voluntaryism and
    Separatism. Rather than predestinarianism or Scripturalism,
    however, a dogmatic annulment of the distinction between
    the visible and the invisible Church explains this quality
    in Puritan churchmanship $\left[...\right]$ In the abstract, Calvin had
    recognized the two kinds of Churches, but he proceeded to
    nullify the difference by blandly equating the external
    Church with the spiritual society" ; p. 36 : "Anglicanism,
    in contrast, retained the traditional dichotomy between the
    visible and the invisible Church".

15. Cf. notre introduction pp. 34-37, p. 44.

16. Cf. _supra_, dans notre chapitre sur l'Eucharistie p. 532 sq.,

ce que nous disons sur la valeur du terme "mystique" dans
le langage de Hooker.

17. V, lvi, 7 (II, pp. 249, 250).

18. Cf. supra, notre chapitre sur l'Eucharistie.

19. Cf. supra, pp. 371-79 et pp.485-90 ; le texte cité est d'ail-
    leurs tiré du chapitre central du livre V sur la "partici-
    pation mutuelle qui existe en ce monde entre le Christ et
    l'Eglise du Christ".

20. V, xxiv, 1 (II, p. 117) : "that visible mystical body which
    is his Church".

21. Les formules que propose J.F. NEW, op. cit., ne font pas
    pleine justice à ce que nous croyons être la perception an-
    glicane de ces choses. Nous le suivons dans ses prémisses
    quand il écrit (p. 38) : "Their understanding of the rela-
    tionships between the spheres of grace and nature prescribed
    any mistaking of the visible for the invisible society" ;
    mais nous l'abandonnons quand il poursuit : "They were
    forced to emphasize the visible Church because they regarded
    grace as being arranged in a tiered relationship with na-
    ture." Non ! La formule est fâcheuse parce qu'elle semble
    séparer radicalement les niveaux, additionner la grâce et
    la nature ou couronner celle-ci de celle-là. Que la grâce
    et la nature se situent "hiérarchiquement" comme le dit en-
    core New (p. 39), nous le voulons bien, mais à la condition
    de donner à cette notion de hiérarchie le sens dionysien
    qu'il prend aisément chez Hooker et d'observer que, loin de
    bloquer les passages ou les communications d'un étage à
    l'autre, la hiérarchie seule les permet. New cite, pour fi-
    nir, un texte de Hooker qui souligne le secret des opéra-
    tions de l'Esprit : "The operations of the Spirit [...] are
    as we know things secret and undiscernible even to the very
    soul where they are (III, viii, 15 ; I, p. 378)." Soit ;
    mais il faut ajouter que, pour être secrètes, les opérations

de l'Esprit n'en sont pas moins réelles et efficaces. L'Esprit pénètre l'âme, il habite en elle, il la transforme : it abideth, it worketh in them (Sermon I ; III, p. 478) ; cf. supra notre chap. "Certitude et Indéfectibilité de la Foi", p.413 sq.De même, la phrase (p. 39) : "According to this view grace did not struggle with nature ; it completed it" n'est acceptable que si complete veut dire perfect, parfaire et non pas compléter ; la grâce en effet parfait la nature, cf. supra, p. 363 sq. On retrouvera dans l'ouvrage du sociologue D. LITTLE, Religion, Order and Law, New York, 1969, des considérations analogues sur la séparation de l'Eglise visible et de l'Eglise invisible chez les anglicans. Ces considérations, très justes au départ et solidement fondées sur des textes, aboutissent vite à une interprétation erronnée, parce qu'incomplète, de la théologie de l'Incarnation chez Hooker (p. 152). Pour faire bref, nous dirons que D. Little ne considère dans cette théorie que la grâce de l'union, non la grâce de l'onction (cf. supra, p.476 sq.). Il néglige ce qui chez Hooker est l'essentiel. D'où une réduction de l'Eglise visible à sa coquille visible, à la polity, une négation de son rôle sanctificateur.

CHAPITRE IV

L'EGLISE ET LES EGLISES

(pp. 581-586)

1. III, i, 3 (I, p. 339) : "The unity of which visible body and Church of Christ consisteth in the uniformity which all several persons thereunto belonging have, by reason of that one Lord whose servants they all profess themselves, that one Faith which they all acknowledge, that one Baptism wherewith they are all initiated." Cf. supra, p. 545.

2. III, i, 14 (I, p. 351).

3. John JEWEL, An Apology of the Church of England , in : English Reformers, éd. T.H.L. PARKER, Londres, SCM Press, pp. 21, 22.

4. III, i, 14 (I, p. 351).

5. VIII, i, 2 (III, p. 329).

6. Ibid.

7. VIII, iv, 7 (III, p. 384).

8. Nous songeons aux textes distinguant la nature essentielle de l'Eglise de sa perfection, cf. par ex. V, lxviii, 6 (II, p. 369).

9. Cf. supra, p. 288.

10. VIII, iii, 5 (III, p. 366).

11. I, x, 1 (I, p. 239). Pour tout cela, cf. _supra_, notre livre III, 3e partie, p. 259 sq.

12. VIII, ii, 17 (III, p. 358).

13. Cf. _supra_, pp. 118, 119.

14. VIII, ii, 17 (III, p. 358).

15. _Ibid._

16. _Ibid._

CHAPITRE V

L'AUTORITE DE L'EGLISE

(pp. 587-596)

1. VIII, vi, 5 (III, p. 401).

2. VIII, ii, 17 (III, pp. 358, 359).

3. VIII, vi, 5 (III, p. 401). Cf. ce que nous avons dit supra, chap. i, p.546, sur le refus de fouiller les coeurs et les références données note 6.

4. Pref., vi, 3 (I, p. 167).

5. Pref., vi, 3 (I, p. 168).

6. C.S. LEWIS, English Literature in the Sixteenth Century, p. 39.

7. Pour tout cela, cf. J. LECLER, Histoire de la tolérance au siècle de la Réforme.

8. Op. cit., II, pp. 348, 349.

9. Pref., vi, 3 (I, pp. 167, 168).

10. Ibid., 3, p. 168.

11. Ibid., 6, p. 170.

12. VIII, App. n° 1 (III, p. 457).

13. <u>Pref.</u>, vi, 6 (I, p. 170).

14. <u>Ibid.</u>

15. <u>Ibid.</u>

16. <u>Ibid.</u>, 5, p. 170.

17. <u>Ibid.</u>, VIII, App. n° 1 (III, p. 456).

18. <u>Pref.</u>, vii, 1 (I, p. 171).

C H A P I T R E   V I

LE MINISTERE.   1. NATURE ET POUVOIR

(pp. 597-608)

1. V, lxxvi, titre (II, p. 444).

2. Ibid.

3. V, i (II, p. 13), cf. supra, pp. 249-50, 251, 385.

4. VIII, i (III, p. 326 sq.), cf. supra, p. 558 sq.

5. Surtout xi (I, p. 253 sq.), cf. supra, p. 353 sq.

6. V, lxxvi, 9 (II, p. 454) : "I could easily declare how all things which are of God he hath by wonderful art and wisdom sodered as it were together with the glue of mutual assistance, appointing the lowest to receive from the nearest to themselves what the influence of the highest yieldeth. And therefore the Church being the most absolute of all his works was in reason to be ordered in like harmony, that what he worketh might no less in grace than in nature be effected by hands and instruments duly subordinated unto the power of his own Spirit." Cf. également III, xi, 20 (I, p. 413).

7. V, lxxviii, 1 (II, p. 468).

8. V, lxxvii, 1 (II, p. 455).

9. V, xxv, 3 (II, pp. 119, 120).

10. V, lxxvii (II, p. 455 sq.).

11. Ibid., 1, p. 456.

12. Ibid., 2, p. 456.

13. Ibid.

14. Ibid., 1, pp. 455, 456.

15. Ibid., 7, p. 461.

16. Ibid., 8, p. 463.

17. V, lxxviii, 3 (II, p. 472).

18. Ibid., pp. 472-73.

19. Ibid., p. 472.

20. Peut-être doit-on percevoir, dans cette insistance évidente
sur le caractère sacramentel et liturgique de la fonction
pastorale, une différence de ton qui éloigne Hooker de ses
devanciers "anglicans". On pourra se référer à ce que dit
N. SYKES, Old Priest and New Presbyter, dans son chapitre
sur le godly bishop, p. 13 sq., et Ph. E. HUGHES, Theology
of the English Reformers, dans son chapitre sur le ministère et notamment sur la leçon qui se dégage des rites nouveaux de l'Ordinal, p. 161 sq. Si l'on accepte l'interprétation de ces auteurs, la tâche pastorale de l'évêque et du
prêtre était soulignée chez les premiers théologiens de
l'Eglise anglicane de façon presque exclusive, voire polémique, au regard de la tâche sacerdotale ou sacramentelle,
cf. Ph. E. HUGHES, p. 162 : "So also in the earlier part of
the service, the bishop in describing the office to which

they are called makes no mention of any sacerdotal function.
Their calling, he reminds them, is 'to be messengers, watch-
men and stewards of the Lord ; to teach and to premonish,
to feed and provide for the Lord's family ; to seek for
Christ's sheep'." On a vu combien différent est le commentaire que fait Hooker du même rituel. Il s'attache uniquement à défendre les paroles consécratoires : "Recevez le
Saint-Esprit", critiquées par les presbytériens, et il leur
donne le sens riche et sacramentel, et non pas étroitement
pastoral, qu'on a dit.

21. V, lxxvii, 2 (II, p. 456).

22. VI, i, 4 (III, p. 3).

23. V, lxxvii, 3 & lxxx, 8 (II , pp. 457 & 504).

24. Ed. W.H. FRERE & C.E. DOUGLAS, Puritan Manifestoes, 1954,
    p. 10 : "Then, none admitted to the ministerie, but a place
    was voyde before hand, to which he should be called".

25. V, lxxx, 3 (II, p. 501).

26. Op. cit., p. 10 : "Then election was made by the common
    consent of the whole church [...] Then the congregation had
    authoritie to cal ministers [...] Then no minister placed in
    any congregation, but by the consent of the people".

27. V, lxxx, 4 (II, p. 502). En traduisant indefinite ordination
    par ordination absolue, nous suivons l'usage du droit canon
    catholique.

28. VII, xiv, 7, 8 (III, p. 225 sq.).

29. Ibid., 10, p. 229.

30. Cf. supra, p. 603.

31. V, lxxvii, 7 et 8 (II, pp. 461-63).

32. VII, xiv, 10 (III, p. 230).

33. "Le principe presbytérien d'une participation laïque à
l'ordination". Il faut s'entendre. L'ordination est, pour
les presbytériens, le privilège exclusif des elders, comme
le montre bien cette phrase de l'Admonition : "Then, after
just tryal and vocation, they were admitted to their function, by laying on of the hands of the company of the eldership onely" (W.H. FRERE & C.E. DOUGLAS, op. cit., p. 10).
Mais ces termes elders ou eldership désignent, non pas seulement les ministers of the word and sacraments, mais aussi
les governors, et donc les lay-elders. Il est vrai que ces
lay-elders constituent un ordre ecclésiastique, qu'ils s'in-
tègrent au ministère pris au sens large (doctrine des quatre ministères). Le problème du caractère laïque ou clérical des anciens dans la doctrine calviniste est un problème
difficile ; cf. F. WENDEL, Calvin, Paris, 1950, p. 231, et
A. GANOCSY, Calvin théologien de l'Eglise et du ministère,
Paris, 1964, p. 285 sq. On trouvera dans F. PAGET, Introduction to the Fifth Book of Hooker's Treatise of the Laws
of Ecclesiastical Polity, 1907, pp. 50-100, une analyse de
la discipline presbytérienne à partir des documents principaux de la période qui nous occupe, cf. pour l'ordination,
pp. 51, 59, 68, 78.

34. VII, xiv, 11 (III, p. 231) ; cf. supra, chap. ii, pp. 556-57,
et chap. iii, pp. 573-74.

35. Initiation théologique, Cerf, Paris, 1956, T. IV, Sect. II,
chap. xii, "L'ordre", par P.M. GY, pp. 725, 726. Le passage
du P. Congar cité par le P. Gy est tiré des "Remarques critiques sur un essai de théologie sur le sacerdoce catholique", in : Revue des Sciences Religieuses, juillet 1951.

36. Cf. supra, p.600.

CHAPITRE VII

LE MINISTERE. 2. ORDRE, JURIDICTION, PENITENCE

(pp. 609-621)

1. V, lxxvii, 2 (II, pp. 456, 457).

2. VI, i, 1 (III, p. 2).

3. Voici les titres des livres respectifs : VI, Containing
   their 5th assertion, which is, that our laws are corrupt
   and repugnant to the laws of God, in matters belonging to
   power of ecclesiastical jurisdiction, etc. (III, p. 1) ;
   VII, Their 6th assertion, that there ought not to be in the
   Church bishops endued with such authority and honour as
   ours are (III, p. 140) ; VIII, Their 7th assertion, that
   unto no civil prince or governor there may be given such
   power of ecclesiastical dominion as by the laws of this
   land belongeth unto the supreme regent thereof (III,
   p. 326).

4. Cf. Y.M. CONGAR, "La hiérarchie comme service", in : Episcopat et Eglise Universelle, Paris, 1964, p. 90 : "Saint
   Thomas dit aussi bien, surtout dans ses premières oeuvres,
   que l'épiscopat n'est pas un ordo, mais une dignitas. Il
   n'est pas le créateur de cette formule."

5. VI, 11, 1 (III, p. 4).

6. Ibid.

7. VI, ii, 2 (III, p. 4).

8. Ibid., p. 5.

9. VI, iii, 1 (III, p. 5).

10. VI, iv, 1 (III, pp. 12, 13).

11. Cf. supra, p. 610, n.5.

12. Cf. supra, pp. 601-602.

13. Cf. supra, p. 605.

14. Voyez le texte de saint Paul, I Co 4, 1, utilisé déjà
(supra, p. 601), où l'Apôtre fait des ministres "les dispensateurs des mystères divins". Insistant sur l'idée de
"mystères divins", nous avons fait ressortir la teneur liturgique du pouvoir ainsi désigné, tout en indiquant cependant qu'il recouvrait tous les actes du ministère. Insis-
tons maintenant sur le terme "dispensateurs" : the disposers
of God's mysteries ; c'est bien la notion d'intendance et
donc de gouvernement qu'il exprime (cf. Authorized version :
stewards of the mysteries of God ; Bible de jérusalem : intendants des mystères de Dieu).

15. VIII, ii, 16 (III, p. 357) ; non pas toute juridiction cependant, il faut le dire, non pas celle du roi ; mais
s'agit-il de juridiction dans ce cas ? Cf. infra, p. 648 sq.

16. VIII, iv, 10 (III, p. 389).

17. Cf. infra, chap. viii,"Les degrés du ministère", p. 640 sq.

18. Cf. S. T., Suppl., Q. 20, a. 1, ad 1m : "Prima quidem potestas aequaliter est in omnibus sacerdotibus, non autem
secunda. Et ideo ubi Dominus, Ioan. 20, dedit omnibus Apostolis communiter potestatem remittendi peccata, intelligi-

tur de potestate quae consequitur ordinem [...] Sed Petro
singulariter dedit potestatem dimittendi peccata, Matth. 16,
[19], ut intelligatur quod ipse prae aliis habet potestatem
jurisdictionis." Cf. également, ibid., a. 3, ad 3m : "Quantum autem ad potestatem ordinis sunt aequales, non autem
quantum ad jurisdictionem".

19. Ibid., a. 2, Resp. : "jurisdictio quae a majoribus in inferiores descendit, etc."

20. Cf. Y.M. CONGAR,"Ordre et juridiction dans l'Eglise",in :
Sainte Eglise, p. 203 sq.

21. Est-il nécessaire de dire que, dans sa tendance actuelle,
la théologie catholique réagit contre une telle dissociation, au prix d'une critique explicite de saint Thomas.
Cf. L'Episcopat et l'Eglise Universelle, éd. Y. CONGAR et
B.D. DUPUY ; notamment Dom O. ROUSSEAU, "La doctrine du ministère épiscopal et ses vicissitudes en Occident", p. 305 :
"Peut-être avons-nous tort de considérer la juridiction
comme radicalement d'une autre source que la consécration
épiscopale" ; cf. infra, ce que nous disons sur l'épiscopat, p. 640 sq.

22. VI, iii, 1 (III, p. 6) : "which inward repentance alone
sufficeth unless, etc.";v, 5, p. 62 : "Repentance therefore, even the sole virtue of repentance [...] the secret
conversion of the heart [...] may be without hyperbolical
terms most truly magnified, as a recovery of the soul of
man from deadly sickness, a restitution of glorious light
to his darkened mind, a comfortable reconciliation with
God" ; vi, 5, p. 77 : "To remissions of sins there are
only two things necessary ; grace, as the only cause which
taketh away iniquity ; and repentance, as a duty or condition required in us." ; cf. également vi, 18, p. 106.

23. iii, 1, p. 7.

24. iii, 2, p. 7.

25. Ibid., 5, p. 11.

26. Ibid., 6, p. 12 ; également v, 5, p. 62 : "repentance, the
    secret conversion of the heart, in that it consisteth of
    these three, and doth by these three pacify God, may be,
    etc.".

27. v, 8, p. 66.

28. iii, 6, p. 12 : "parts and duties thereunto belonging,
    comprehended in the schoolmen's definition".

29. iii, 5, pp. 11 et 12 : "Contrition [...] is no natural passion
    or anguish, which riseth in us against our wills, but a de-
    liberate aversion of the will of man from sin ; which being
    always accompanied with grief, and grief oftentimes partly
    with tears, partly with other external signs, it hath been
    thought, that in these things contrition doth chiefly con-
    sist : whereas the chiefest thing in contrition is that al-
    teration whereby the will, which was before delighted with
    sin, doth now abhor and shun nothing more."

30. Les oeuvres de satisfaction les plus respectées ont tou-
    jours été la prière, le jeûne, l'aumône, "in which three
    the Apostle by way of abridgment comprehendeth whatsoever
    may appertain to sanctimony, holiness and good life",
    vi, 6, p. 63 ; le propre des oeuvres de satisfaction, c'est
    de s'opposer en tout aux oeuvres de péché, ibid.

31. v, 7 et 8, p. 64 sq.

32. Cf. v, 9, p. 71 : "By what works in the Virtue, by what in
    the Discipline of repentance, etc.". L'insistance sur le
    "faire", sur l'"oeuvre", sur l'"opération" est constante,
    surtout lorsqu'il est traité de satisfaction, cf. v,
    p. 55 sq. La satisfaction est éminemment l'oeuvre de la pé-

nitence ; mais la contrition et l'aveu le sont aussi, ce sont des opérations, des actes. Il est facile de voir comment tout cela se rattache aux doctrines de la double justification, de la foi et des oeuvres, de la grâce ; cf. notamment v, p. 57 sq.

33. iv, 16, pp. 54, 55.

34. iv, pp. 12-55.

35. vi, 5, p. 78. Référence à Pierre Lombard, p. 86 ; à Alexandre de Hales et à saint Bonaventure, p. 100, notes 50 et 51.

36. vi, 13, p. 101.

37. vi, 5, pp. 78, 79.

38. vi, 13, p. 97 sq.

39. iv, 14, pp. 48, 49.

40. iv, 13, p. 44.

41. iv, 1, p. 13.

42. iv, 7, p. 30.

43 Ibid., p. 31.

44. vi, 5, p. 77 : "the other best discerned by them whom God hath appointed judges in this court. So that having [...] the sentence of God's appointed officer and vicegerent to approve with unpartial judgment the quality of that we have done, and as from his tribunal, in that respect to assoil us of any crime, etc.".

45. iv, 15, p. 51.

46. Sur la tactique des presbytériens utilisant les rubriques du B.C.P. pour établir dans les paroisses une véritable procédure d'excommunication, cf. Collinson, op. cit., p. 348 : "Yet such evidence as we have suggests that to their own satisfaction the puritans equated suspension from the sacraments with excommunication, etc." ; sur leur sévérité, qui les menait vers le séparatisme, cf. p. 349 : "the puritan minister used his discretionary power to exclude all but the truly godly, so in effect converting the parish into a sect, etc." ; sur leur élitisme, ibid. : "William Seridge probably reserved the sacraments for the godly faction with whom he kept 'secret conventicles and meetings' on Sunday evenings." ; cf. également p. 353, le témoignage du puritain Johnson rapporté par Collinson : "'there was a general consent and purpose had among the brethren touching a secret kind of excommunication, for example sake.' [...] Only if the offender still presisted in presenting himself at the communion was he openly repelled 'upon pretence of certain words in the Communion Book, so as thereby they might keep their own course for their discipline and yet have a cloak to cover them withal out of the said Book of Common Prayer'.".

C H A P I T R E   V I I I

LE MINISTERE.   3. LES DEGRES DU MINISTERE

(pp. 623-643)

1. VI, App. (III, p. 125).

2. V, App. n° 2 (II, p. 608).

3. VII, iii, 1 (III, p. 149).

4. Cf. notre introduction et Norman SYKES, Old Priest and New Presbyter, C.U.P., 1956.

5. Cf. supra, pp. 601-602.

6. Cité par N. SYKES, pp. 3, 4.

7. Ibid., p. 4.

8. Ibid., p. 5.

9. Cf. Jewel, cité par SYKES, p. 6 : "It is lawful for a godly prince to command bishops and priests ; to make laws and orders for the church ; to redress the abuses of the sacraments ; to allege the Scriptures ; to threaten and punish bishops and priests, if they offend."

10. Cf. Whitgift : "The archbishop doth exercise his jurisdiction under the prince and by the prince's authority", ibid., p. 7.

11. Cf. notre introduction, _supra_, p. 43 sq.

12. VI, App. (III, p. 128).

13. La théologie de l'épiscopat est encore imprécise dans les
    milieux catholiques ; du moins n'est-elle pas uniforme.
    Cf. L'Episcopat et l'Eglise Universelle, éd. Y. CONGAR et
    B.D. DUPUY, dont nous nous inspirons ici. Sur l'approche
    anglicane contemporaine des problèmes que nous agitons ici,
    on consultera le livre collectif : The Apostolic Ministry :
    Essays on the History and the Doctrine of Episcopacy, éd.
    K.E. KIRK, Londres, 1ère éd. 1946.

14. Dom O. ROUSSEAU, "La doctrine du ministère épiscopal et
    ses vicissitudes dans l'Eglise d'Occident", _in_ : L'Episcopat
    et l'Eglise Universelle, pp. 280, 281.

15. Ibid., p. 282.

16. Ibid., p. 279.

17. Cf. _supra_, pp. 611-14.

18. Op. cit., pp. 285, 286.

19. Cf. _supra_, p. 613 et p. 921, n. 19. Pour complèter cette
    analyse rapide des raisons de l'incertitude de la théologie
    catholique de l'épiscopat au XVIe siècle, on ajoutera que
    les évêques (en Allemagne surtout) étaient souvent de
    grands seigneurs qui ne remplissaient pas leurs fonctions ;
    il était inévitable qu'elles ne parussent plus essentielles.
    Cf. le cas de Strasbourg où, pendant tout le XVe siècle,
    aucun évêque ne s'est seulement fait consacrer.

20. Sess. 23, canon 6, cité par Dom ROUSSEAU, op. cit., p.283.
    "Institution divine" : le terme est un peu fort et rend mal
    le latin. Les Pères du Concile de Trente se sont arrêtés à

l'expression <u>divina ordinatione instituta</u> pour éviter
l'expression <u>divino jure</u>. L'institution n'est pas directement et formellement divine ; elle est voulue cependant par
la Providence de Dieu. Vatican II a explicité cette notion ;
on est là devant la détermination historique d'une institution divine. Renseignement fourni par le Père Congar.

21. <u>Ibid.</u>

22. Avant Vatican II, le magistère montrait une préférence pour
le concept d'une juridiction médiatement acquise, cf.
Dom ROUSSEAU, <u>op. cit.</u>, p. 286. Mais Vatican II <u>(Lumen
Gentium)</u> a rattaché clairement la plénitude du pouvoir épiscopal (magistère doctrinal, sacerdoce du culte sacré et ministère du gouvernement) à la consécration, cf. chap iii,
20 et surtout 21. Keble, dans sa préface, a remarquablement
analysé tout ce problème, en faisant référence précisément
aux débats du Concile de Trente, cf. p. lx.

23. III, ii, 1 (I, p. 352).

24. III, xi, 20 (I, p. 413).

25. III, x, 8 (I, p. 390).

26. III, xi, 16 (I, p. 409).

27. VII, iv, 3 (III, p. 153).

28. VII, v, 2 & 3 (III, p. 157).

29. VII, v, 8, note 55 (III, p. 163). Autres textes : VII, v, 8
(III, p. 165) ; également V, lxxviii, 4 et 5 (II, pp. 473,
474, 476), qui rapprochent la différence entre évêques et
prêtres de celle entre Apôtres et disciples, et donne à la
hiérarchie une origine directement dominicale <u>(these two
degrees appointed of our Lord)</u> ; également 12, p. 482. On
notera que l'argumentation en faveur de l'épiscopat, chez

Hooker, est triple : a) raisons d'ordre naturel (nécessité
d'une hiérarchie en toute société), cf. III, xi, 20 (I,
p. 413) ; VII, ii, 3 (III, p. 148) ; VII, xviii, 5 (III,
p. 267) ; b) raisons d'ordre historique (l'Eglise a toujours connu l'épiscopat), cf. VII, 1, 4 (III, p. 143) ;
VII, iii, 1 (III, p. 150) ; c) raisons d'ordre scripturaire
(l'épiscopat est apostolique, voire dominical) ; c'est à
ces raisons que nous nous tenons ici. Raison, Tradition,
Ecriture, c'est la procession désormais classique des preuves anglicanes. Ce qui peut égarer le lecteur, c'est qu'indifféremment Hooker utilise l'une ou l'autre, ou encore
qu'il passe de l'une à l'autre par un mouvement qui lui est
naturel et qui est presque insensible. Ne retenir que les
preuves naturelles ou historiques, c'est déformer gravement
sa pensée.

30. Op. cit., p. 22.

31. VII, xi, 8 (III, pp. 209, 210).

32. Pref., p. lxxii sq.

33. Cf. supra, p. 555.

34. Cf. supra, chap. ii et chap. iii.

35. N. SYKES, op. cit., p. 62, note 1 : "Quod me attinet Epis-
    copos Ecclesiae necessarios arbitror, et eam disciplinam et
    gubernationem Ecclesiae esse optimam et divinam".

36. Cité par Keble, Pref., p. lxvi.

37. Cf. supra, pp.556-57, 558 ; sur les Eglises réformées non épisco-
    pales, cf. III, xi, 16 (I, p. 409) : "considering that men
    oftentimes without any fault of their own may be driven [...]
    to content themselves with that, which either the irreme-
    diable error of former times, or the necessity of the pre-
    sent hath cast upon them." ; concernant l'argument de saint

Jérôme, cf. VII, v, 8 (III, p. 164) : "the whole body of
the Church hath power to alter, with general consent and
upon necessary occasions, even the positive laws of the
apostles, if there be no command to the contrary" ; sur
les ordinations non épiscopales, cf. VII, xiv, 11 (III,
pp. 231, 232) : "Another extraordinary kind of vocation is,
when the exigence of necessity doth constrain to leave the
usual ways of the Church [...] These cases of inevitable necessity excepted, none may ordain, but only bishops".

38. Outre les textes donnés par Sykes, on pourra examiner ceux
qu'analyse Keble, Pref., p. lxviii sq. Il est certain que
lorsque Bilson écrit : "There must either be no Church, or
else these [the parts of the apostolic function inherited
by the bishops] must remain ; for without these no Church
can continue" (p. lxx), il propose une formule à laquelle
Hooker ne souscrirait pas. Mais aussi bien, il dépasse
l'opinion généralement admise par les autres théologiens
de sa tendance, s'il veut dire par là que l'Eglise ne peut
se passer d'évêques en aucun cas. Les expressions de ces
théologiens sont prudentes ; il faut se garder de juger
trop vite, faire attention aux termes choisis, considérer
les contextes.

39. Op. cit., p. 69.

40. N. SYKES, op. cit., pp. 67, 68.

41. Pour l'épître de Clément, cf. F. CROSS, The Oxford Dic-
tionary of the Christian Church, art. Clement of Rome, St :
"The two 'Epp' survive in two MSS, the [Biblical] *Codex
Alexandrinus (B. Mus. ; text imperfect) and the Cod. Hiero-
sol. of A.D. 1056 (of *Didache fame) discovered by
P. *Bryennios. They were first printed by P. *Young
('Junius'), Oxford, 1633." Pour les épîtres de saint
Ignace, cf. ibid., art. Ignatius, St : "He (J. Ussher) sub-
sequently discovered a Latin translation which agreed with
the old quotations. His Polycarpi et Ignatii Epistolae

(1644) was a work of remarkable critical genius and erudition." Il est intéressant de rappeler que J. Ussher, Archevêque d'Armagh, est le prélat qui, par l'intermédiaire de L. Andrewes, hérita finalement des **mss** du livre VI (tel qu'on le possède) et du livre VIII de l'E. P.

42. VII, ii, 2 (III, p. 146).

43. Ibid., p. 148.

44. VII, iv, 1 (III, p. 151).

45. Ibid., 2, pp. 151, 152.

46. VII, v, 1, 2 (III, pp. 155, 156).

47. VII, iv, 3 (III, pp. 153, 154).

48. VII, xi-xvi, surtout xi (III, p. 204 sq.).

49. VII, iii, 1 (III, pp. 149, 150).

50. VII, xi, 1 (III, p. 204).

51. Cité par N. SYKES, op. cit., p. 38.

52. Cf. Whitaker, par exemple : "We regard not the external succession of places and persons, but the internal one of faith and doctrine", cité par Ph. E. HUGHES, Theology of the English Reformers, p. 181. Cf. également Jewel : "Succession, you say, is the chief way for any christian man to avoid antichrist, I grant you, if you mean succession of doctrine", cité par N. SYKES, op. cit., p. 17.

53. VII, iv, 3 et 4 (III, pp. 153-55) ; cf. supra, p. 635.

54. Pref., pp. lx, lxi.

55. Cf. supra, p. 635 et VII, iv, 3 (III, p. 154).

56. VII, iv, 4 (III, pp. 154, 155). Il est intéressant de noter qu'en ce passage Hooker s'adresse non pas seulement aux presbytériens, mais encore à certains catholiques, dont les formules trop peu nuancées s'apparentent à celles des presbytériens, nommément à Stapleton, qu'il cite (note 32). Cf. encore V, lxxviii, 4 (II, p. 473).

57. Cf. Ph. E. HUGHES, op. cit., p. 181.

58. Cf. N. SYKES, op. cit., p. 64.

59. VII, iv, 9 (III, p. 166).

60. V, lxxviii, 2, 3 (II, p. 469 sq.).

61. Ibid., 3 p. 473. Cf. supra, p. 602.

62. Ibid., 5, pp. 473, 474 : "To these two degrees appointed of our Lord and Saviour Christ his Apostles soon after annexed deacons."

63. Ibid., 5, p. 475.

64. Ibid., 4, p. 473 : "for of presbyters some were greater some less in power, and that by our Saviour's own appointment ; the greater they which received the fulness of spiritual power, the less they to whom less was granted."

65. Cf. Y.M. CONGAR, "Faits, problèmes et réflexions à propos du pouvoir d'ordre et des rapports entre le presbytérat et l'épiscopat", in : Sainte Eglise, p. 278.

66. Ibid., p. 285.

67. VII, vi, 8 (III, p. 173).

68. Ibid., 7, pp. 172, 173 ; 8, p. 175 ; 10, p. 179 ; également v, 6, pp. 161, 162.

69. Ibid., 8, p. 175.

70. Par ex. VII, ii, 2 (III, pp. 146, 147).

71. VII, vi, 1 (III, p. 168).

72. Ibid., 6, p. 170 ; également V, lxxviii, 1 (II, pp. 468, 469) ; cf. supra, chap. vii, pp. 611-14

73. VII, vi, (III, p. 168 sq.).

74. Dans un autre texte, Hooker réduit purement et simplement à ce pouvoir les prérogatives sacramentelles de l'évêque, cf. VII, ii, 3 (III, p. 148).

75. VII, vi, 5 (III, p. 170).

76. Cf. Y.M. CONGAR,"Faits, problèmes et réflexions, etc." En accordant la possibilité de telles ordinations, Hooker n'innove évidemment pas, ni ne se montre particulièrement protestant ; il se rattache à la tradition de toute l'Eglise occidentale. La théologie romaine la plus officielle, les canonistes surtout, ont toujours admis ces ordinations.

77. VII, vi, 10 (III, p. 177).

78. Ibid., p. 178.

CHAPITRE IX

L'EGLISE ET LE MAGISTRAT

(pp.645-659)

1. A.G. DICKENS, The English Reformation, p. 411.

2. Claire CROSS, The Royal Supremacy in the Elizabethan Church, Londres, 1969, p. 154.

3. Ainsi A.G. DICKENS, op. cit., p. 412, invoquant l'analyse de John Selden : "The Queen later took pains to depict it as identical with that yielded by her father, but under James I the great jurist John Selden rightly [?] thought otherwise. 'There's a great difference between head of the Church and supreme governor, as our canons call the king [...] Conceive it thus, there is in the kingdom of England a college of physicians : the king is supreme governor of those, but not head of them, nor president of the college, nor the best physician'." Ingénieuse théorie. Mais pour estimer qu'elle rend compte, et de la pratique juridique au temps d'Elisabeth, et de la doctrine courante à cette époque, il faudrait s'appuyer 1) sur une jurisprudence effective montrant une différence nette dans l'interprétation concrète des deux termes et des pouvoirs attribués par les divers actes de suprématie 2) sur des commentaires de l'époque pris chez les apologistes du royaume et de l'Eglise (juristes ou théologiens). En ce qui concerne ce dernier point, les textes de Hooker démentent la théorie de Selden et de Dickens ; ceux de Whitgift aussi, qui emploie indifféremment head ou governor. Pour Jewel, voyez ce qu'écrit

Ph.   HUGHES, op. cit., p. 75 : "Jewel repudiates the style
'Supreme Head' : 'We use it not', he says with dignity ;
but the substance he admits."

4. VIII, iv, 1 (III, p. 368) : "That which we understand by
   headship, is their only supreme power in ecclesiastical
   affairs or causes [...] If the having of supreme power be
   allowed, why is the expressing thereof by the title of
   head condemned ? [...] We in terming our princes heads of
   the Church, do but testify that we acknowledge them such
   governors."

5. VIII, iv, 8 (III, pp. 384, 385) : "But I see that hitherto
   they which condemn utterly the name so applied, do it because they mislike that any such power should be given unto
   civil governors." Et Hooker de frapper à droite et à gauche,
   de citer des auteurs catholiques (Thomas More) et protestants (les Centuriators, c'est-à-dire les auteurs de l'His-
   toria Ecclesiae Christi, publiée à Bâle, 1559-74, et Calvin
   lui-même).

6. VIII, i (III, p. 327 sq.) ; cf. supra, pp. 561-62.

7. VIII, iv, 5 (III, p. 373 sq.).

8. Ibid., 9, p. 388.

9. VI, App. (III, p. 113).

10. Ibid., p. 133.

11. Cf. L'Acte de Suprématie d'Henri VIII (26, Hen. VIII, c.I) :
    "annexed and united to the imperial Crown of this realm, as
    well the title and style thereof, as all honours, dignities,
    pre-eminences, jurisdictions, privileges, [...] full power
    and authority from time to time to visit, repress, redress,
    reform, order, correct, restrain, and amend all such errors,
    heresies, abuses, offences, contempts, and enormities, what-

soever they be, which by any manner spiritual authority or
jurisdiction ought or may lawfully be reformed, etc." ;
cf. de même l'Acte de Suprématie d'Elisabeth, qui reprend
à peu près les mêmes termes (I Eliz., c.I) : "that it may
be enacted [...] that such jurisdictions, privileges, supe-
riorities and pre-eminences spiritual and ecclesiastical
[...] shall for ever [...] be united and annexed to the impe-
rial Crown of this realm [...] full power and authority [...]
to visit, reform, redress, order, correct and amend all
such errors, heresies, schisms, abuses, offences [...] ,
which by any manner spiritual or ecclesiastical power,
authority or jurisdiction can or may lawfully be reformed,
etc.". A.G. DICKENS et D. CARR écrivent très justement :
"It should be noted that as Supreme Head of the Church
Henry VIII and his successors exercised _potestas jurisdic-
tionis_, the power to subject the 'spiritualty' to all the
laws of the realm, to lay down doctrine, to ensure that
such doctrine was adequately taught and to reform the Church
in any way they thought necessary."

12. Il parle ici du deuxième et du troisième livres des quatre
    derniers livres, c'est-à-dire du sixième et du septième,
    Pref., i, p. 173.

13. _Ibid._, p. 196.

14. VI, i, 1 (III, p. 2).

15. VIII, i, 1 (III, p. 327).

16. VIII, viii, 6 (III, pp. 436, 437).

17. VIII, iv, 10 (III, pp. 389, 390). Dans ce texte, Hooker as-
    socie clairement le pouvoir spirituel du Prince à celui des
    clercs, sans les confondre : l'un et l'autre font partie de
    ce qu'il appelle _Christ's outward spiritual regiment_. On a
    le schéma suivant :

1) Christ's inward spiritual regiment invisibly exercised by Christ himself ;

2) Christ's outward spiritual regiment exercised through :

    a) the ministry = the power of order, i.e. the power of administering the word, sacraments or discipline ;

    b) the king = the power of dominion.

18. VIII, viii, 1 (III, p. 431).

19. Ibid.

20. VIII, iii, 2 (III, p. 363).

21. V, lxxvi, 4 (II, p. 448).

22. VI, App. (III, p. 132).

23. Cf. VIII, vii, 1 (III, p. 419), note de Keble 63.

24. Ibid.

25. Cf. supra, p. 305 sq.

26. VIII, vi, 11 (III, p. 409).

27. VIII, iv, 6 (III, p. 374 sq.) ; cf. supra, pp. 340-342.

28. VIII, v (III, p. 392 sq.).

29. VIII, vi (III, p. 396 sq.).

30. VIII, vii (III, p. 419 sq.).

31. VIII, viii (III, p. 431 sq.).

32. VIII, viii, 7 (III, p. 438).

33. Ibid., 4, p. 433 : "the operation of which power is as well to strengthen, maintain and uphold particular jurisdictions, etc.".

34. Ibid., p. 434 : "not only by setting ecclesiastical synods on work, that the thing may be their act and the king their motioner unto it, etc.".

35. Cf. supra, note 11.

36. VIII, viii, 4 (III, pp. 433, 434).

37. Ibid.

38. Ibid.

39. VIII, ix (III, p. 444 sq.).

40. Cf. supra, p. 329 sq.

41. Cité par Ph.   HUGHES, The Reformation of England, III, p. 31, n. 1.

42. On voit ici les alliances se défaire : ce n'est plus avec Bancroft et les premiers tenants de ce qui deviendra la doctrine laudienne qu'il faut ranger Hooker, mais avec Coke.

CONCLUSION

UNE COHERENCE FONDAMENTALE

(pp. 663-692)

1. I, viii, 11 (I, p. 236).

2. I, vii, 7 (I, p. 224) et V, App. n. 1 (II, p. 543).

3. "Clarendon", Times Literary Supplement, 10 Jan. 1975, pp. 31-33.

BIBLIOGRAPHIE SELECTIVE

Dans le recueil collectif Studies in Richard Hooker :
Essays Preliminary to an Edition of his Works, publié sous la
direction de W. Speed Hill, Cleveland & Londres, 1972, est pa-
rue une bibliographie complète et annotée des ouvrages qui concernent Hooker : Richard Hooker : An Annotated Bibliography,
par Egil Grislis et W. Speed Hill, pp. 278-320. D'autre part,
W. Speed Hill a publié, en 1970, une bibliographie descriptive
des premières éditions des oeuvres de Hooker, de très haute valeur scientifique : Richard Hooker : A Descriptive Bibliography
of the Early Editions : 1593-1724, Cleveland & Londres, 1970.
Nous nous contenterons donc ici de fournir sur les éditions des
oeuvres de Hooker les indications essentielles, en nous inspi-
rant des travaux de W. Speed Hill, et de donner la liste des
ouvrages que nous avons cités.

I. EDITIONS

Of the Lawes of Ecclesiasticall Politie. Eyght Bookes. Londres :
  John Windet, n.d. (inscrit au nom de Windet sur les regis-
  tres de la Company of Stationers of London, le 29 jan.
  1593). Première édition de la Préface et des Livres I-IV.

Of the Lawes of Ecclesiasticall Politie. The fift Booke.
  Londres : John Windet, 1597. Première édition du Livre V.

Of the Lawes of Ecclesiasticall Politie, Eight bookes. Londres :
  John Windet, 1604. Réimpression des Livres I-IV, reliés
  avec les feuilles inutilisées de l'édition du Livre V de
  1597. L'ensemble constitue donc une édition des V premiers
  livres parus jusque-là.

Of the Lawes of Ecclesiastical Politie, Eight Bookes. Londres :
  William Stansby, 1611. Réimpression des Livres I-V.

The Answere of Mr. Richard Hooker to a Supplication Preferred
  by Mr. Walter Travers to the HH. Lords of the Privie Coun-

sell. Oxford : Joseph Barnes, 1612. Ed. par Henry Jackson.
(Keble, III, pp. 570-96).

A Learned and Comfortable Sermon of the certaintie and perpe-
tuitie of faith in the Elect ; especially of the Prophet
Habakkuks faith. Oxford : Joseph Barnes, 1612. Ed. par
Jackson. (Keble, III, p. 469-81).

A Learned Discourse of Justification, Workes, and how the
foundation of faith is overthrowne. Oxford : Joseph Barnes,
1612. Ed. par Jackson. (Keble, III, pp. 482-547).

A Learned Sermon of the Nature of Pride. Oxford : Joseph Barnes,
1612. Ed. par Jackson. (Keble, III, pp. 597-642, avec un
ajout important provenant du MS 121, anciennement B. 1. 13,
de Trinity College, à Dublin, pp. 610-42).

A Remedie against Sorrow and Feare, delivered in a funerall
Sermon. Oxford : Joseph Barnes, 1612. Ed. par Jackson.
(Keble, III, pp. 643-53).

Two Sermons upon Part of S. Judes Epistle. Oxford : Joseph
Barnes, 1614. L'authenticité de ces sermons est mise en
doute par Keble, non sans raison à notre avis, cf. I,
pp. xlvii-xlix ; Sisson, par contre, la maintient, cf.
Judicious Marriage, pp. 109-11. (Keble, III, pp. 654-99).

Certayne Divine Tractates, and other Godly Sermons. Londres :
[William Stansby] pour le compte de Henrie Fetherstone, 1618.
Première édition de l'ensemble des Tractates, à savoir :
The Answere [..] to a Supplication, A Learned Discourse of
Justification, Three Learned Sermons (Of the nature of
Pride, Against Sorrow and Feare, Of the certainety and per-
petuity of Faith in the Elect), Two Sermons upon part of
S. Judes Epistle.

"A discovery of the Causes of the continuance of these Conten-
tions touching Church-government : out of the fragments of

Richard Hooker", in : Certain Briefe Treatises [..] concerning the [..] government of the Church. Oxford : Leonard Lichfield, 1641. Keble met en doute l'authenticité de ce texte, III, pp. 460, 461, n. 13. (Keble, III, pp. 460-65).

Of the Lawes of Ecclesiasticall Politie ; The Sixth and Eighth Books [..] now published according to the most Authentique Copies. Londres : Richard Bishop, 1648. Première édition des Livres VI et VIII ; le Livre VIII est incomplet néanmoins (omission des chap. vii et ix).

"Mr. Hookers Judgment of the Kings Power in matters of Religion, advancement of Bishops & c.", in : Clavi Trabales. Londres : R. Hodgkinson, 1661. Ed. par Nicholas Bernard. Fragments du Livre VIII publiés à partir du MS 120 (anciennement C.3.11) de Trinity College, à Dublin, et qui ne figuraient pas dans l'édition de 1648.

The Works of Mr. Richard Hooker [..] in Eight Books of Ecclesiastical Polity. Now Compleated, as with the Sixth and Eighth, so with the Seventh [..] out of his own Manuscripts, never before Published. Londres : J. Best, pour le compte de Andrew Crook, 1662. Première édition complète des huit livres des Laws. Première édition du Livre VII. La réimpression améliorée de cette édition en 1666 constitue désormais le canon sur lequel se fondent les éditions suivantes jusqu'à l'édition de Keble en 1836.
[S'appuyant sur la parution des Clavi Trabales, I. Walton met en doute l'authenticité des trois livres posthumes des Laws (VI, VII, VIII) et jette le discrédit sur l'édition Gauden. Néanmoins la Vie de Hooker par Walton (The Life of Mr. Rich. Hooker, the Author of those Learned Books of the laws of Ecclesiastical Polity. Londres : Richard Marriott, 1665) est jointe à la réimpression du texte de Gauden en 1666. Elle remplace désormais la Vie de Gauden dans les éditions successives. Corrections apportées au texte de Walton par Strype en 1705 (Keble, I, pp. 1-99).]

948

A Sermon of Richard Hooker [...] Found in the Study of the late
Learned Bishop Andrews, in : Izaak Walton, The Life of
Dr. Sanderson, Late Bishop of Lincoln. Londres : Richard
Marriott, 1678. (Keble, III, pp. 700-09).

Works [...] 3 vol. Oxford : Clarendon Press, 1793.

Works [...] 2 vol. Ed. par W.S. Dobson. Londres : G. Cowle, 1825.

The Ecclesiastical Polity and other works. Ed. par Benjamin
Hanbury. 3 vol. Londres : Holdsworth and Ball, 1830.

The Works of [...] Mr. Richard Hooker : With an Account of His
Life and Death by Isaac Walton. Ed. par Johne Keble. 3 vol.
Oxford : Clarendon Press, 1836. Première édition critique.
Nouvelles données textuelles importantes. Nombreuses réimpressions. La 7e édition, revue par R.W. Church et F. Paget
(1888) et réimprimée par Burt Franklin (New York, 1970),
constitue aujourd'hui le texte de référence ordinaire (nous
avons utilisé néanmoins l'édition de 1836, en notre possession).

Book I : Of the Laws of Ecclesiastical Polity. Ed. par
R.W. Church. Clarendon Press Series : English Classics.
Oxford : Clarendon Press, 1866. Nombreuses réimpressions.
Importante introduction de Richard Church.

Confession and Absolution : Being the Sixth Book of the Laws
of Ecclesiastical Polity by that Learned and Judicious
Divine Mr. Richard Hooker. Ed. par John Harding. Londres :
Charles Murray, 1901. Texte établi à partir de l'édition
Keble.

Of the Laws of Ecclesiastical Polity : The Fifth Book . Ed. par
Ronald Bayne. The English Theological Library. Londres :
Macmillan, 1902. Texte établi à partir de l'éd. Keble. Im-
portant appareil critique.

Of the Laws of Ecclesiastical Polity : Books I-IV. Ed. par
   Ronald Bayne, avec une introduction, Everyman's Library,
   2 vol. Londres : J.M. Dent & Sons/ New York : E.P. Dutton
   & Co., 1907 ; éd. revue, avec introduction de Christopher
   Morris, 1954. Donne le texte de Keble des cinq premiers
   livres des Laws et les Sermons I et II. Nombreuses réimpressions.

Hooker's Ecclesiastical Polity : Book VIII. Ed. par Raymond
   Aaron Houk. New York : Columbia Univ. Press, 1931. Donne
   le texte du MS de Dublin du Livre VIII. Etude importante
   établissant l'authenticité des livres posthumes.

Of the Lawes of Ecclesiastical Politie : Books I-V, 1594-1597.
   Menston, England : Scolar Press, 1969. Facsimile des premières éditions des Livres I-V.

Of the Laws of Ecclesiastical Polity. Ed. abrégée par A.S.
   McGrade & B.W. Vickers. Texte de Keble, avec quelques
   corrections. Intr. de A.S. McGrade sur la pensée politique
   de Hooker et étude de B.W. Vickers sur son style polémique.

Une nouvelle édition critique, The Folger Library Edition of
   the Works of Richard Hooker, est actuellement en préparation sous la direction générale de W. Speed Hill (General
   Editor). Les deux premiers volumes (Livres I-V) sortiront
   en mars prochain.

II. OUVRAGES CITES

ALLEN, C.K. Law in the Making. (1ère éd. 1927). Ed. Oxford
     Paperbacks, Oxford : Clarendon Press, 1966.

ALLEN, J.W. A History of Political Thought in the Sixteenth
     Century. (1ère éd. 1928). Ed. University Paperbacks,
     Londres : Methuen, 1967.

The Apostolic Ministry. Cf. KIRK, K.E. (ed.).

ARISTOTE. Ethique à Nicomaque. Trad., intr., notes et index
     par J. Tricot. (1ère éd. 1959). 3e éd. Paris : J. Vrin,
     1972.

ARISTOTE. L'Ethique à Nicomaque. Trad. par R.A. Gauthier et
     J.Y. Jolif. Louvain : Publications universitaires/Paris :
     Nauwelaerts, 1958.

ARISTOTE. La Politique. Trad., intr., notes et index par
     J. Tricot. (1ère éd. 1962). 2e éd. Paris : J. Vrin, 1970.

BACON, Francis. Essais. Trad. par M. Castelain. Paris : Aubier
     (coll. "Collection bilingue des classiques anglais"), 1948.

BATTIFOL, H. La philosophie du Droit. (1ère éd. 1960). 4e éd.
     Paris : Presses Univ. de France (coll. "Que sais-je ?", 857),
     1970.

BAYNE, Ronald (ed.). The Fifth Book. Cf. supra, I. Editions.

BINDOFF, S.T. Tudor England. (1ère éd. 1950). 17e éd.
     Hardmondsworth : Penguin Books, 1971.

BLACK, A.J. Monarchy and Community : Political Ideas in the
     Later Conciliar Controversy, 1430-1450. Cambridge :
     Cambridge Univ. Press, 1970.

BLACK, J.B. The Reign of Elizabeth. (1ère éd. 1936). 3e éd. Oxford : Clarendon Press, 1945.

BOSC, J. La foi chrétienne. Paris : Presses Universitaires de France (coll. "Mythes et Religions", 53), 1965.

BOURKE, Vernon J. History of Ethics. (1ère éd. 1968). Ed. Image Books, New York : Doubleday, 1970, vol. 1.

BOUYER, L. Du protestantisme à l'Eglise. Paris : Ed. du Cerf (coll. "Unam Sanctam", 27), 1954.

BOUYER, L. La spiritualité orthodoxe et la spiritualité protestante et anglicane. Paris : Aubier (coll. "Histoire de la spiritualité chrétienne", 3), 1965.

BOUYER, L. Eucharistie : Théologie et spiritualité de la prière eucharistique. 2e éd. rev. et augm. Tournai : Desclée, 1966.

BROOK, V.J.K. A Life of Archbishop Parker. (1ère éd. 1962). Oxford : Clarendon Press, 1965.

BUTLER, B.C. L'idée d'Eglise. Trad. par S. de Trooz. Paris : Casterman (coll. "Cahiers de l'actualité religieuse", 21), 1965.

CALVIN, Jean. Institution de la religion chrestienne. Texte établi et présenté par Jacques Pannier. Paris : Les Belles Lettres, 1961. 4 vol.

CARLYLE, R.W. & A.J. A History of Medieval Political Theory in the West. Edinburgh/Londres : Blackwook & Sons, 1903-1936. 6 vol.

CHADWICK, H. Early Christian Thought and Classical Tradition : Studies in Justin, Clement, and Origen. (1ère éd. 1966). Oxford : Clarendon Press, 1971.

CHENU, M.D. Introduction à l'étude de saint Thomas d'Aquin.
Montréal : Institut d'Etudes Médiévales/Paris : J. Vrin,
1950.

CHENU, M.D. La théologie comme science au XIIIe siècle. 3e éd.
rev. et augm. Paris : J. Vrin (coll. "Bibliothèque thomiste", 33), 1957.

CHRIMES, S.B. English Constitutional Ideas in the Fifteenth
Century. Cambridge : Cambridge Univ. Press, 1936.

CLARK, Fr. Eucharistic Sacrifice and the Reformation. (1ère éd.
1960). Oxford : Blackwells, 1967.

COLLINSON, P. The Elizabethan Puritan Movement. Londres :
Jonathan Cape, 1967.

CONGAR, Y.M.J. "Quod omnes tangit ab omnibus tractari et appro-
bari debet", Rev. hist. droit franç. et étr. (36), 1958,
pp. 210-259.

CONGAR, Y.M.J. Sainte Eglise. Paris : Ed. du Cerf (coll. "Unam
Sanctam", 41), 1963.

CONGAR, Y.M.J. "La hiérarchie comme service selon le nouveau
testament et les documents de la tradition", pp. 67-99, in :
CONGAR, Y.M.J. et DUPUY, B.D. (eds.). L'épiscopat et
l'Eglise universelle.

CONGAR Y.M.J. L'Eglise : De saint Augustin à l'époque moderne.
Paris : Ed. du Cerf (coll. "Histoire des Dogmes"), 1970.

CONGAR, Y.M.J. "La 'réception' comme réalité ecclésiologique",
Rev. des Sc. Phil. et Théo. 56 (3), juil. 1972, pp. 369-403.

CONGAR, Y.M.J. "Ecclesia et populus (fidelis) dans l'ecclésiologie de S. Thomas", pp. 159-173, in : St Thomas Aquinas,

1274-1974, Commemorative Studies. Toronto : Pontifical Institute of Mediaeval Studies, 1974, vol. 1.

CONGAR, Y.M.J. Communication sur le thème : _Persona e ordinamento nelle Chiesa_, pp. 39-52, _in_ : _Vita e Pensiero_. Milan : Pubblicazioni della Università Cattolica, 1975.

CONGAR, Y.M.J. & DUPUY, B.D. (eds.). _L'épiscopat et l'Eglise universelle_. Paris : Ed. du Cerf (coll. "Unam Sanctam", 39), 1964.

CONSTANT, G. _La Réforme en Angleterre : L'introduction de la Réforme en Angleterre_ ; _Edouard VI (1547-1553)_. Paris : Ed. "Alsatia", 1939.

CRAIG, H. "Of the Laws of Ecclesiastical Polity-First Form", _Journal of the History of Ideas_ (5), 1944, pp. 91-104.

CRANMER, Thomas. _Works_. Ed. par J.E. Cox. Cambridge : Parker Society, 1844, 1846. 2 vol.

CREMEANS, C.D. _The Reception of Calvinistic Thought in England_, Urbana, Illinois : 1949. Univ. Press of Illinois (Illinois Studies in the Social Sciences, 31. N 1), 1949.

CROSS, Claire. _The Royal Supremacy in the Elizabethan Church_. Londres : Allen & Unwin/New York : Barnes & Noble (coll. "Historical Problems, Studies and Documents", 8), 1969.

CROSS, F.L. (ed.). _Oxford Dictionary of the Christian Church_. Londres : Oxford Univ. Press, éd. 1966.

DAVIES, Horton. _Worship and Theology in England : From Cranmer to Hooker, 1534-1603_. Princeton : Princeton University Press, 1970.

DAWLEY, P.M. _John Whitgift and the English Reformation_. New York : Charles Scribner's Sons, 1954.

D'ENTREVES, A.P. Ricardo Hooker : Contributo alla teoria e alla storia del diritto naturale. Turin : Presso L'Istituto Giuridico della R. Università, 1932.

D'ENTREVES, A.P. The Medieval Contribution to Political Thought : Thomas Aquinas, Marsilius of Padua, Richard Hooker. Oxford : Oxford Univ. Press, 1939.

D'ENTREVES, A.P. Natural Law : An Historical Survey. (1ère éd. 1951). Ed. Harper Torchbooks, New York : Harper & Row, 1965.

DICKENS, A.G. The English Reformation. (1ère éd. 1964). Ed. Fontana Library, Londres/Glasgow : Collins, 1967.

DICKENS, A.G. & CARR Dorothy (eds.). The Reformation in England to the Accession of Elizabeth. Londres : Edward Arnold (coll. "Documents of Modern History"), 1967.

DIX, Dom Gregory. The Shape of Liturgy. (1ère éd. 1945). Londres : Adam & Charles Black, 1960.

DUGMORE, C.W. The Mass and the English Reformers. Londres : Macmillan, 1958.

EDELEN, G. "Hooker' Style", pp. 241-277, in : HILL, W. Speed (ed.). Studies in Richard Hooker.

ELLRODT, R. Neoplatonism in the Poetry of Spenser. Genève : Droz (coll. "Travaux d'Humanisme et Renaissance", 35), 1960.

ELTON, G.R. The Tudor Constitution. (1ère éd. 1960). 3e éd. Cambridge : Cambridge Univ. Press, 1965.

ELTON, G.R. Studies in Tudor and Stuart Politics and Government. Cambridge : Cambridge Univ. Press, 1974. 2 vol.

L'épiscopat et l'Eglise universelle. Cf. CONGAR, Y.M.J. & DUPUY, B.D. (eds.).

EUSDEN, J.D. Puritans, Lawyers, and Politics in Early Seventeenth Century England. New Haven : Yale Univ. Press (coll. "Yale Studies in Religious Education", 23), 1958.

FABRO, C. Participation et causalité selon saint Thomas d'Aquin. Louvain : Publications universitaires/Paris : Nauwelaerts, 1961.

FAUCON, Pierre. Aspects néoplatoniciens de la doctrine de saint Thomas d'Aquin. Thèse présentée devant l'université de Strasbourg II, le 13 juin 1970. Lille : Univ. Lille III/ Paris : Honoré Champion, 1975.

FEBVRE, Lucien. Le problème de l'incroyance au XVIe siècle : La religion de Rabelais. Edition revue (1ère éd. 1942). Paris : Albin Michel (coll. "L'évolution de l'humanité", 53), 1962.

FIGGIS, J.N. The Divine Right of Kings. Cambridge : Cambridge Univ. Press, 1896.

FIGGIS, J.N. Studies in Political Thought from Gerson to Grotius, 1414-1625. (1ère éd. 1907). 2e éd. Cambridge : Cambridge Univ. Press, 1916.

FORTESCUE, Sir John. De Laudibus Legum Anglie. Ed. trad., intr. et notes par S.B. Chrimes. Cambridge : Cambridge Univ. Press (coll. "Cambridge Studies in English Legal History"), 1942.

FRERE, W.H. & DOUGLAS, C.E. Puritan Manifestoes. (1ère éd. 1907). Londres : S.P.C.K., 1954.

GANOCZY, A. Calvin : théologien de l'Eglise et du ministère. Paris : Ed. du Cerf (coll. "Unam Sanctam", 48), 1964.

GEIGER, L.B. La participation dans la philosophie de saint

Thomas. Paris : J. Vrin (coll. "Bibliothèque thomiste", 23), 1953.

GEORGE, Ch. & K. The Protestant Mind of the English Reformation. Princeton : Princeton Univ. Press, 1961.

GIERKE, O. Political Theories of the Middle Ages. Trad. et intr. par F.W. Maitland. (1ère éd. 1900). 7e éd. Cambridge : Cambridge Univ. Press, 1958.

GIERKE, O. Natural Law and the Theory of Society. Trad. et intr. par E. Barker. (1ère éd. 1934). 3e éd. Cambridge : Cambridge Univ. Press, 1958.

GILMORE, M.P. Humanists and Jurists : Six Studies in the Renaissance. Cambridge, Mass. : Harvard Univ., 1963.

GILSON, E. L'esprit de la philosophie médiévale. Paris : J. Vrin, 1932. 2 vol.

GILSON, E. Le Thomisme. 4e éd. rev. et augm. Paris : J. Vrin, 1942.

GILSON, E. Christianisme et Philosophie. Paris : J. Vrin, 1949.

GILSON, E. Les métamorphoses de la cité de Dieu. Louvain : Publications Universitaires/Paris : J. Vrin, 1952.

GILSON, E. Reason and Revelation. New York/Londres : Charles Scribner's Sons, 1954.

GILSON, E. Introduction à la philosophie chrétienne. Paris : J. Vrin, 1960.

GOUGH, J.W. The Social Contract : A critical study of its development. (1ère éd. 1936). 2e éd. Oxford : Clarendon Press, 1957.

GRISLIS, Egil. "The Hermeneutical Problem in Hooker", pp. 159-206, in : HILL, W. Speed (ed.). Studies in Richard Hooker.

GY, P.M. "L'ordre", pp. 701-738, in : Initiation théologique, T. IV. 2e éd. Paris : Ed. du Cerf, 1956.

HALLER, W. The Rise of Puritanism : or the Way to the New Jerusalem as set forth in pulpit and press from Thomas Cartwright to John Lilburne and John Milton, 1570-1643. New York : Columbia Univ. Press, 1938.

HAUGAARD, W.P. Elizabeth and the English Reformation. Cambridge : Cambridge Univ. Press, 1968.

HILL, Christopher. Puritanism and Revolution. (1ère éd. 1958). Londres : Panther Books, 1969.

HILL, Christopher. Society and Puritanism in Pre-Revolutionary England. (1ère éd. 1964). Londres : Panther Books, 1969.

HILL, W. Speed. The Doctrinal Background of Richard Hooker's Laws of Ecclesiastical Polity. Ph. Dissertation, Harvard University, 1964.

HILL, W. Speed. "The Authority of Hooker's Style", Studies in Philology (67), 1970, pp. 328-338.

HILL, W. Speed. Richard Hooker : A Descriptive Bibliography of the Early Editions : 1593-1724. Cleveland/Londres : Press of Case Western Reserve Univ., 1970.

HILL, W. Speed. "Hooker's Polity : The Problem of the Three Last Books", The Huntington Library Quaterly (34), 1971, pp. 317-336.

HILL, W. Speed. "The Evolution of Hooker's Laws of Ecclesiastical Polity", pp. 117-158, in : HILL, W. Speed (ed.). Studies in Richard Hooker.

HILL, W. Speed (ed.). Studies in Richard Hooker : Essays
Preliminary to an Edition of his Works. Cleveland/Londres :
Press of Case Western Reserve Univ., 1972.

HILLERDAL, Gunnar. Reason and Revelation in Richard Hooker.
Lunds Universitets Arsskrift, n.s. I, vol. 54, n° 7.
Lund : C.W.K. Gleerup, 1962.

HOLDSWORTH, W. Some makers of English Law. (1ère éd. 1938).
Ed. Cambridge Paperbacks, Cambridge : Cambridge Univ. Press,
1966.

HOOPES, R. Right Reason in the English Renaissance. Cambridge,
Mass. : Harvard Univ. Press, 1962.

HOUK, R.A. (ed.). Book VIII. Cf. supra, I. Editions.

HOWELL, W.S. Logic and Rhetoric in England, 1500-1700.
Princeton : Princeton Univ. Press, 1956.

HUGHES, Ph. The Reformation in England. (1ère éd. 1950).
5e éd. rev. Londres : Burns & Oates, 1963. 3 vol. en un.

HUGHES, Ph.E. Theology of the English Reformers. Londres :
Hodder and Stoughton, 1965.

IMBERT, J., MOREL, H., DUPUY, R.J. La pensée politique des
origines à nos jours. Paris : Presses Univ. de France, 1969.

Initiation théologique (par un groupe de théologiens). T. IV.
2e éd. Paris : Ed. du Cerf, 1956.

JAEGER, H.J. "Introduction aux rapports de la pensée juridique
et de l'histoire des idées en Angleterre, depuis la Réforme
jusqu'au XVIIIe siècle", Les Archives de Philosophie du
Droit, 15, 1970, pp. 13-70.

JAEGER, H.J. Origine et destinées de la notion d'hermeneutisme. (Au carrefour de la philologie, de l'exégèse et du droit). Conférence donnée au Centre de la Philosophie du Droit, Paris II, le 19 jan. 1971.

JARDINE, L. Francis Bacon : Discovery and the Art of Discourse. Cambridge : Cambridge Univ. Press, 1974.

JEWEL, John. An Apologie of the Church of England, pp. 1-57, in : PARKER, T.H.L. (ed.). English Reformers.

KANTOROWICZ, E. The King's Two Bodies : A Study in Medieval Political Theology. Princeton : Princeton Univ. Press, 1957.

KEARNEY, H.F. "Richard Hooker : A Reconstruction", Cambridge Journal (5), 1952, pp. 300-311.

KIRK, K.E. (ed.). The Apostolic Ministry : Essays on the History and the Doctrine of Episcopacy. (1ère éd. 1946). Londres : Hodder & Stoughton, 1962.

KNAPPEN, M.M. "The Early Puritanism of Lancelot Andrewes", Church History (2), 1933, pp. 95-104.

KNAPPEN, M.M. Tudor Puritanism. Chicago/Londres : Univ. of Chicago Press, 1939.

KNOX, S.J. Walter Travers : Paragon of Elizabethan Puritanism. Londres : Methuen, 1962.

KRISTELLER, P.O. The philosophy of Marsilio Ficino. New York : Columbia Univ. Press (coll. "Columbia Studies in Philosophy", 6), 1943.

KRISTELLER, P.O. Le thomisme et la pensée italienne de la Renaissance. Montréal : Inst. d'études médiévales/Paris : J. Vrin, 1967.

Latran V et Trente, par O. de la BROSSE, J. LECLER, H. HOLSTEIN, Ch. LEFEBVRE, T. 10 de L'Histoire des Conciles Oecuméniques, publ. sous la direction de G. DUMEIGE, Paris : Ed. de l'Orante, 1975.

LECLERC, J. Histoire de la Tolérance au siècle de la Réforme. Paris : Aubier (coll. "Théologie", 31), 1955. 2 vol.

LERNER, R. & MAHDI, M. (eds.). Medieval Political Philosophy : A sourcebook. New York : Free Press of Glencoe, 1963.

LEWIS, C.S. English Literature in the Sixteenth Century excluding Drama. Oxford : Clarendon Press, 1954.

LEWIS, E. Medieval Political Ideas. Londres : Routledge & Kegan Paul, 1954. 2 vol.

LITTLE, D. Religion, Order, and Law : A Study in Pre-Revolutionary England. New York : Harpen & Row, 1969. Harper Torchbooks.

LOTTIN, O. "La valeur des formules de saint Thomas concernant la loi naturelle", pp. 345-377, in : Mélanges Joseph Maréchal II, Bruxelles/Paris, 1950.

LOVEJOY, Arthur O. The Great Chain of Being : A Study in the History of an Idea. (1ère éd. 1936). 11e éd. Harvard Paperbacks, Cambridge, Massachusetts : Harvard Univ. Press, 1973.

LUBAC, H. de. Corpus Mysticum : L'Eucharistie et l'Eglise au moyen âge. Paris : Aubier (coll. "Théologie", 3), 1944.

LUBAC, H. de. Exégèse médiévale : Les quatre sens de l'Ecriture. Paris : Aubier (coll. "Théologie", 41, 42, 59), 1959, 1961, 1964.

LUBAC, H. de. Augustinisme et Théologie Moderne. Paris : Aubier
(coll. "Théologie", 63), 1965.

LUBAC, H. de. Le Mystère du Surnaturel. Paris : Aubier
(coll. "Théologie", 64), 1965.

LUBAC, H. de. L'Ecriture dans la Tradition. Paris : Aubier,
1966.

LUBAC, H. de. Pic de la Mirandole. Paris : Aubier Montaigne,
1974.

McADOO, H.R. The Spirit of Anglicanism : The Sources of Anglican
Theological Method in the Seventeenth Century. Londres :
Adam & Charles Black, 1965.

McGINN, D.J. John Penry and the Marprelate Controversy.
Rutgers : Rutgers Univ. Press, 1966.

McGRADE, A.S. "The Coherence of Hooker's Polity : The Books on
Power", Journal of the History of Ideas (24), 1963,
pp. 163-82. Cf. également supra, I. Editions.

McILWAIN, C.H. The Growth of Political Thought in the West.
(1ère éd. 1932). New York : Cooper Square Publishers, 1968.

MAITLAND, F.W. English Law and the Renaissance. Cambridge :
Cambridge Univ. Press, 1901.

MAITLAND, F.W. The Constitutional History of England. (1ère éd.
1908). 17e éd. Cambridge : Cambridge Univ. Press, 1968.

MARITAIN, J. La philosophie morale. Paris : Ed. Gallimard
(coll. "Bibliothèque des idées), 1960.

MEHL, Roger. La théologie protestante. Paris : Presses Universitaires de France (coll. "Que sais-je ?" 1230), 1966.

MESNARD, P. L'essor de la philosophie politique au XVIe siècle.
(1ère éd. 1935). 3e éd. Paris : J. Vrin, 1969.

MICHAELIS, G. "Richard Hooker als politischer Denker : Ein Beitrag zur Geschichte der naturechtlichen Staatstheorien in England im 16. und 17 Jahrundert", Historishe Studien (225), Berlin, 1933.

MICHEL, A. Les décrets du Concile de Trente, in : HEFELE-LECLERCQ, Histoire des Conciles, t. X.

MILLER, P. The New England Mind : The Seventeenth Century. (1ère éd. 1939). Cambridge, Mass. : Harvard Univ. Press, 1954.

MOREAU, J. Aristote et son école. Paris : Presses Univ. de France (coll. "Les grands penseurs"), 1962.

MOREAU, J. "De la concordance d'Aristote avec Platon", pp. 45-58, in : Platon et Aristote à la Renaissance.

MORRIS, Ch. Political Thought in England : Tyndale to Hooker. (1ère éd. 1953). Londres/Oxford/New York/Toronto : Oxford Univ. Press (coll. "The Home University Library", 225), 1965.

MULLER, J.A. Stephen Gardiner and the Tudor Reaction. New York : Macmillan, 1926.

MUNZ, P. The Place of Hooker in the History of Thought. (1ère éd. 1952). Wesport, Connecticut : Greenwood Press, 1971.

NEW, J.F.H. Anglican and Puritan : The Basis of Their Opposition, 1558-1604. Londres : Adam & Charles Black, 1964.

OLSEN, V. Norskov. Johne Foxe and the Elizabethan Church. Berkeley/Los Angeles/Londres : Univ. of California Press, 1973.

ONG, W.J. Ramus, Method, and the Decay of Dialogue. Cambridge, Mass. : Harvard Univ. Press, 1958.

PAGET, F. Introduction to the Fifth Book of Hooker's Treatise of the Laws of Ecclesiastical Polity. (1ère éd. 1899). 2e éd. Oxford : Clarendon Press, 1907.

PARKER, T.H.L. (ed.). English Reformers. Londres : S.C.M. Press (coll. "The Library of Christian Classics", 26), 1956.

PEARSON, A.F. Scott. Thomas Cartwright and Elizabethan Puritanism, 1535, 1595. Cambridge : Cambridge Univ. Press, 1925.

PEEL, A. & CARLSON, L.H. (eds.). The Writings of Robert Harrison and Robert Browne. Londres : Allen & Unwin, 1953.

PLATON. Le Timée.

Platon et Aristote à la Renaissance, XVIe colloque international de Tours. Paris : J. Vrin (coll. "De Pétrarque à Descartes", 32), 1976.

PORTER, H.C. Reformation and Reaction in Tudor Cambridge. Cambridge : Cambridge Univ. Press, 1958.

PORTER, H.C. "Hooker, the Tudor Constitution, and the Via Media", pp. 77-116, in : HILL, W. Speed (ed.). Studies in Richard Hooker.

POUND, R. An Introduction to the Philosophy of Law. (1ère éd. 1922). 11e éd. New Haven, Connecticut/Londres : Yale University Press, 1971. Yale paperbounds.

RAHNER, K. et VORGRIMLER, H. Petit dictionnaire de théologie catholique. Trad. de l'allemand par Paul Démann et Maurice Vidal. Paris : Ed. du Seuil, 1970.

RASSAM, J. La métaphysique de saint Thomas. Paris : Presses Univ. de France, 1974.

RICE, E.F. The Renaissance Idea of Wisdom. Cambridge, Mass. : Harvard Univ. Press, 1958.

RICOEUR, Paul. Le conflit des interprétations. Paris : Ed. du Seuil, 1969.

RIDLEY, Nicholas. A Treatise Agaynst the Errour of Transubstantiation, and Extracts from His Examinations, pp. 287-320, in : PARKER, T.H.L. (ed.). English Reformers.

RIDLEY, Nicholas. Examination on the Eucharist, pp. 310-320, in : PARKER, T.H.L. (ed.). English Reformers.

ROLAND - GOSSELIN, B. La doctrine politique de saint Thomas d'Aquin. Paris : Marcel Rivière, 1923.

ROLAND - GOSSELIN, M.D. Aristote. Paris : Flammarion (coll. "Les grands coeurs"), 1928.

ROMMEN, H. Le droit naturel. Trad. par E. Marmy. Fribourg : Egloff/Paris : Librairie de l'Université, 1945.

ROSS, D. Aristotle. (1ère éd. 1923). Ed. University Paperbacks, Londres : Methuen, 1968.

ROUSEAU, O. "La doctrine du ministère épiscopal et ses vicissitudes dans l'Eglise d'Occident", pp. 279-308, in : CONGAR, Y.M.J. et DUPUY, B.D., (eds.). L'épiscopat et l'Eglise universelle.

SABINE, George H. A History of Political Theory. (1ère éd. 1937) 3e éd., réimpr. Londres : Harrap, 1971.

SAINT THOMAS. Sum. Theo.; Contra Gent.; In Sent.; In X Lib.
Ethic.; In Meta.; In Lib. de Causis.

SERTILLANGES, R.P. La philosophie de saint Thomas d'Aquin.
Paris : Aubier, 1940. 2 vol.

SERTILLANGES, R.P. La philosophie morale de saint Thomas
d'Aquin, Paris : Aubier : 1942.

SHIRLEY, F.J. Richard Hooker and Contemporary Political Ideas.
Londres : S.P.C.K., 1949.

SIGMUND, P.E. Nicholas of Cusa and Medieval Political Thought.
Cambridge, Mass. : Harvard Univ. Press, 1963.

SIMON, Marcel. L'anglicanisme. Paris : Armand Collin
(coll. U2, 65), 1969.

SISSON, C.J. The Judicious Marriage of Mr Hooker. Cambridge :
Cambridge Univ. Press, 1940.

SMITH, Thomas. De Republica Anglorum. A Scolar Press Facsimile.
Menston : The Scolar Press, 1970.

SMYTH, C.H. Cranmer and the Reformation under Edward VI.
Cambridge : Cambridge Univ. Press, 1926.

STEGMANN, A. "Les observations sur Aristote du bénédictin
J. Périon", pp. 377-389, in : Platon et Aristote à la
Renaissance.

STRAUSS, L. Droit naturel et histoire. Trad. par M. Nathan et
E. de Dampierre. Paris : Plon, 1954.

Studies in Richard Hooker. Cf. HILL, W. Speed (ed.).

SYKES, N. "Richard Hooker", pp. 63-89, in : HEARNSHAW, F.J.C. The Social and Political Ideas of Some Great Thinkers of the Sixteenth and Seventeenth Centuries. Londres : Harrap, 1926.

SYKES, N. Old Priest and New Presbyter. (1ère éd. 1956). Cambridge : Cambridge Univ. Press, 1957.

TAVARD, G. Holy Writ and Holy Church : The crisis of the Protestant Reformation. Londres : Burns & Oates, 1959.

THOMPSON, W.D.J. Cargill. "The Philosopher of the 'Politic Society': Richard Hooker as a Political Thinker", pp. 3-76, in : HILL, W. Speed (ed.). Studies in Richard Hooker.

TIERNEY, B. Foundations of the Conciliar Theory. (1ère éd. 1955). Cambridge : Cambridge Univ. Press, 1968.

TILLYARD, E.M.W. The Elizabethan World Picture. (1ère éd. 1943). 9e éd. Londres : Chatto & Windus, 1960.

TREVOR-ROPER, H.R. "Clarendon", Times Literary Supplement, 10 jan. 1975, pp. 31-33.

TRINTERUD, Leonard J. (ed.). Elizabethan Puritanism. New York : Oxford Univ. Press, 1971.

TROELTSCH, E. The Social Teachings of the Christian Churches. Trad. par Olive Wyon. Londres : Allen and Unwin/New York : Macmillan, 1931.

TYNDALE, W. Works. Ed. par H. Walter. Cambridge : Parker Society 1848-1850. 3 vol.

ULLMANN, W. A History of Political Thought : The Middle Ages. Harmondsworth : Penguin Books, 1965.

VILLEY, M. Leçons d'histoire de la philosophie du droit. (1ère éd. 1957). 2e éd. Paris : Dalloz, 1962.

VILLEY, M. La formation de la pensée juridique moderne. Paris : Montchrestien, 1968.

VILLEY, M. Seize essais de philosophie du droit dont un sur la crise universitaire. Paris : Dalloz, 1969.

WALKER, D.P. The Ancient Theology : Studies in Christian Platonism from the Fifteenth to the Eighteenth Century. Londres : Duckworth, 1972.

WELSBY, P.A. Lancelot Andrewes, 1555-1626. Londres : S.P.C.K., 1958.

WENDEL, F. Calvin : Sources et évolution de sa pensée religieuse. Paris : Presses Univ. de France, 1950.

WHITGIFT, J. Works. Ed. par J. Ayre. Cambridge : Parker Society, 1851-53. 3 vol.

WILKS, Michael J. The Problem of Sovereignty in Later Middle Ages : The papal monarchy with Augustinus Triumphus and the publicists. Cambridge : Cambridge Univ. Press (coll. "Cambridge Studies in Medieval Life and Thought", New series, 9), 1963.

YATES, Francis A. Giordano Bruno and the Hermetic Tradition. Londres : Routledge and Kegan Paul, 1964.

I N D E X

A

ABELARD, 594.

AGRICOLA, Rudolph, 177, 179.

ALBERT LE GRAND, 783.

ALBINUS, 841.

ALEXANDRE DE HALES, 617, 923.

ALLEN, C.K., 760, 762.

ALLEN, J.W., 736, 800, 801, 803, 831.

ALLEN, William, Cardinal, 58, 645, 646, 904.

ALTHUSIUS, 266, 803.

ALVEY, Richard, 4, 5.

AMBROISE, saint, 585.

AMERBACH, Boniface, 763.

ANAXAGORE, 207.

ANDRADA, 19.

ANDREWES, Lancelot, 64-66, 74-78, 81, 84, 336, 542, 632, 687, 894, 930.

ARISTOTE, 17, 19, 99, 107, 111-14, 128, 161, 163, 168, 178-79, 181, 194, 222, 225, 230-31, 237-39, 243, 246-47, 253-54, 261-64, 267, 269-70, 272, 274-75, 284, 314, 359-62, 367, 370, 372-73, 551, 561, 566, 584, 616, 666, 684-85, 739, 758-59, 765, 767-68, 771-72, 786-87, 789-92, 797-98, 804, 808-09, 841, 899.

ARMINIUS, 83.

ARNOLD DE CHARTRES, 541.

ATHANASE, saint, 757.

AUDLEY, Sir Thomas, 331.

AUGUSTIN, saint, 87-90, 101, 105, 221, 237, 359, 363, 365, 367, 436, 442-43, 457, 471, 511, 548-49, 685, 841, 884.

AVERROES, 691.

AYLMER, John, 13, 431.

B

BACON, Francis, 182, 375, 388-92, 687, 761, 848-49.

BAIUS, Michel, 367.

BALDE, 294.

BANCROFT, Richard, 33, 38, 40-42, 44, 46-47, 50, 84, 453, 593, 658, 702, 709, 937.

BANDELLO, Vincenzo, 356.

BARCLAY, William, 800.

BARNES, Robert, 343.

BARO, Pierre, 83-84, 436, 750.

G

H

TABLE DES MATIERES

L I V R E   I I

LE SYSTEME DES LOIS. PRINCIPES ET METHODES

CHAPITRE I I I : "THE BODY POLITIC"

La métaphore du "corps politique", p. 293.- L'usage modéré de l'image organique chez Hooker, p. 299.- Corps politique et Parlement, p. 305.-

CHAPITRE   I V : SOUVERAIN, LOI, NATION

"Majestas" et "dominium". La notion de souveraineté, p.309.- Le souverain et la loi. The King under the law and yet not subject to law, p. 313.- Le souverain et la nation. The King's dependency upon the whole and the whole's dependency upon the King, p. 320.- La prérogative royale, p. 325.-

CHAPITRE   V : DROIT DIVIN ET DEVOIR D'OBEISSANCE

The Lord's anointed, p. 335.- Obéissance et résistance, p. 342.- Le "sermon sur l'obéissance civile", p. 347.-

4e PARTIE : L'HOMME EN TANT QU'ETRE DONT LA FIN EST DIEU MEME

CHAPITRE I   : BIEN SUPREME ET BEATITUDE. NATUREL ET
                   SURNATUREL

Béatitude, intellect et volonté : les données d'un ancien débat, p. 355.- La béatitude selon Hooker : "complete union with God according unto every power of our minds", p. 357.- Désir naturel d'une fin surnaturelle, p. 359.- Gratia perficit naturam, p. 363.- Nature intègre, nature pécheresse, nature rachetée, p. 366.-